1 MONTH OF FREE READING

at

www.ForgottenBooks.com

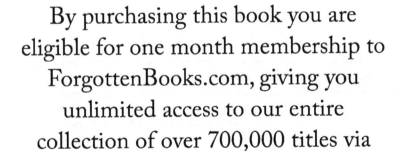

By purchasing this book you are eligible for one month membership to ForgottenBooks.com, giving you unlimited access to our entire collection of over 700,000 titles via our web site and mobile apps.

To claim your free month visit:

www.forgottenbooks.com/free595278

ISBN 978-0-483-03010-7
PIBN 10595278

This book is a reproduction of an important historical work. Forgotten Books uses state-of-the-art technology to digitally reconstruct the work, preserving the original format whilst repairing imperfections present in the aged copy. In rare cases, an imperfection in the original, such as a blemish or missing page, may be replicated in our edition. We do, however, repair the vast majority of imperfections successfully; any imperfections that remain are intentionally left to preserve the state of such historical works.

Abriß

des gesellschaftlichen

Lebens und der Sitten

in Italien.

In Briefen entworfen

von

Johann Moore

d. A. D.

Erster Band.

Strenua nos exercet inertia: navibus atque
Quádrigis petimus bene vivere. Quod petis, hic est.

HOR.

Aus dem Englischen.

Leipzig,

bey Weidmanns Erben und Reich. 1781.

24322/8/8/92

Vorbericht.

Folgende Bemerkungen über Italien und die
italiänischen Sitten wurden auf eben der Reise gesammlet, welche den Stoff zu dem Abriß des
gesellschaftlichen Lebens und der Sitten in Frankreich, der Schweiz und Deutschland gab. Alle,
die jenes Buch gelesen haben, werden auf den ersten Anblick wahrnehmen, daß dieses eine Fort-
setzung desselben ist; die es aber nicht beobachtet
haben, denen findet man nöthig es aus der Ursache anzuzeigen, weil die Briefe ohne einige Ein-
leitung anfangen.

Inhalt

Inhalt
des ersten Theils.

3 XXXII.

Betrach-

Betrachtung

der Gesellschaft und Sitten in Italien.

I. Brief.

Hochgeehrter Herr!

Venedig.

Nachdem wir Wien verlaſſen hatten, ſetzten wir unſern Weg durch die Herzogthümer Steiermark, Kärnthen und Krain nach Venedig fort. Ohngeachtet dieſe Länder von Natur gebirgigt ſind, ſo ſind doch die Landſtraßen beſonders gut. Anfänglich haben ſie den Einwohnern erſtaunende Arbeit gekoſtet; ſie ſind aber auch ſo dauerhaft angelegt, daß die Unterhaltung, auf welche dem Anſehen nach alle nöthige Aufmerkſamkeit verwendet wird, nicht viele Mühe macht. Einige Gebirge ſind mit Holzungen bedeckt; mehrentheils aber ſind ſie ganz kahl. Zwiſchendurch giebt es viele Felder und Thäler, die zu Weiden und Kornland dienlich, und deren einige, beſonders in dem Herzogthum Krain, vorzüglich fruchtbar ſind. In dem Innern der Erde iſt ein Ueberfluß von Bley, Kupfer und Eiſen.

I. Theil.   A

Eisen. Der Steiermarker Stahl wird für vortrefflich gehalten; und die keine Stadt Idra in Krain ist wegen der Quecksilberminen in der Nachbarschaft berühmt.

Die Gelehrten streiten sich über die Frage — denn oft streiten Gelehrte über etwas, welches Unwissende für sehr unwichtig halten — auf welchem Wege die ersten Einwohner, die Italien bevölkert haben, dahin gekommen sind? Und einige wollen behaupten, daß sie den Weg durch Krain genommen haben. Sie nehmen zum Grundsatz an, daß die ersten Einwohner eines jeden Landes, das keine Insel ist, zu Lande dahin gekommen seyn müssen, und nicht zur See, weil den frühern Bewohnern der Erde die Kunst der Schifffahrt unbekannt war. Da nun Italien eine Halbinsel ist, so gab es keinen andern Weg dieses Land zu betreten, als durch irgend einen Theil der Landenge, vermittelst deren es mit dem übrigen Europa zusammenhängt. Einen großen Theil dieser Landenge machen die Alpen aus, welche Fremden in den ersten Zeiten den Weg eben so gut als die See versperrten. Der leichteste, kürzeste und einzig mögliche Weg, Meere und Gebirge bey dem Eingang in Italien zu vermeiden, ist durch das Herzogthum Krain und Friaul; ergo kamen sie durch diesen Weg. Q. E. D.

Diesem Beweise widersprechen andre, und versichern, die ersten Einwohner seyn zu Schiffe von Griechenland gekommen; und einige sind so kühn zu behaupten, Italien habe so gut als irgend ein Land das Recht, Einwohner von seiner eignen ursprünglichen Hervorbringung zu haben, ohne daß es Landstreicher dazu gebrauchte.

Ich habe es für billig gehalten, Ihnen die Meinung der Gelehrten von diesem Lande mitzutheilen, weil es nicht in meinen Kräften ist, es aus eigner Beobachtung

tung zu beschreiben. Denn wir reiseten durch diese Herzogthümer mit einer Geschwindigkeit, die alle Beschreibung vereitelt.

So gut die Wege, so schlecht sind die Gasthöfe; wir schliefen daher lieber auf jenen, als in diesen, und reiseten wirklich fünf Tage und Nächte, ohne länger stille zu liegen, als zu dem Pferdewechsel nöthig war.

So angenehm und vortheilhaft diese Art zu reisen in einigen Stücken seyn mag, so ist sie doch keineswegs geschickt, uns den vollkommensten und dauerhaftesten Begriff von der Gestalt eines Landes, oder von den Sitten und dem Charakter der Einwohner zu geben, und daher werden Sie hoffentlich keine genaue Nachricht davon von mir begehren.

Unter andere Merkwürdigkeiten, von deren mit gehöriger Aufmerksamkeit anzustellender Besichtigung uns unsere ununterbrochne schnelle Bewegung abhielt, gehört auch Grätz, die Hauptstadt in Steiermark, durch welche wir unglücklicher Weise mitten in der Nacht kamen.

Ich bedauerte dieses, nicht wegen der Regelmäßigkeit der Straßen, des ehrwürdigen Anblicks der Kirchen, der erhabenen Lage des Kasteels und andrer Dinge, welche uns so sehr gerühmt wurden; sondern nur deswegen, weil wir keine Gelegenheit hatten, den Schrein des H. Allans eines Engländers zu besuchen, der ehemals ein Dominicanermönch in dem Kloster dieser Stadt, und bey der Jungfrau Maria in hohen Gnaden war, wovon sie ihm einige so starke als außerordentliche Beweise gab. Unter andern Merkmalen ihrer Achtung pflegte sie ihn mit Milch aus ihren Brüsten zu erquicken. Dies ist freylich ein Zeichen einer Neigung, das man selten Lieblingen, die über ein Jahr alt sind, beweiset, und vermuthlich werden Sie sich sehr darüber wundern. Inzwischen ist eben nicht zu besorgen, daß ein solches Bey-

spiel

spiel auf die Jungfrauen vielen Eindruck machen werde.
An der Wahrheit dieser Geschichte hat man gar nicht Ursache zu zweifeln, denn sie wird in einer Inschrift unter
dem Bilde des Heiligen erzählt, das in dem Dominicanerkloster dieser Stadt sorgfältig aufgehoben wird. Wir
setzten unsere Reise mit dem völligen Entschlusse fort, uns
keines andern Bettes als unserer Postkutsche zu bedienen; aber plötzlich mußten wir aus Mangel an Pferden
in einem keinen Orte Wipach, an den Gränzen der
Grafschaft Görz in Krain, liegen bleiben.

Vor unserer Abreise von Wien hatten wir vernommen, daß der Erzherzog mit der Prinzessinn im Begriff
wären, nach Mailand zurückzukehren; deswegen hielten wir es für rathsam, noch acht Tage nach ihrer Abreise in Wien zu bleiben, um den Unbequemlichkeiten, die aus einem Mangel an Postpferden auf einer so
wenig besuchten Straße entstehen könnten, zu entgehen.

Nach mit so vieler Vorsicht genommenen Maasregeln gedachten wir bey unserer wirklichen Abreise nichts
weniger, als unterwegs aufgehalten zu werden.

Inzwischen hatte es dem Erzherzoge und der Erzherzoginn beliebt, die gerade Straße zu verlassen, und
nach Triest zu gehen, um die neuerlichen Verbesserungen dieser Stadt, deren Handel von dem Kaiser sehr unterstützt und beschützt wird, in Augenschein zu nehmen.
Da sie einige Tage dort verweilten, so wurden alle zu-
sammengebrachte Pferde, sie nach Triest zu fahren, in
dem Posthause zu ihrem Gebrauch aufbehalten, und wir
fanden keine zu Wipach. Es fieng an dunkel zu werden, als wir ankamen; der Postmeister rauchte seine
Pfeife an der Thür. Sobald die Chaise still hielt, rie-
fen wir ihm zu, die Pferde ohne Zeitverlust zu besorgen;
denn wir könnten, setzte ich mit einem wichtigen Ton
hinzu, uns nicht einen Augenblick verweilen. Er antwortete

wortete gleichgültig, da wir so große Eile hätten, so wollte er uns keineswegs aufzuhalten suchen, aber Pferde, uns fortzubringen, hätte er nicht. Ich fragte, wie bald sie da seyn könnten. Er antwortete, wenn sie von der Begleitung des Erzherzogs zurückkämen; aber ob sie des nächsten, des folgenden Tages, oder noch ein oder zwey Tage später zurückkämen, könnte er nicht sagen.

Es schien uns ein großes Ungemach, so unerwartet auf einmal in einem kleinen, elenden Gasthofe Halte machen zu müssen, und wir hielten einmüthig dafür, daß uns nichts unglücklicheres hätte widerfahren können. Nach einigen über die Einrichtung der Posten und die Policeyordnung in diesem Lande hastig ausgestoßenen Reden entschlossen wir uns, aus der Noth eine Tugend zu machen, und unser Schicksal standhaft und gelassen zu ertragen.

Wir fliegen demnach aus dem Wagen, und ich hieß dem Postmeister, eine gute Mahlzeit zu besorgen, von seinem besten Wein herzugeben, und die Betten zurecht zu machen. Anstatt über diesen Auftrag Zeichen der Zufriedenheit blicken zu lassen, wie ich es erwartet hatte, antwortete er ohne einige Bewegung, er hätte keinen Wein als zu seinem Gebrauch, er gäbe niemanden zu essen als seiner Familie, und er hätte kein andres Bette, als in welchem er mit seiner Frau und einem Kinde schliefe, und in welchem nur für sie drey Platz wäre.

Bisher hatte ich es noch nicht bemerket, daß dieses Mannes Haus kein Gasthof sey; so bald ich meines Irrthums inne wurde, so bat ich ihn, mir den Gasthof zu zeigen. Er wies mit seiner Pfeife auf ein kleines Haus an der andern Seite der Gasse.

Hier antwortete man uns, daß aller Mundvorrath im Hanse schon verzehrt sey — drey bis vier Gäste hätten alle entbehrliche Zimmer eingenommen — die Familie

A 3

mille ſey im Begriff zu Bette zu gehen, man könne keine Geſellſchaft mehr aufnehmen.   Beynahe dieſelbige
Antwort erhielten wir in einem andern keinen Gaſthofe;
und in jedem Hauſe, wo wir um Aufnahme anhielten,
wurde ſie uns abgeſchlagen.

Wipach liegt ſo nahe bey Görz, daß keine Reiſende, außer vom niedrigſten Stande, hier ſtille liegen;
daher die Einwohner ſich auf keine Gäſte einrichten.

Ich kehrte in dieſer Verlegenheit zu unſerm Poſtmeiſter zurück, der ſeine Pfeife noch vor der Thür rauchte.   Ich gab ihm von unſerm ſchlechten Succeß Nachricht, und bat mir in einem ſanften Ton, wie vorhin,
ſeinen Rath aus, wo wir die Nacht bleiben ſollten.   Er
antwortete mit einer unvergleichlichen Geſetztheit, das
ſey zu viel gefragt; da er aber in einigen Tagen Pferde
erwartete, ſo möchten wir ihm auzeigen, wo wir anzutreffen wären, ſo wollte er dafür ſorgen, daß wir es den
Augenblick wiſſen ſollten, wenn er Pferde liefern könnte.
Da es mittlerweile anfieng zu regnen, und der Abend auſ-
ſerordentlich kalt war, ſo wünſchte er uns eine gute
Nacht, gieng in ſein Haus, und verſchloß und verrie-
gelte die Thüre ſorgfältig hinter ſich.

Nie hat ein alter oder neuer Philoſoph das Leiden
anderer mit mehrerer Gleichmüthigkeit ertragen als dieſer Mann.

Nun waren wir völlig überzeugt, es ſey nicht das
größte Unglück, das einen Reiſenden betreffen könne,
wenn er gezwungen iſt, die ganze Nacht in einem Gaſthofe zu bleiben, da er ſeine Reiſe fortzuſetzen wünſcht;
und wir würden uns nun glücklich in einer Lage geſchätzt
haben, die wir vor einer oder zwey Stunden für ſchreck-
lich angeſehen haben würden.

In dieſem verlaſſenen Zuſtande wandte ich mich an
einen italiäniſchen Bedienten des Herzogs von Hamilton, einen verſchmitzten Kopf, dem es ſelten in ſchwie-
rigen

rigen Umständen an Hülfsquellen fehlte. Inzwischen schien er in gegenwärtigem Vorfalle ein wenig verlegen zu seyn; er stand, zuckte die Schultern, und sahe starr vor sich hin. Endlich fuhr er auf, als ob er aus einem Traum erwachte, murmelte: cent ore di màniconia non pagano un quatrino di debito *), und gieng mit einer nicht ganz hoffnungsleeren Mine fort.

Ich begleitete ihn, ohne zu wissen, worauf er seine Erwartungen gründete. Wir kamen zu einem Mönchs-kloster, und wurden eingelassen. Der Italiäner fragte nach dem Superior, und meldete ihm mit kurzen Worten unsern Stand. Der ehrwürdige Alte hörte ihn mit wohlwollender Mine an; er bedauerte die uns wider-fahrne Begegnung, und bat mich, ihn zu begleiten, in-dem er uns eine Herberge aufsuchen wollte. Er führte uns zu einem Hause, das eine Witwe mit ihren Kin-dern bewohnte. Sobald ihr der gute Mönch unsern Zu-fall vorgetragen hatte, erklärte sie sich gleich, daß wir ihr willkommen wären, wenn wir mit dem vorlieb neh-men wollten, was sie uns geben könnte. Wir hatten eine vortreffliche Abendmahlzeit von Sauerkraut und Salat. Ich werde sie nie vergessen. Ich fand ihren Wein unvergleichlich, und ihre Betten schön. Der gu-te Mönch schien an der Zufriedenheit, die wir bezeug-ten, seine Freude zu haben, und wegerte sich durch-aus, eine andre Belohnung für seine Mühe anzu-nehmen.

Wenn wir bey unserer Ankunft den zierlichsten Gast-hof und die prächtigste Mahlzeit gefunden hätten, so würden wir vielleicht den Abend zugebracht haben uns zu beklagen, daß wir in Ansehung der Postpferde getäuscht wären; aber die Besorgniß einer so geringen Verdrieß-

A 4　　　　　　　lichkeit,

---

*) Mit hundert Stunden Schwermuth läßt sich kein Dreyer Schulden bezahlen.

lichkeit, als die Nacht ohne Abendeſſen auf der Straße
bleiben zu müſſen, ſöhnte uns gleich mit der Hütte der
Witwe aus, und machte uns bey ihrer häuslichen Mahlzeit vergnügt. So nothwendig iſt eine gewiſſe Portion
Ungemach oder Schwierigkeiten, dem Vergnügen Geſchmack zu geben. Ohne ſie werden uns die Annehmlichkeiten des Lebens leicht unſchmackhaft; und wir ſehen,
daß Leute, die, ohne daß ſie ſich Mühe darum zu geben
bedürfen, alle Arten des Genuſſes zu ihrem Befehle
haben, vielleicht unter allen am wenigſten genießen.

Wir vernahmen des andern Morgens, daß die
Witwe mit ihrer Familie die ganze Nacht aufgeblieben
ſey, um uns mit Betten dienen zu können. Sie hatte
nicht Urſache, ſich ihre Gaſtfreyheit gereuen zu laſſen.
Die Dankbarkeit der guten Frau redete laut von der
Großmuth des Herzogs von Hamilton. Wie dieſes dem
Poſtmeiſter zu Ohren kam, ſo reizte es ihn, ſich Mühe
zu geben, die Chaiſen, ohne die Poſtpferde abzuwarten,
nach Görz ſchleppen zu laſſen.

Dies geſchah vermittelſt dreyer Karrengäule und
zweyer Ochſen, welche an dem gebirgigſten Theile des
Weges von Büffeln abgelöſet wurden. Man zieht in
dieſem Lande dieſe Thiere. Sie ſind ſtark, muthig und
lenkſam, und vor dem Pflug in einem höckrichten und
hüglichten Erdreich den Pferden und Ochſen vorzuziehen.

Bey unſerer Ankunft zu Görz fanden wir die Einwohner in ihren Feſttagskleidern, an den Fenſtern und
auf den Gaſſen, mit Ungeduld auf den Anblick des Erzherzogs und der Erzherzoginn warten. Wie wir auf
dem Poſthauſe Pferde begehrten, ſo erhielten wir zur
Antwort, man könnte uns keine liefern, weil ſie alle zum
Dienſt Seiner Hoheit bleiben mußten. Ich konnte nicht
umhin, gegen den Herzog von Hamilton die Anmerkung zu machen, daß es eine ganz andere Bewandtniß
mit

mit den Herzögen als mit den Propheten in ihrem Vaterlande zu haben schiene.

Inzwischen lief alles besser ab, als wir zu erwarten Ursache gehabt hatten. Ihre Hoheiten kamen auf den Abend an, und da sie erst am folgenden Morgen wieder abreisen wollten, so war der Erzherzog so höflich Befehl zu ertheilen, dem Herzog von Hamilton so viele Pferde zu geben, als er gebrauchte.

Wir reiseten unverzüglich ab, und langten des Morgens zwischen ein und zwey Uhr auf der nächsten Station an. In diesem Theil der Welt erfodert es wenigstens eben so viel Zeit, die Leute um Mitternacht aus dem Schlafe zu bringen, und die Pferde vor zwey Wagen anzuspannen, als in einigen Gegenden von England zwey Stationen zurückzulegen. Eben wie wir aus dem Hofe des Posthauses herausfahren wollten, langten der Koch und Kellner des Erzherzogs an. Sie giengen, wie gewöhnlich, voraus, das Abendessen u. s. f. in dem Gasthofe zu bereiten, wo ihre Hoheiten einkehren wollten. Sie wußten, daß alle Pferde für ihren Herrn bestellet waren; aber sein besonderer Befehl zu Gunsten des Herzogs von Hamilton war ihnen unbekannt. Wie sie zehn Pferde abgehen sahen, so tobten sie mit dem Postmeister, und droheten ihm mit der Rache aller Zweige des ganzen Hauses Oesterreich, wenn er ein einziges Pferd aus dem Posthause lassen würde, bis der Erzherzog mit seinem Gefolge abgereiset wäre.

Der über diese Drohung erschrockne Postmeister befahl den Knechten abzusteigen, und die Pferde wieder auszuspannen. Diese Verordnung war dem Herzoge von Hamilton keineswegs angenehm, und er vertrieb die Furcht des Postmeisters vor dem Zorn des kaiserlichen Hauses im Augenblick durch eine seiner Person unmittelbarer drohende Gefahr, die er ihm zeigte; und der Mann befahl den Postknechten abzufahren.

Die

Die nächſte Station, wo wir ankamen, wär ein kleiner Ort im venetianiſchen Gebirge, wo wir fanden, daß
von Venedig eben ſolche Befehle eingegangen waren,
als wir auf den bereits paſſirten Stationen erfahren hatten.   Der italiäniſche Bediente des Herzogs von Hamilton war der Meinung, daß wir Zeit gewinnen würden, wenn er uns für einen Theil der Geſellſchaft aus-
gäbe, welche dieſe Befehle beträfen.   Er beſtellte die
Pferde im Namen des Großherzogs und wurde gleich gehorcht; der Kellner und Koch aber, die bald nach uns
anlangten, gaben andern Bericht.   Sogleich wurden
Couriere abgefertigt, deren einer uns einholte, und im
Namen der Obrigkeit den Poſtknechten befahl, uns zurückzubringen, weil wir Betrüger wären, die mit dem
Großherzog in keiner Verbindung ſtünden.   Aber eben
die Gründe, welche auf den deutſchen Poſtmeiſter ſo güte Wirkung hatten, brachten auch den Courier zum Stillſchweigen und die Poſtknechte zum Fortfahren.

Es war Mitternacht, als wir zu Meſtee, einem
kleinen Ort am Ufer der Laguna, fünf Meilen von Venedig, ankamen, wo wir die ganze Nacht blieben. Des
andern Morgens mietheten wir ein Boot, und ſtiegen in
zwey Stunden mitten in dieſer Stadt an Land.

Wir haben ſehr angenehme Zimmer in einem Gaſt-
hof an der Seite des großen Canals.   Seine königliche
Hoheit der Herzog von Glouceſter, der ſich jetzt zu Padua befindet, hatte ſie eben geräumt.   So ſind wir endlich in Italien angelangt

Per varios caſus & tot diſcrimina rerum.

II. Brief.

II. Brief.

Venedig.

Einige Tage nach unserer Ankunft zu Venedig trafen wir den Erzherzog und die Erzherzoginn in dem Hause des kaiserlichen Gesandten an. Sie belustigten sich ungemein an der Geschichte ihres Kochs und Kellners, welche ich Ihnen ausführlich erzählte.

Die Gesellschaft bestand blos aus Fremden. Der venetianische Adel stattet in dem Hause der fremden Minister nie Besuche ab.

Unter andern war der Sohn des Herzogs von Berwick zugegen. Dieser junge Herr hat sich neulich durch die Vermählung mit der Schwester der Gräfinn von Albanien mit dem Hause, von welchem er abstammet, verbunden. Vermuthlich haben Sie gehört, daß der Prätendent, der sich nun zu Florenz befindet, den Titel eines Grafen von Albanien angenommen hat.

Des folgenden Tages begleitete der Herzog von Hamilton den Erzherzog und die Erzherzoginn nach dem Arsenal. Hier wurden sie von einer Deputation des Senats empfangen.

Einige venetianische Damen vom ersten Range waren aus Achtung für die Erzherzoginn mit von der Gesellschaft.

Das Arsenal zu Venedig ist eine Festung von zwey bis drey Meilen *) im Umfang. Auf den Wällen sind verschiedene keine Wachthürme, welche mit Schildwachen besetzt sind. Gleich dem Arsenal zu Toulon ist es zugleich

*) Der Leser beliebe sich ein für allemal zu bemerken, daß allenthalben, wo von Meilen geredet wird, englische zu verstehen sind. Ueb.

zugleich ein Schiffswerft und ein Vorrathshaus von
Schiffs- und Kriegsmaterialien. Hier bauen die Venetianer ihre Schiffe, gießen ihre Kanonen, verfertigen
ihre Taue, Segel, Anker u. s. w. Die Waffen sind
hier, wie an andern ähnlichen Orten, in großen Zimmern
aufgestellt, welche durch lange Wände von Musketen,
Spießen und Helleparten in enge Gänge abgetheilt sind.
Da vor der Ankunft des Erzherzogs und der Herzoginn
schon alle Zurüstungen gemacht waren, so wurde in ihrer Gegenwart eine Kanone gegossen. Hierauf wurde
die Gesellschaft an Bord des Bucentaur geführt, welches das Schiff ist, auf welchem der Doge fährt, wenn
er sich mit dem adriatischen Meer vermählt. Hier
wurden sie mit Wein und Gebackenem bewirthet, und
die venetianischen Edelleute machten die Ehrenbezeugungen.

Der Bucentaur liegt auf dem Trocknen unter einem
Verdeck, und wird nicht anders als zu der Vermählung
gebraucht. Er kann eine sehr zahlreiche Gesellschaft enthalten, ist inwendig schön vergoldet und ausgeziert, und
auswendig mit emblematischen Figuren von Bildhauerarbeit überhäuft. Personen, die landwärts wohnen,
mögen dies Schiff bewundern, Seeleute aber wird es
nicht sehr entzücken; denn es ist eine schwere Maschine
mit einem flachen Boden, geht nicht tief ins Wasser,
und kann folglich vom Winde leicht umgeworfen werden.
Doch ist keine große Gefahr zu besorgen, weil man eine
gedoppelte Vorsicht gebraucht, einen solchen Zufall zu
verhüten, davon die erste das Herz der Gläubigen zu beruhigen, die andre den Ungläubigsten zum Vertrauen zu
bewegen dienen soll. Die erste beobachtet der Patriarch,
sobald das Schiff flott gemacht ist, indem er etwas
Weihwasser ins Meer gießet, welches die Kraft haben
soll, den Stürmen vorzubeugen, oder sie zu schwächen.
Die zweyte wird dem Admiral anvertrauet, welcher die

Macht

Macht hat, die Heirathsceremonie zu verschieben, wenn die Braut im geringsten Grade ungestüm ist. Hiedurch wird eine Kraft des geweiheten Wassers, nämlich die Stürme zu schwächen, überflüssig.

Wenn aber das Wetter völlig günstig ist, so geschieht die Ceremonie an jedem Himmelfahrtstage. Die Feyerlichkeit wird des Morgens durch das Läuten der Glocken und Abfeuern der Kanonen angekündigt. Um Mittag geht der Doge in Begleitung einer zahlreichen Gesellschaft des Senats und der Geistlichkeit an Bord des Bucentaur; das Schiff wird ein wenig in die See hineingerudert, und von den glänzenden Jachten der fremden Gesandten, den Gondoln des venetianischen Adels und einer unglaublichen Anzahl aller Arten von Barken und Galeren umgeben. Und indem der Bucentaur mit seinen Begleitern langsam nach Lido, einer kleinen Insel, zwey Meilen von Venedig, sich bewegt, werden Hymnen gesungen, und eine Musik aufgeführt. Alsdenn werden Gebete verlesen, nach denen der Doge einen Ring von keinem großen Werth mit diesen Worten in die See wirft: Desponsamus te, mare, in signum veri perpetuique dominii *). Die See giebt gleich einer sittsamen Braut durch Stillschweigen ihre Einwilligung, und die Heirath wird in allen Stücken für gültig und richtig erkannt.

Wahr ist es, daß es eine Zeit gab, da der Doge völligen Besitz und Herrschaft über seine Braut hatte; aber seit vielen Jahren nehmen verschiedene andre Liebhaber an ihren Gunstbezeugungen Theil, oder nach Otways kühner Metapher:

Nun verkriecht sich ihr großer Herzog zitternd in seinem Palast, und sieht das adriatische Meer, sein Weib,

---

*) Wir heirathen dich, Meer, zum Zeichen einer wahren und ewigen Herrschaft.

Weib, wie eine liederliche Hure von kühnern Schiffen als dem seinigen bepflügt.

Nachdem der Erzherzog und die Erzherzoginn alles in dem Arsenal besehen hatten, so traten sie mit ihrer ganzen Gesellschaft an Bord einiger Boote, die zu ihrem Empfange eingerichtet waren. Sie wurden nach dem Theil des Sees hingerudert, von welchem sich Venedig am vortheilhaftesten zeigt, und die ganze Zeit über ließ sich Musik hören; zugleich waren in zwey bis drey kleinen Booten die Matrosen beschäftigt, Austern zu fischen, welche sie öffneten, und der Gesellschaft überreichten.

Die Belustigungen dieses Tags hatten alle Vorzüge der Neuheit, sie Fremden angenehm zu machen, und waren mit jedem Vergnügen, welches das aufmerksame und höfliche Bezeigen des venetianischen Adels verschaffen konnte, verbunden.

III. Brief.

Venedig.

Da es gegenwärtig nicht in der Zeit ist, wo öffentliche Feyerlichkeiten Fremde nach Venedig ziehen, so ist es ein Glück für uns, daß wir mit dem Erzherzog und der Erzherzoginn hier sind. Die große Achtung, welche dieser Staat dem kaiserlichen Hause zu bezengen sich bestrebte, hat viele vom Adel nach Venedig gebracht, welche sonst auf ihren Gütern auf dem festen Lande geblieben seyn würden, und hat uns zugleich Gelegenheit gegeben, einiges auf eine vortheilhaftere Art zu sehen, als sonst hätte geschehen können.

Ich hatte die Ehre, Ihre Hoheiten zu begleiten, als sie die Insel Murano besahen. Diese liegt eine Meile von Venedig, war ehemals ein sehr blühender

Platz

Platz, und thut noch groß mit einigen Palästen, welche Merkmale voriger Pracht an sich tragen; ob sie gleich jetzt in einem verfallenen Zustande sich befinden. Diese Insel soll 20060 Einwohner zählen. Die großen Spiegelmanufacturen sind das einzige, was Fremde bewegen kann, sie zu besuchen. Ich sahe in einigen Minuten in Gegenwart des Erzherzogs eine sehr schöne Tafel zu einem Spiegel machen. Ob sie gleich nicht so groß war, als ich deren in der Pariser Manufactur gesehen habe, so war sie doch weit größer, als ich geglaubt hatte, daß eines Menschen Lunge zu blasen im Stande wäre. Die Spiegel zu Murano werden nicht wie in Frankreich und England gegossen, sondern sämmtlich nach Art der Flaschen geblasen. Es ist zum Erstaunen, mit welcher Behendigkeit der Arbeiter einen langen, hohlen Cylinder an dem Ende einer eisernen Röhre handhabet. Wenn er denselben, so viel möglich, durch Blasen und alle andre von seiner Kunst ihm gelehrte Mittel ausgedehnt hat, so schneidet er ihn mit einem scharfen Instrument auf, theilt die beyden Enden von einander, und macht ihn flach. Nun erscheint der Cylinder als eine große Glasplatte, welche, wenn sie noch einmal in den Ofen geschoben ist, als eine klare vollkommene Tafel wieder herauskommt.

Diese Manufactur versah ehemals ganz Europa mit Spiegeln. Es werden hier noch große Quantitäten verfertigt; denn obgleich Frankreich und England und einige andre Länder ihre Spiegel selbst machen, so gebrauchen doch durch einen natürlichen Fortgang des Aufwandes die Länder, welche noch ihre Spiegel und andre Sachen von Murano ziehen, eine weit größere Menge davon als vor diesem; so daß, wenn man annimmt, daß die Manufactur drey Viertheile ihrer Kundleute verloren hat, sie dennoch halb so vielen Handel haben kann, als sie sonst gehabt hat. Es ist zu bewundern,

wundern, daß sie anstatt zu blasen, nicht die Methode
des Gießens annimmt, welches meines Erachtens weit
leichter ist, und weit größere Tafeln liefert. Außer den
Spiegeln werden eine unzählige Menge Glasperlen von
allen Farben und Gestalten gemacht, welche man Mar-
garirini neunt. Die geringsten Weiber tragen sie zur
Zierde und zu Rosenkränzen. Sie gießen auch aus dieser Substanz allerley Figuren zu Zierrathen in Häusern
und Kirchen. Mit einem Wort, hier werden so viele
Glaständeleyen gemacht, mit denen die Hälfte der Einwohner auf der Küste von Guinea in die Sklaverey gestürzt werden kann.

Nach der Abreise des Erzherzogs und der Erzherzoginn brachte der Herzog von Hamilton seine Zeit mehrentheils in den Häusern der fremden Gesandten zu,
welche nach dem Schauspiel der beste Aufenthalt für
Fremde sind.

Neulich waren wir auf einer Conversazione bey
dem spanischen Gesandten. Man hätte es für eine Pan-
tomime halten können. Der Gesandte, seine Gemahlinn und Töchter reden nichts als spanisch, und zum
Unglück verstand solches niemand von der Gesellschaft
als der Sohn des Herzogs von Berwick. Wie der
Herzog von Hamilton hörte, daß Hr. Montague sich
zu Venedig aufhielt, so war er so neugierig, diesem auf-
ferordentlichen Mann aufzuwarten. Er empfieng Seine Gnaden an der Treppe, und führte uns durch einige
auf venetianische Art meublirte Gemächer in ein inneres
Zimmer, das in einem ganz verschiedenen Styl eingerichtet war. Es waren keine Stühle darin, sondern er
bat uns, auf einen Sopha uns niederzulassen, dahinge-
gen er sich nach türkischer Art auf ein Küssen mit kreuz-
weise übereinander geschlagenen Beinen auf die Erde
setzte. Ein junger schwarzer Sklav saß bey ihm, und
ein

ein ehrwürdiger Alter mit einem langen Bart bediente
uns mit Kaffee.

Nach dieser Collation wurde einiges aromatisches
Rauchwerk gebracht, und in einem kleinen silbernen Ge-
fäß verbrannt. Hr. Montague hielt seine Nase einige
Minuten über den Dampf, und zog den Duft mit besonderer Zufriedenheit ein. Nachher suchte er den
Rauch mit seinen Händen aufzufangen, und vertheilte
und rieb ihn sorgfältig längst seinem Bart, der in grauen
Locken bis auf den Gürtel herabfiel. Diese Art, den
Bart zu parfumiren, scheint reinlicher, und eine Verbesserung der in alten Zeiten bey den Juden gewöhnlichen
Art zu seyn, von der es in den Psalmen heißt: „wie
„der köstliche Balsam ist, der vom Haupt Aaron
„herabfleußt in seinen ganzen Bart; der herab-
„fleußt in sein Kleid.“

Wir unterredeten uns sehr lange mit diesem ehrwür-
dig aussehenden Manne, der im höchsten Grad scharf-
sinnig, gesprächig und unterhaltend ist, und in dessen
Reden und Sitten sich eine Mischung der Lebhaftigkeit
eines Franzosen mit der Ernsthaftigkeit eines Türken
findet. Inzwischen beobachteten wir, daß er zum Erstaunen für den Charakter und die Manieren der Türken eingenommen war; und er hält dafür, daß solche den
Europäern, oder allen andern Nationen weit vorzuziehen sind.

Er beschreibt die Türken überhaupt als ein Volk von
großem Verstande und Aufrichtigkeit, als das gastfreye-
ste, großmüthigste und glücklichste Volk von der Welt.
Er will, sobald es möglich ist, nach Aegypten zurückkehren, welches er als ein vollkommenes Paradies schildert; und hält dafür, daß, wenn es nicht aus weisen Absichten, über welche zu urtheilen uns nicht geziemet, anders verordnet wäre, die Kinder Israel gewiß da,
wo sie waren, geblieben seyn, und gesucht haben wür-

k. Theil.   B   den,

ben, die Aegyptier nach dem Lande **Canaan** zu vertreiben.

Obgleich Herr **Montague** selten aus dem Hause geht, so erwiederte er doch den Besuch des Herzogs; und da wir mit keinen Polstern versehen waren, so setzte er sich die Zeit über, daß er da war, auf einen Sopha, mit den Beinen unter sich, so wie in seinem Hause. Durch lange Gewohnheit ist ihm diese Art zu sitzen die angenehmste geworden, und er behauptet, daß sie die natürlichste und bequemste sey: aber freylich hat er eine gleiche Vorliebe, wie es scheint, zu allen bey den Türken im Gange seyenden Gebräuchen. Ich konnte nicht umhin einer Gewohnheit zu erwähnen, welche nach meinem Dünken wenigstens von der Hälfte des menschlichen Geschlechts für unnatürlich und unanständig gehalten werden würde, daß es nämlich den Männern erlaubt sey, so viele Weiber zu nehmen, als sie unterhalten können, und solche in ihren Harams zu dem elendesten Leben einzusperren. „Ohnstreitig,“ erwiederte er, „sind alle Wei„ber der Polygamie und dem Concubinat feind; und „man hat Ursache zu glauben, daß dieser ihr Abscheu, „mit ihrem großen Einfluß in allen christlichen Ländern „verbunden, den Fortgang der mahomedanischen Reli„gion in **Europa** verhindert hat. Auf der andern „Seite haben die türkischen Männer einen solchen Wi„derwillen gegen das Christenthum, als die christlichen „Weiber gegen die Lehre **Mahomeds** haben. Die „Ohrenbeichte ist in ihren Gedanken etwas ganz abscheu„liches. Kein Türk, der einige Delicatesse besitzt, wür„de seinem Weibe, besonders wenn er nur eine hat, er„lauben, unter irgend einem Vorwande eine geheime „Unterredung mit einem Manne zu haben.“

Ich machte die Anmerkung, daß der Widerwille gegen die Ohrenbeichte keine Ursache der Abneigung der Türken gegen die protestantische Religion seyn könne.

„Das

„Das ist wahr," sagte er; „aber ihr habt andre Leh-
„ren mit den Katholiken gemein, welche ihnen eure Re-
„ligion eben so verhaßt machen. Ihr verbietet Vielwei-
„berey und Beyschläferinnen; und die Türken, die den
„Vorschriften ihrer Religion folgen, sehen dieses als ei-
„ne unerträgliche Härte an. Ueberdem ist die Vorstel-
„lung, die eure Religion von dem Himmel giebt, kei-
„neswegs nach ihrem Geschmack. Wenn sie eurer Be-
„schreibung glaubten, so würden sie ihn für den lang-
„weiligsten und unangenehmsten Ort von der Welt er-
„klären, und aus tausend Türken würde nicht einer in
„den christlichen Himmel wollen, wenn er die Wahl hät-
„te. Endlich so betrachtet die christliche Religion die
„Weiber als Geschöpfe, die mit den Männern in einer
„Gleichheit stehen, und einerley Recht zu jedem Genuß
„in dieser und jener Welt haben. Wenn dieses den
„Türken gesagt wird, so wundern sie sich nicht, wenn
„sie zugleich hören, daß die Weiber insgemein bessere
„Christen als die Männer sind; aber sie gerathen in ein
„völliges Erstaunen, daß unter dem vernünftigen, das
„heißt, unter dem männlichen Theil der Christen eine
„Meinung herrscht, welche nach ihrem Dünken wider
„allen gesunden Verstand ist. Es ist unmöglich," setzte Herr Montague hinzu, „den Muselmännern die
„Meinung auszureden, daß Weiber Geschöpfe von einer
„untergeordneten Gattung, und blos geschaffen sind,
„Männer auf ihrer Reise durch diese eitle Welt zu er-
„götzen und zu belustigen; daß sie aber keineswegs wür-
„dig sind, die Gläubigen in das Paradies zu begleiten,
„wo Frauenzimmer von einer weit erhabenern Natur, als
„die Weiber, mit Ungeduld drauf warten, alle fromme
„Muselmänner in ihre Arme zu schließen."

Es ist unnöthig, Ihnen ein Mehreres von unserm
Gespräch zu melden. Einer Dame, der ich an dem Tage, da es gehalten wurde, Nachricht davon gab, wurde

es sauer, mich so weit in meiner Erzählung fortfahren
zu laſſen; ſie unterbrach mich ungeduldig, und ſagte,
es wundere ſie, daß ich alle dieſe unvernünftige, abſcheu=
liche, gottloſe Grundſätze der verhaßten Mahomedaner
wiederholen könnte; ihres Erachtens ſollte man Herrn
Montague mit ſeinem langen Bart nach Aegypten
zurückſenden, und ihm nicht erlauben, Meinungen fort=
zupflanzen, deren bloße Erwähnung in keinem chriſtli=
chen Lande geduldet werden müßte, ſo vernünftig ſie
auch den Türken ſcheinen möchten.

IV. Brief.

Venedig.

Verſchiedene Reiſende erwähnen des Proſpects von
Venedig, in einer keinen Entfernung von der
Stadt, in Ausdrücken der höchſten Verwunderung. Ich
war ſo oft vor dem Erſtaunen, das mich bey dem erſten
Anblick dieſer Stadt befallen würde, gewarnt worden,
daß ich, wie ich ſie wirklich ſah, wenig oder gar nichts
von Erſtaunen empfand. „Sie werden eine prächtige
„Stadt ſehen,“ ſagten jene. — oder noch öfterer, um
einen deſto tiefern Eindruck zu machen, machten ſie eine
umſtändlichere Beſchreibung. — „Sie werden,“ hieß
es, „prächtige Paläſte, Kirchen, Thürme und Zinnen,
„alle mitten in der See ſtehend, ſehen.“ — Gut! dies
iſt ohnſtreitig eine ungewöhnliche Scene; und wer kann
zweifeln, daß eine vom Waſſer umgebne Stadt einen
ſehr ſchönen Anblick mache? aber alle Reiſende, die von
Kain an gelebt haben, werden mich nicht überzeugen
können, daß eine mit Land umgebne Stadt nicht weit
ſchöner ſey. Kann wohl in Anſehung der Schönheit
eine Vergleichung zwiſchen der traurigen Einförmigkeit
einer

einer Wasserfläche, und der ergötzlichen Mannichfaltigkeit der Gärten, Wiesen, Hügel und Wälder, Statt
haben?

Wenn die Lage von Venedig den Ort, in einiger
Entfernung betrachtet, weniger angenehm als eine andre
Stadt macht, so muß er in einem noch weit stärkern
Grad weniger angenehm zu bewohnen seyn. Denn anstatt auf den Feldern zu spazieren oder zu reiten, und des
Dufts der Blumen und des Gesangs der Vögel zu genießen, muß man sich hier, wenn man freye Luft schöpfen will, gefallen lassen, von Morgen bis Abend in einem schmalen Boot in schlammichten Canälen herumge-
rudert zu werden; oder wenn einem das nicht gefällt, so
hat er ein andres Hülfsmittel, nämlich auf dem Marcusplatz zu spazieren.

Dies sind die Nachtheile von Venedig in Ansehung
seiner Lage; aber es hat andere Eigenheiten, welche nach
der Meinung vieler jene überwägen, und es im Ganzen
zu einem angenehmen Ort machen.

Es heißt, Venedig ist in der See gebauet, das
ist, zwischen Untiefen erbauet, welche sich einige Meilen
von dem Ufer an dem äußersten Theil des adriatischen
Meerbusens erstrecken. Obgleich diese Untiefen, welche
nun alle vom Wasser bedeckt sind, das Ansehen eines
einzigen großen Sees haben, so werden sie doch Lagunen, oder Seen genannt; weil man dafür hält, daß ihrer verschiedene gewesen sind. Wenn man auf der Laguna segelt und auf den Grund sieht, so erblickt man
viele große Löcher, welche wahrscheinlich in vorigen Zeiten abgesonderte Seen gewesen, ob sie gleich jetzt gemein-
schaftlich mit Wasser bedeckt sind, und einen einzigen
großen See von ungleicher Tiefe ausmachen. Man
hält die Zwischenräume zwischen jenen Höhlen für keine
Eilande, welche nun Untiefen geworden sind, die man
bey der Ebbe mit einer Stange erreichen kann.

B 3

Wenn

Wenn man sich der Stadt nähert, so gelangt man an eine Wasserstraße, welche durch Reihen von Pfählen, die an jeder Seite stecken, bezeichnet ist, und den Schiffen von einer gewissen Last Anweisung geben, die seichten Stellen zu vermeiden, und in dem tiefern Wasser zu bleiben. Diese Untiefen vertheidigen die Stadt besser als die stärksten Festungswerke. Nähert sich eine feindliche Flotte, so dürfen die Venetianer nur die Pfähle ausziehen, so kann der Feind nicht weiter kommen. Und vor einer Armee zu Lande sind sie sogar mitten im Winter gesichert; denn die Ebbe und Fluth der See, und die warme Himmelsgegend hindern, daß das Eis nicht zu der Stärke gelangen kann, daß es eine Armee tragen könnte.

Der See, in welchem Venedig steht, ist eine Art eines kleinen innern Meerbusens, der von dem großen durch einige Inseln in einer Strecke von wenigen Meilen getrennt ist. Diese Inseln brechen großentheils die Macht der adriatischen Stürme, ehe sie die Laguna erreichen; doch ist bey heftigem Winde die Fahrt auf dem See für die Gondeln gefährlich, und oft wagen sich die Gondelierer nicht einmal auf die Canäle innerhalb der Stadt. Dies ist keine so große Unbequemlichkeit für die Einwohner, als man glauben möchte, weil die meisten Häuser eine Thür nach dem Canal, und eine andre nach der Gasse haben, vermittelst deren und der Brücken man fast nach allen Gegenden der Stadt so gut zu Lande als zu Wasser kommen kann.

Man rechnet die Anzahl der Einwohner auf 150000 Menschen; die Gassen sind durchgehends enge, so auch die Canäle, den großen Canal ausgenommen, der sehr breit ist, und in gekrümmtem Lauf mitten durch die Stadt geht. In Venedig sollen einige hundert Brücken seyn. Man begreift aber unter diesem Namen alle

einzelne

einzelne über die Canäle geschlagne Bögen, die mehrentheils elend genug sind.

Die **Rialto** besteht ebenfalls aus einem einzigen, aber sehr prächtigen Bogen von Marmor. Sie ist über den großen Canal, beynahe in der Mitte, wo er am engsten ist, erbauet. Dieser berühmte Bogen ist da, wo er mit dem Canal gerade ist, neunzig Fuß breit und vier und zwanzig hoch. Seine Schönheit ist durch zwey Reihen Buden oder Läden verdorben, die darauf stehen, und die Brücke in drey enge Gassen theilen. Die Aussicht von der **Rialto** ist so lebhaft als prächtig. Unterhalb sieht man den großen Canal mit Booten und Gondeln bedeckt, und an jeder Seite mit prächtigen Palästen, Kirchen und Thürmen geziert. Dieser schöne Prospect ist aber auch fast der einzige in Venedig: denn außer dem großen Canal und dem Canal **Ragio** sind alle andre enge und unbedeutend; einige haben keine Anländen; das Wasser bespült dem Buchstaben nach die Mauern der Häuser. Wenn man in diesen elenden Canälen fährt, so hat man keinen einzigen angenehmen Gegenstand für das Gesicht, und der Geruch wird durch den zu gewissen Jahrszeiten aus dem Wasser aufsteigenden Gestank beleidigt.

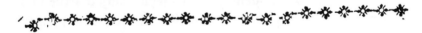

V. Brief.

Venedig.

So wie von dem großen Canal die einzige angenehme Aussicht in Venedig ist, so ist der St. Marcusplatz der einzige Ort, wo man bequem und sicher spazieren kann. Er ist eine Art eines unregelmäßigen Vierecks, das aus einer Anzahl von Gebäuden zusammenge=

mengefügt ist, die alle in ihrer Art etwas sonderbares haben, und sehr von einander verschieden sind.

Der herzogliche Palast, — die St. Marcuskirche, — die St. Geminianskirche, — eine prächtige Reihe von Gebäuden, die alte und neue Procuratie genannt, in welcher das Museum, die öffentliche Bibliothek und neun große Wohnungen der Procuratoren von St. Marcus sich befinden: alle diese Gebäude sind von Marmor.

Vom St. Marcusplatz ist eine Oeffnung nach der See hin. Auf dieser Seite stehen zwey hohe Säulen von Granit: Missethäter, welche zu einem öffentlichen Tode verdammet sind, werden zwischen diesen Säulen hingerichtet. Oben auf der einen Säule ist ein Löwe mit Flügeln, und auf der andern ein Heiliger — ohne Flügel — doch ist zu seinen Füßen ein großer Crocodil, der ihm, wie ich glaube, angehöret. An der einen Ecke der St. Marcuskirche, neben dem Palaste, sind zwey Bildsäulen von Adam und Eva. Sie haben weder Flügel noch Crocodil, noch andre Begleitung; nicht einmal ihren alten Bekannten, die Schlange.

An der Ecke der neuen Procuratie, ein klein wenig von der Kirche entfernt, ist der Marcusthurm; ein viereckigter Thurm von dreyhundert Fuß hoch. Es soll in Italien nichts ungewöhnliches seyn, daß Kirche und Thurm getrennet sind. Einem Geistlichen von meinen Bekannten war dieses sehr anstößig. Er erwähnte davon vor einigen Jahren zu mir, als von einem Stück der Irrthümer und Ungereimtheiten der römischen Kirche. Dieser Herr war durchaus der Meinung, daß Kirche und Thurm so unzertrennlich als Mann und Weib seyn müßten, und jede Kirche ihren Thurm als Mörtel von ihrem Mörtel und Stein von ihrem Stein anzusehen hätte. Ein alter anwesender Schiffscapitain fiel ihm bey, und schwor, daß eine von ihrem Thurm geschie

geschiedene Kirche ihm eben so lächerlich schiene als ein
Schiff ohne Mast.

Einige Schritte von der Kirche sind drey hohe Mast-
bäume, auf denen an öffentlichen Freudentagen Fahnen
und Flaggen aufgezogen werden. Sie sind zum Andenken der drey Reiche Cypern, Candia und Negropont
aufgestellt, welche ehemals dieser Republik gehöret haben. Die drey Kronen werden noch in dem herzoglichen
Palast verwahret. Mich dünkt, da die Königreiche
fort sind, so verlohnt es sich der Mühe nicht, die Kronen und Stangen aufzuheben; inzwischen sind sie Venedig eben so viel werth als der Titel König von Frankreich Seiner Britannischen Majestät ist. Unten in
dem St. Marcusthurm ist ein feines nettes Gebäude
von Marmor, die Loggietta genannt, wo einige der
Procuratoren von St. Marcus sich beständig zu den
Geschäften aufhalten. Einige sind der Meinung, daß
diese Procuratoren, besonders wenn der große Rath oder
der Senat versammlet ist, hier als eine Staatsschildwa-
che hingestellet werden, ihn bey einigem Anschein des
Misvergnügens oder der Bewegung unter dem Pöbel zu
warnen, welcher sich auf diesem Platz nothwendig ver-
sammeln muß, weil kein andrer Ort in Venedig ist, wo
er zusammenlaufen kann.

Die Patriarchalkirche von St. Marcus fällt sogleich nicht sehr ins Auge, ob sie schon eine der reichsten
und kostbarsten von der Welt ist. Die Bauart ist vermischt, meist gothisch; viele Pfeiler aber sind von der
griechischen Ordnung. Die äußere Seite ist mit Marmor bekleidet, die inwendige aber nebst Decke und Flur
ganz von dem schönsten Marmor; die zahlreichen Pfeiler, auf welchen das Gewölbe ruhet, sind von derselben
Substanz; das ganze Gebäude ist mit fünf Kuppeln geziert: aber alle diese Arbeit und Kosten sind mit einem
sehr mittelmäßigen Geschmack verwendet.

Die

Die Fronte, die auf den Palast hinsieht, hat fünf metallene Thüren mit historischen Basreliefs. Ueber der Hauptthür sind die vier berühmten metallenen Pferde aufgestellet, welche von Lycipp verfertigt seyn sollen; Tiridates, König von Armenien, schenkte sie dem Kaiser Nero. Der feurige Muth in ihren Minen und ihre belebte Stellung sind ihrer ursprünglichen Bestimmung, vor den Sonnenwagen geschirrt zu werden, vollkommen angemessen. — Nero stellte sie bey dem ihm gewidmeten Triumphbogen hin, und man sieht sie auf der Kehrseite einiger seiner Münzen. Von Rom wurden sie nach Konstantinopel gebracht, und von Konstantin in dem Hippodrom hingestellet, wo sie blieben, bis Konstantinopel im Anfange des dreyzehnten Jahrhunderts von den Franzosen und Venetianern eingenommen wurde, zu welcher Zeit sie nach Venedig kamen, und ihren Platz über der Thür der St. Marcuskirche erhielten.

Der St. Marcusschatz ist sehr reich an Juwelen und Reliquien; wir mußten uns an einen Procurator von St. Marcus wenden, um die Erlaubniß zu erhalten, ihn zu besehen. Ich will nur einige der kostbarsten Sachen, die hier aufbehalten werden, anführen: acht Pfeiler aus dem Tempel Salomons zu Jerusalem; ein Stück von dem Schleyer der Jungfrau Maria; einige von ihren Haaren; und ein kein wenig von ihrer Milch; das Messer, dessen sich unser Heiland bey seiner letzten Abendmahlzeit bediente; einer von den Nägeln, mit denen er ans Kreuz geheftet worden; und einige Tropfen von seinem Blut. Nach dieser Anzeige wird es unnöthig seyn, die Knochen und andre Reliquien der Heiligen und Märtyrer herzurechnen, deren es in dieser Kirche eine große Anzahl giebt; und noch weniger darf ich Sie mit einem Verzeichniß der Juwelen aufhalten, die hier verwahrt werden; doch würde es unverzeihlich seyn,

wenn

wenn ich des von dem heiligen **Lucas** verfertigten Gemäldes der Jungfrau nicht gedenken wollte. Vergleicht man es mit andern Werken, so dient es zum Beweise, daß **Lucas** ein besserer Evangelist als Maler gewesen ist; und es scheint wohl, daß einige Professionen sich mit einander gar nicht gut vertragen. Ich habe viele gute Maler gekannt, die schlechte Heilige gewesen seyn würden; und hier ist ein Beyspiel eines vortrefflichen Heiligen, der nur ein mittelmäßiger Maler war.

Die alte Procuratie ist von schwarzem Marmor gebauet; die neue ist von dem harten Stein (pietra dura) von Istrien.

Die Kirche **St. Geminian** ist ein vortreffliches Stück der Baukunst von **Sansovino**.

Der herzogliche Palast ist ein unermeßliches Gebäude, ganz von Marmor. Außer den Gemächern des Doge sind hier auch Säle und Kammern für den Senat, und für alle verschiedene Rathsversammlungen und Gerichte. Zu dem Haupteingang führt eine breite Treppe, die Riesentreppe genannt, weil zwey kolossische Statuen des **Mars** und **Neptun** oben an derselben stehen. Sie sind von weißem Marmor von **Sansovino**, und sollen die See= und Kriegsmacht dieses Staats vorstellen. Ihre Riesengröße ist schicklich genug; aber sie würden richtigere Sinnbilder von der gegenwärtigen Stärke dieser Republik seyn, wenn ihre Statur mittelmäßiger wäre.

Unter den bedeckten Gränzen, zu denen man auf dieser Treppe hinauf steigt, erblickt man die aufgesperrten Rachen der Löwen, anonymische Briefe, Nachrichten von treulosen Handlungen, Beschuldigungen der Magistratspersonen, wegen in ihrem Stande begangener Misbräuche u. d. gl. anzunehmen.

Von dem Palast geht eine bedeckte Brücke nach einem Staatsgefängnisse an der andern Seite des Canals.

nals. Gefangene werden über diese Brücke, die den Namen Ponte dei sospiri führt, vor Gericht und zurückgebracht.

Die Gemächer und Säle des herzoglichen Palastes sind mit Stücken von dem Pinsel Titians, Paul Veronese, Tintirets, Palma's, der Bassano's und andrer Maler geziert. Europens Raub und Zara's Toben, beyde von Paul Veronese, gehören zu den schätzbarsten Stücken dieses Meisters. Europens Fuß wird von den Kennern mit besonderer Bewunderung geehrt. Der Stier scheint eben so zu denken: denn er leckt ihn, indem er sie über die Wellen trägt. Einige Leute bewundern sogar diesen Einfall des Malers; ich kann nicht sagen, daß ich gleicher Meinung bin; ich halte es für das einzige in dem Gemälde, was nicht zu bewundern ist. Man läßt Jupiter ein wenig zu viel von dem Charakter des Thiers annehmen, in welches er sich verwandelt hat. In dem Palast sind wenig Gemälde von Titian; aber sehr viele von den andern Meistern. Die Gegenstände sind mehrentheils aus der venetianischen Geschichte.

In dem Palast ist ein kleines Arsenal, das mit dem Saal des großen Raths Gemeinschaft hat. Hier werden eine große Menge schon geladener Flinten aufbehalten, mit denen sich die Edeln im Fall eines plötzlichen Aufstandes, oder bey andern Bedürfnissen bewaffnen können.

Die untere Gallerie, oder die Piazza unter dem Palast, wird der Broglio genannt. In derselben spazieren die edeln Venetianer und unterhalten sich. Nur hier und im Rath haben sie Gelegenheit einander zu sprechen; denn selten besuchen sie sich öffentlich, oder auf freundschaftlichen Fuß in ihren Häusern; und geheime Zusammenkünfte würden bey den Staatsinquisitoren

Verdacht

Verdacht erregen; daher verhandeln sie ihre Geschäfte lieber auf diesem öffentlichen Platz. Leute von geringerm Stande bleiben selten lange auf dem **Broglio**, wenn der Adel da ist.

VI. Brief.

Venedig.

Jn meinem letztern theilte ich Ihnen eine weitläuftige Beschreibung des Marcusplatzes mit. Ich wünsche, daß Sie dieselbe nicht langweilig gefunden haben mögen. Was geschehen ist, läßt sich nicht ändern; so viel aber zu Ihrer Beruhigung, daß Sie, so lange wir hier sind, nichts von dieser Art mehr zu befürchten haben: denn es ist kein Viereck oder Marktplatz weiter in ganz Venedig. Zur Ersetzung dessen aber, daß er nur der einzige ist, sind auf ihm allein weit mannichfaltigere Gegenstände anzutreffen, als auf einem halben Dutzend Plätzen oder Vierecken in London oder Paris.

Wenn wir unsere Augen durch Beschauung von Gemälden geblendet haben, und unsere Beine von dem Sitzen in den Gondeln steif geworden sind, so ist es kein kleines Vergnügen und Erholung, auf dem Marcusplatz herumzustreifen.

Die Anzahl und Verschiedenheit der Gegenstände, welche sich hier dem Auge darstellen, bringen natürlich eine sehr schnelle Folge von Vorstellungen hervor. Der Anblick der Kirchen erweckt religiöse Empfindungen, und vermöge eines leichten Ueberganges wird der Verstand auf Betrachtung des Einflusses des Aberglaubens geführt. Mitten in diesem Nachdenken erscheinen Neros vier Pferde, und führen die Phantasey nach Rom und Konstantinopel. Indem man seinen Weg mit
dem

dem Degen in der Hand, mit dem heroischen Heinrich Dandalo, nach der Hauptstadt Asiens fortsetzt, wird man von Adam und Eva unterwegs aufgehalten, und nach dem Garten Eden geführt. Nicht lange hat man in diesem entzückenden Paradiese des Zustandes der Glückseligkeit und der Unschuld genossen, als Eva

— die rasche Hand in einer bösen Stunde
Zur Frucht ausstreckt, sie pflückt, und ißt—

Da nach diesem unglücklichen Genuß dort kein Vergnügen mehr zu finden ist, so ist man froh, auf des heiligen Marcus geflügelten Löwen zu steigen, und nach des Herzogs Palast zurückzufliegen, wo man natürlicher Weise auf Betrachtungen über den Ursprung und Fortgang des venetianischen Staats und die verschiedenen Triebfedern seiner Regierung geführt wird. Indem man die Stärke einer Verfassung bewundert, die seit so vielen Zeitaltern so fest gestanden hat, so erschrickt man bey dem Anblick des zu Anklagen aufgesperrten Rachens der Löwen; und indem man sich mit Abscheu von einem Ort wegwendet, wo die Unschuld den Angriffen einer verborgenen Bosheit ausgesetzt zu seyn scheint, so erblickt man die Aussicht der See, die sich uns zu der Rückkehr in ein Land der Freyheit öffnet, wo die Gerechtigkeit die Schmähschrift eines geheimen Anklägers verwirft, und den höchsten so wie den niedrigsten Verbrecher öffentlich zu verhören, zu verurtheilen und zu bestrafen wagt.

Ich versichre Sie, ich habe mehr als einmal mitten auf dem Marcusplatz stehend diese ganze Wanderschaft gemacht. Hingegen auf den französischen Plätzen hat man nichts vor Augen als Denkmäler der Eitelkeit, der Mönche und der Schmeicheley des Volks; und was für Vorstellungen kann sich die Einbildungskraft auf dem größten Theil der Vierecke und Gassen in London machen,

machen, als von der Nettigkeit und Bequemlichkeit fe-
ster steinerner Häuser?

Bisher hab ich von einem Morgenspaziergang geredet; denn in den Abendstunden findet man gemeiniglich auf dem Marcusplatz eine solche vermischte Menge von Juden, Türken und Christen; Advocaten, Be-
trügern und Beutelschneidern; Marktschreyern, alten
Weibern und Aerzten; Frauen vom Stande mit Masken; baarfußgehenden Huren; und mit einem Wort, einen solchen Zusammenfluß von Rathsherren, Bürgern,
Gondelierern und Leuten von allerley Stand und Charakter, daß die Ideen in dem Gedränge dergestalt ge-
stoßen, gequetscht und beschädigt werden, daß man auf
nichts denken und sinnen kann: weil dieses aber ein Ge-
müthszustand ist, an welchem viele Leute Gefallen finden,
so fehlt es nie, daß der Platz nicht recht voll wäre, und
bey schönem Wetter bringen hier viele einen großen Theil
der Nacht hin. Wenn der Platz erleuchtet ist, und in
den Läden der anstoßenden Gassen die Lichter angezündet
sind, so thut das Ganze eine glänzende Wirkung; und
da es gebräuchlich ist, daß die Damen sowohl als die
Herren die Cassinas und Kaffeehäuser umher besuchen,
so dient er zu allen Zwecken von Vauxhall oder Ra-
nelagh.

Auf dem Marcusplatz müssen Sie die schönsten
Denkmäler der Kunst eines Titian oder des Geistes eines Palladio nicht suchen, sondern zu dem Ende Kirchen und Paläste besehen; wenn Sie aber diese Tour
machen wollen, so müssen Sie sich einen andern Cicerone
suchen, denn ich werde das Amt gewiß nicht übernehmen. Ich kann über Malerey und Bildhauerkunst nicht
richtig genug urtheilen; ich weiß über diese Gegenstände
keine neue Bemerkungen zu machen; und etwas, das hundert andere gesagt haben, zu wiederkäuen, ist meine Sache nicht.

E5

. Es giebt Leute, welche bey Gemälden in einem Grade, den ich nie empfinden kounte, und kaum begreifen
kann, gerührt zu seyn scheinen. Ich bewundere die
Werke eines Guido und Raphael; aber es giebt Liebhaber, die sich in jedes Manns-, Weibs- oder Engels-
bild dieser Maler ordentlich verlieben.

Wenn der Gegenstand rührend ist, so werde ich oft
von dem Geist und der Ausführung des Künstlers, und
von der vorgestellten Scene gerührt, aber ohne die heftigen Bewegungen des Schmerzens zu fühlen, den manche äußern. Ich habe einen Mann gesehen, der von
der Betrübniß der Venus über Adonis Tod so gerührt
war, daß er die Augen trocknete, als ob er geweint hätte; und einen andern hörte ich bey dem Märtyrerthum
eines Heiligen so vielen Abscheu zu erkennen geben, als
wenn er bey der wirklichen Handlung selbst zugegen gewesen wäre. Horazens Beobachtung ist vollkommen
passend:

Segnius irritant animos demissa per aurem,
Quam quae sunt oculis subiecta fidelibus.

Er handelt von dramatischen Stücken,

Aut agitur res in scenis aut acta refertur,

in der vorigen Zeile.

Was auf dem Schauplatz vorgestellet wird, macht
einen stärkern Eindruck, als was nur erzählt wird; und
ohnstreitig ist es uns im wirklichen Leben weit schreckhafter, wenn wir einen Mord begehen sehen, als wenn wir
die Nachricht davon hören. Aber ob das Gemälde von
einer rührenden Geschichte, oder die Erzählung derselben, die kräftigste Wirkung thut, ist eine ganz andre
Frage. Ich kann nur für mich antworten, daß wenn
ich ein gemaltes Trauerspiel betrachte, so gedenke ich mir
allemal dabey, daß es auf der Leinwand aufgeführt wird.

Und

Und da fehlt es denn nie, daß nicht ein solcher Strahl der Hoffnung in mein Herz dringen sollte, der es, ungeachtet alles Metzelns und Blutvergießens, das ich vor mir sehe, aufheitert. Sie werden sich nicht wundern, da ich ein Gemüth von einem so gemeinen Schlage habe, daß ich Ihnen gestehe, mehr Mitleiden bey der Hinrichtung eines einzigen Straßenräubers zu Tyburn gefühlt zu haben, als bey der Vorstellung des Mords der zwey tausend unschuldigen Kinder, und wenn er auch von Niclas Poussin selbst gemalt wäre. Ein Beweis, daß ich nicht mit den Organen eines Kenners begabt bin.

Wenn Sie aber eine heftige Begierde haben, für einen Mann von sehr feinem Geschmack gehalten zu werden, so giebt es Bücher in Ueberfluß, aus denen Sie alle Ausdrücke eines technischen Lobes oder Tadels, und schickliche Redensarten für den ganzen Klimax der Empfindsamkeit lernen können. Mir für meine Person wurde längst eine Lehre gegeben, die einen starken Eindruck auf meinen Geist machte, und mich gewiß abhalten wird, jemals in dergleichen affectirtes Wesen zu verfallen. In meinen jungen Jahren hielt ich mich über ein Jahr zu Paris auf, und begleitete eines Tages fünf bis sechs unserer Landesleute, die Gemälde im Palais royal zu besehen. Wir hatten in unserer Gesellschaft einen Herrn, der eine schwärmerische Leidenschaft für die schönen Künste, besonders für die Malerey affectirte, und das größte Verlangen bezeigte, für einen Kenner gehalten zu werden. Er hatte das Leben der Maler gelesen, und wußte die malerische Reise durch Paris (Voyage pittoresque de Paris) auswendig. Sobald wir ins Zimmer traten, fieng er an, alle Feinheiten seines Geschmacks auszukramen; er lehrte uns, was wir bewundern müßten, und zog uns mit allen Zeichen des Ekels fort, wenn wir uns einen Augenblick bey einem unberühmten Gemälde

I. Theil.　　　　　 C 　　　　　verweil-

verweilten. Wir fürchteten uns, an einem Stücke Ge=
fallen zu finden, bis er uns sagte, obs der Mühe werth
sey, es zu betrachten oder nicht. Bey einigen schüttelte
er den Kopf; bey andern warf er die Nase in die Höhe;
wenige lobte, alle beurtheilte er im Vorbeygehen mit dem
überredendsten Ton der Klugheit. — „Schlecht, die=
„ser Caravaggio ist wahrhaftig zu schlecht, ohne alle
„Grazie! — aber hier ist ein Caracci, der uns jenes
„vergütet; wie reizend ist der Gram dieser Magdale=
„na! Bemerken Sie, meine Herren! die Jungfrau ist
„nur ohnmächtig, der Christus ist völlig tod. Sehen
„Sie den Arm an, haben Sie je etwas so todtes gese=
„hen? — Ha! hier ist eine Madonna, die für ein Ori=
„ginal von Guido ausgegeben wird; aber jeder sieht,
„daß es nur eine mittelmäßige Copey ist. — Betrach=
„ten Sie doch diesen heiligen Sebastian, meine Herren,
„wie entzückend er stirbt! fühlen Sie nicht alle den Pfeil
„in Ihrem Herzen? Ich weiß, ich fühle ihn in dem mei=
„nigen. Lassen Sie uns weiter gehen; ich würde für
„Schmerz sterben, wenn ich ihn länger ansähe.“

Endlich kamen wir zu dem heiligen Johannes von
Raphael; und hier stand dieser Mann von Geschmack
in einer Extase von Bewunderung still. Einer von der
Gesellschaft war schon, ohne darauf Acht zu geben, vor=
beygegangen, und betrachtete ein anderes Gemälde.
Hier rief der Kenner laut aus: „Großer Gott, Herr!
„was machen Sie!“ Der gute Mann erschrack und
sah umher, ohne zu wissen, was er für ein Versehen be=
gangen hatte.

„Haben Sie keine Augen im Kopf, Herr!“ fuhr
der Kenner fort; „kennen Sie den heiligen Johan=
„nes nicht, wenn Sie ihn sehen?“

„Den heiligen Johannes?“ erwiederte der andre
mit Befremdung. „Ja Herr! Johannes den Täu=
„fer, in propria persona.“

„Ich

„Ich verstehe Sie nicht, mein Herr," sagte der Edelmann verdrüßlich.

„Nicht?" antwortete der Kenner, „so will ich mich „deutlicher zu erklären suchen. Ich meine Johannes „in der Wüsten von dem göttlichen Raphael Sanzio „von Urbino; und hier steht er neben Ihnen. — Ha- „ben Sie doch die Güte, mein Herr, und richten Ihre „Aufmerksamkeit ein wenig auf diesen Fuß! Schrei- „tet er nicht von der Wand ab? Ist er nicht völlig auß- „ser dem Rahmen? Haben Sie je ein solches Colorit „gesehen? Man macht so viel Wesens von Titian; „aber kann Titians Colorit dieses übertreffen? Welche „Wahrheit, welche Natur ist in dem Kopf! Mit der „Vortrefflichkeit des Autikers ist hier die Einfalt der „Natur verbunden."

Wir stunden in stiller Bewunderung, betrachteten es aufmerksam, und bildeten uns ein, alle Vollkommen- heiten, die er uns herrechnete, daran zu finden, als ei- ne in Diensten des Herzogs von Orleans stehende Per- son uns Nachricht gab, daß das Original, welches wir nach ihrer Vermuthung zu sehen wünschten, in einem andern Zimmer sey, weil der Herzog einem Maler es zu copiren erlaubt hätte. Das, was wir besehen hatten, war eine elende Sudeley eines unbekannten Malers, von dem Original genommen, welche mit anderm Unrath in einen Winkel geworfen worden war. Dort hatte es der Schweizer znfällig gefunden, und, um hier den leeren Raum an der Wand zu bedecken, es so lange aufgehan- gen, bis das andre wieder an seine Stelle käme.

Ich kann nicht sagen, welch ein Gesicht der Ken- ner bey dieser Entdeckung machte. Grausam würde es gewesen seyn, ihn bey dieser Gelegenheit anzusehen. Ich gieng in das andre Zimmer mit dem völligen Entschluß,

in

in Beurtheilung des Werths von Malereyen vorsichtig zu seyn; indem ich bemerkte, daß es in dieser Wissenschaft auch nicht einmal sicher sey aus den Büchern zu reden.

VII. Brief.

Venedig.

Durch das lesen der Klassiker, und der Geschichte der alten römischen Republik, erwerben wir uns eine zeitige Partheylichkeit für Rom. Andre Theile Italiens interessiren uns ebenfalls mehr deswegen, daß sie die Wohnung der alten Römer gewesen sind, als aus Achtung für das, was in den letzten vierzehn oder funfzehn Jahrhunderten darin vorgegangen ist.

Venedig macht auf keine Wichtigkeit in der alten Geschichte Anspruch, und rühmet sich keiner Verbindung mit der römischen Republik. Es entstand aus den Trümmern dieses Reichs; und was uns seine Jahrbücher der Aufmerksamkeit der Menschen würdiges anbieten, ist von dem Vorurtheil, das wir für den römischen Namen haben, unabhängig.

Venedigs Unabhängigkeit wurde auf keine Usurpirung erbauet, wurde nicht mit Blut gegründet. Sie wurde auf das erste Gesetz der menschlichen Natur, auf die unstreitigen Rechte des Menschen errichtet.

Um die Mitte des fünften Jahrhunderts, als Europa ein beständiger Schauplatz der Gewaltthätigkeit und des Blutvergießens war, bewegte Haß der Tyranney, Liebe zur Freyheit und Furcht vor der Grausamkeit der Barbaren die Veneti, ein Volk, das einen kleinen Strich von Italien bewohnte, einige Einwohner von Padua, und einige Bauern, die an den fruchtbaren

ren

ren Ufern des Po wohnten, zwischen den kleinen Inseln und
Sümpfen im Grunde des adriatischen, Meerbusens, wider Attilas Wut einen Zufluchtsort zu suchen.

Vor dieser Zeit hatten einige Fischer auf einem dieser Eilande, Rialto genannt, keine Häuser oder Hütten
gebauet. · Die Stadt Padua ermunterte einige ihrer
Einwohner, in der Absicht aus dieser Niederlassung
Handlungsvortheile zu ziehen, daselbst ihre Wohnung
aufzuschlagen, und sandte jährlich drey oder vier Bürger
hin, als Magistratspersonen zu handeln. Nachdem
Attila Aquileja eingenommen und zerstöret hatte, flo-
hen aus allen benachbarten Ländern viele nach Rialto.
Dieser Platz wurde durch neue Häuser vergrößert, und
erhielt den Namen Venedig von dem Bezirk, aus welchem der größte Theil der ersten Flüchtlinge sich hier niedergelassen hatte. Nach Attilas Tode kehrten viele zu
ihren vorigen Wohnungen zurück; welche aber Freyheit
und Sicherheit allen andern Vortheilen vorzogen, die blieben zu Venedig. Das war der Anfang dieser berühmten Republik. Einige, welche einen gar zu feinen Unterschied machen, behaupten, daß dieses der Anfang ihrer
Freyheit, nicht aber ihrer Unabhängigkeit gewesen sey;
denn sie sagen, die Venetianer wären von Padua als
ihrer Vaterstadt abhängig gewesen. Gewiß ist es, daß
die Paduaner sich eines solchen Vorrechts über diesen
jungen Staat anmaßten, und ihm einige Einschränkungen in der Handlung vorschreiben wollten; die Venetianer aber verwarfen solche als willkührlich und drückend.
Hierüber entstanden Streitigkeiten, die für beyde Theile
gefährlich waren, und sich damit endigten, daß Venedig sich der Gerichtsbarkeit von Padua gänzlich ent-
zog. Es ist sonderbar, und einer ernstlichen Aufmerksamkeit nicht unwerth, die Mutter der Tochter, welche
sie in zu strenger Abhängigkeit erhalten wollte, völlig
unterworfen zu sehen.

C 3　　　　　　　　Der

Der Longobarden Einfall in Italien gab der Stärke Venedigs einen großen Zuwachs. Denn die Unruhe und Verwüstung, welche sie in den benachbarten Ländern anrichteten, veranlassete viele, mit allem Reichthum, den sie nur mit fortbringen konnten, dahin zu fliehen und Unterthanen dieses Staats zu werden.

Die Longobarden selbst, die ihr Reich in dem Nordertheil Italiens errichteten, und den ganzen alten Bezirk der Venett eroberten, hielten es für rathsam, diesen kleinen Staat unbeunruhigt zu lassen, in dem Gedauken, daß sie mehr Mühe als Nutzen davon haben würden, wenn sie ihn angriffen; und da sie wichtigere Eroberungen unternehmen wollten, so fanden sie es zuträglich, mit Venedig auf einen guten Fuß zu stehen, dessen zahlreiche Escadern von kleinen Schiffen ihren Heeren die wesentlichsten Dienste leisten konnten. Dem zufolge wurden zwischen beyden Staaten gelegentlich Bündnisse und Tractaten geschlossen; und nach aller Wahrscheinlichkeit bildeten sich die Longobarden ein, es würde allemal in ihren Kräften stehen, sich von diesem unbeträchtlichen Freystaat Meister zu machen. Als aber dieses Volk sein neues Reich völlig errichtet hatte, und von dem Aufwande andre Kriege zu führen frey war, so fand es Venedig dermaßen an Stärke zugenommen, daß, so sehr es gewünscht hätte, diese Republik unter seine Herrschaft zu bringen, es dennoch nach der gesunden Staatskunst nicht weiter rathsam war, den Versuch zu machen; daher es die alten Bündnisse lieber durch neue Tractaten befestigen wollte.

Wie Karl der Große dem longobardischen Reich ein Ende machte, und, nachdem er ihren König Desiderius gefangen nach Frankreich gesandt, von Leo dem dritten zu Rom zum Kaiser gekrönet wurde, so mußte sich der venetianische Staat bey diesem Eroberer mit so vieler Geschicklichkeit in Gunst zu erhalten, daß, anstatt

etwas

etwas wider ihre Unabhängigkeit zu unternehmen, er
vielmehr ihren mit den Longobarden gemachten Tractat
bestätigte, in welchem unter andern die Gränzen zwischen beyden Staaten festgesetzt wurden.

In den Kriegen mit dem morgenländischen Kaiser-
thum, und in den spätern Kriegen Frankreichs mit
dem Hause Oesterreich, suchte Venedig allemal den
Unwillen jeder streitenden Parthey zu vermeiden; heimlich aber stand es derjenigen bey, die von seinen Staaten am weitesten entfernt, und ihm folglich am wenigsten fürchterlich war. Jene großen Mächte waren an
ihrer Seite so begierig einander zu erniedrigen oder zu
vertilgen, daß dadurch Venedigs zunehmende Macht
Freyheit erhielt, Jahrhunderte fast unbemerkt zu wach-
sen. Wie von Marcellus Ruhm, könnte von dieser
Republik gesagt werden:

Crescit occulto velut arbor aevo;

und wie sie endlich die Eifersucht der großen europäischen
Staaten rege machte, so hatte sie Stärke und Einkünfte genug erlangt, nicht nur einer Macht, sondern auch
großen Verbindungen aller zu ihrem Untergang vereinigten Mächte zu widerstehen.

Dieser Freystaat hat in den verschiedenen Zeitpunkten seines Anwachses, seines höchsten Glanzes, seiner
Abnahme schon länger als irgend ein anderer, dessen in
der Geschichte gedacht wird, existirt. Die Venetianer selbst behaupten, daß diese Dauer den vortrefflichen
Materialien, aus denen ihre Regierung bestehet, und
durch welche sie nach ihrem Dünken längst zu dem höchsten Grade der Vollkommenheit gebracht worden, zuzuschreiben sey.

Da ich seit unserer Ankunft einige Zeit auf die Untersuchung der venetianischen Geschichte und Regierung
verwendet habe, so will ich in meinem nächsten diese

C 4   Mate-

Materialien, auf welche sie so groß thun, im Allgemeinen übersehen, damit wir im Stande seyn mögen, zu beurtheilen, ob dies große Lob gegründet sey oder
nicht.

VIII. Brief.

Venedig.

Die erste in Venedig eingeführte Regierungsform
war rein demokratisch. Die obrigkeitlichen Per-
souen wurden vor der allgemeinen Volksversammlung
erwählt; sie wurden Tribunen genennet: und da diese
keine Gemeine verschiedene keine Inseln bewohnte, so
wurde auf jeder dieser Inseln ein Tribun verordnet, über
Streitsachen zu urtheilen und Gerechtigkeit zu hegen.
Seine Gewalt währte ein Jahr, nach dessen Ablauf
er von seinem Verhalten der allgemeinen Volksversammlung Rechenschaft geben mußte, welche jährlich neue Tribunen erwählte.

Diese einfache Regierungsart, welche von einer auf-
merksamen Sorgfalt für die dem menschlichen Herzen so
angenehme Freyheit zeugt, wurde hundert und funfzig
Jahr lang für hinreichend angesehen, in einer keinen
Gesellschaft, in der Verfassung wie die ihrige war, gute
Ordnung zu erhalten. Die üble Regierung einiger
Tribunen, Feindseligkeit und Uneinigkeit anderer, und
ein Verdacht, daß die Longobarden bürgerliche Uneinig-
keit in der Absicht beförderten, die Republik unter ihre
Herrschaft zu bringen, erregten endlich die Furcht des
Volks, und brachten es dahin, den Meinungen derer
Gehör zu geben, welche eine Veränderung in der Regie-
rungsform für nöthig hielten.

Nach verschiedenen Streitigkeiten und Vorschlägen
wurde endlich beschlossen, ein Oberhaupt des Magistrats

als

als einen Mittelpunkt der öffentlichen Gewalt zu erwählen, dessen Ansehen den Gesetzen so viel Kraft und Nachdruck, als sie in gefährlichen Zeiten nothwendig haben müßten, geben, und dessen Pflicht darin bestehen sollte, die Kraft der Hülfsquellen des Staats schnell wirken zu lassen, ohne durch Widerspruch und daraus entstehender Verzögerung, die unter den Tribunen nur gar zu sichtlich gewesen waren, verhindert zu werden. Diese obrigkeitliche Person sollte nicht König, sondern Dux (Herzog) genannt werden (woraus nachher durch eine verderbte Aussprache das Wort Doge entstanden ist). Diese Würde sollte nicht erblich seyn, sondern der Doge sollte gewählt werden, und es lebenslang bleiben. Er sollte alle niedrigere Magistratspersonen ernennen, und das Recht haben, Krieg und Frieden zu machen, ohne andre als solche, die er für tauglich halten würde, zu Rath zu ziehen.

Wie man zur Wahl schritte, so fielen alle Stimmen auf Paul Lukas Anafeste *), der im Jahr 697 diese neue Stelle antrat.

Die Venetianer müssen bey der vorigen Regierung gewiß große Beschwerden empfunden haben, oder in großer Furcht vor einheimischen oder auswärtigen Feinden gewesen seyn, ehe sie sich einer solchen Grundveränderung in der Natur ihrer Verfassung unterwerfen konnten. Es ist augenscheinlich, daß sie bey dieser Gelegenheit jene eifersüchtige Aufmerksamkeit auf die Freyheit, welche sie vormals besaßen, verloren; denn ob sie gleich der vornehmsten Magistratsperson den Namen eines Königs verweigerten, so ließen sie ihm doch alle Macht desselben. In keinem Zeitpunkt sollten wahre und erleuch-

C 5   tete

*) Er hieß nicht Paul Lukas, sondern Pauluccio. S. le Bret Staatsgeschichte der Republik Venedig I. Th. S. 83. Ueb.

tete Patrioten mit mehrerer Munterkeit über die Rechte
des Volks wachen, als in Zeiten der Gefahr von auswärtigen Feinden; denn das Publikum überhaupt ist
dann so sehr von dieser äußern Gefahr eingenommen, daß
es die Eingriffe übersiehet, welche zu derselbigen Zeit
weit leichter, als irgend jemals auf seine innere Verfassung gemacht werden können: aber es hilft wenig, sein
Vaterland wider auswärtige Feinde zu vertheidigen,
wenn die innere Freyheit nicht so groß ist, daß sie die
Vertheidigung des Landes der Mühe werth macht.

Höchst wahrscheinlich ist es, daß der hohe Grad der
Popularität, welche sich der erste Doge vor seiner Ge-
langung zu dieser Würde erworben hatte, und das große
Vertrauen, welches das Volk in seine öffentliche und
häusliche Tugenden setzte, die Ursachen waren, warum
es die Gewalt einer Person, von der es überzeugt war,
daß sie von derselben einen guten Gebrauch machen würde, ungern einschränken wollte. Wäre der Mann un-
sterblich und unbestechlich gewesen, so hätte man Recht
gehabt; inzwischen muß man gestehen, daß dieser Doge ihre gute Meinung mehr rechtfertigte, als die Lieb-
linge des Volks gemeiniglich thun.

Wenn er wegen wichtiger Angelegenheit einen Rath
zusammenberief, so sandte er Botschafter an diejenigen
Bürger, für deren Urtheil er die größte Achtung hatte,
und ersuchte sie, daß sie kommen, und ihm mit ihrem
Gutachten beystehen möchten. Diese Methode wurde
nachher von den folgenden Dogen ebenfalls beobachtet,
und die auf diese Art berufnen Bürger wurden Pregadi
(die Gebetenen) genennet. Diesen Namen führt der
Rath des Doge noch, ob er gleich längst ohne seine Einladung sitzt.

Der erste und zweyte Doge regierten mit Mäßigung
und Geschicklichkeit; aber der dritte gab den Venetianern
Ursache zu bereuen, daß sie die Gewalt ihrer vornehmsten

sten Magistratspersonen nicht in engere Schranken eingeschlossen hatten. Nachdem er dem Staat mit seinen
kriegerischen Talenten gedient hatte, so suchte er ihn un-
terwürfig zu machen. Seine Anschläge wurden entdeckt;
da aber das unbedachtsame Volk in der letzten Einrichtung seiner Verfassung sich kein gesetzmäßiges Mittel wider ein solches Uebel vorbehalten hatte, so wurde es genöthigt, sich des einzigen, das noch in seiner Macht war,
zu bedienen. Sie überfielen den Doge in seinem Palaste, und ermordeten ihn ohne weitere Complimente.

Das Volk haßte ihn so sehr, daß es nach seinem
Tode den Entschluß faßte, diese Würde abzuschaffen:
Es wurde in der allgemeinen Versammlung bewilligt,
die oberste obrigkeitliche Person in Zukunft alle Jahr zu
erwählen. Zwar sollte sie, so lange sie diese Stelle be-
kleidete, alle ehemalige Gewalt genießen; da aber solches nur auf eine kurze Zeit seyn würde, so war man der
Meinung, daß sie nach Billigkeit und mit Mäßigung
handeln würde; und da man für den Namen Doge und
Tribun gleiche Abneigung hatte, so wurde ihr der Name
General, Magister militum, gegeben.

Die durch diese Veränderung eingeführte Regierungsform war von kurzer Dauer. Es warfen sich Partheyen auf, welche im Zaum zu halten der kurzen Gewalt
der Generale zu schwer wurde. Die Würde hörte fünf
Jahr nach ihrer Stiftung wieder auf; und aus einer
von jenen seltsamen und unbegreiflichen Veränderungen
der Gesinnung, welchen der große Haufe so sehr unterworfen ist, wurde die Autorität eines Doge in der Person des Sohnes ihres letzten Doge, den sie in einem Anfall wütenden Misvergnügens ermordet hatten, wieder-
hergestellet. Dies geschah um das Jahr 730.

Eine lange Zeit nachher stellen uns die venetianischen Jahrbücher viele schaudernde Auftritte auf, von
Grau-

Grauſamkeit, Aufruhr und Mord. Sie zeigen uns
Dogen, die ihrer Gewalt misbrauchten, ihre älteſte
Söhne ſich zu Mitgehülfen ſetzen ließen, dadurch eine
fortdauernde erbliche deſpotiſche Herrſchaft einzuführen
ſuchten, und dann das Volk mit doppelter Gewaltthätigkeit drückten. Auf der andern Seite zeigt ſich das
Volk, nachdem es mit der knechtiſchen Geduld die eigenſinnige Grauſamkeit ihrer Tyrannen ertragen hatte,
auf einmal einen Aufſtand erregend, ſie ermordend, oder
mit Schimpf und Schande aus ihren Staaten vertrei-
bend. Der unruhige und eigenſinnige große Haufe, der
nicht im Stande iſt, eine eingeſchränkte oder uneinge-
ſchränkte Regierung zu ertragen, wünſcht Dinge, welche
niemals mit einander haben beſtehen können: die Ver-
ſchwiegenheit, Schnelligkeit und Wirkſamkeit einer de-
ſpotiſchen Regierung, bey aller Freyheit und Milde einer geſetzmäßigen und eingeſchränkten Verfaſſung.

Es iſt merkwürdig, daß der Doge, wenn er nur den
kleinſten Grad der Volksliebe zeigte, ſelten Schwierigkeit fand, ſeinen Sohn zum Gehülfen in der oberſten
Gewalt erwählen zu laſſen; und wenn auch dieſes nicht
geſchah, ſo finden wir doch nicht wenige Beyſpiele, da
der Sohn gleich nach dem Tode ſeines Vaters ernennet
wurde.

Um die Mitte des zehnten Jahrhunderts empörte
ſich der Sohn des Doge Peter Candiano wider ſeinen Vater, und ergriff die Waffen wider ihn. Er wurde aber bald geſchlagen, in Ketten nach Venedig gebracht, zur Verbannung verurtheilt, und für unfähig
erklärt, jemals zum Doge erwählt zu werden. Inzwiſchen lehrt die Folge, daß dieſer Unwürdige ein groſ-
ſer Liebling des Volks geweſen iſt; denn kaum war der
Vater tod, ſo wurde er zu ſeinem Nachfolger erwählt,
und

und mit großem Pomp von Ravenna, wohin er ver-
wiesen war, nach Venedig abgeholt *).

Diesen Leichtsinn mußten die Venetianer hart büßen.
Ihr neuer Doge zeigte sich als einen so tyrannischen Herr-
scher, als er ein ungehorsamer Sohn gewesen war. Er
ward ein Ungeheuer von Stolz und Grausamkeit. Das
Volk fieng an zu murren; und er fühlte das Schrecken,
welches gemeiniglich Tyrannen begleitet. Er errichtete
sich zum Schutz seiner Person eine Leibwache, die in seinem Palast wohnen mußte. Diese Neuerung erregte
den Unwillen des Volks, und erweckte alle seine Wut.
Es griff den Palast an, wurde von der Wache zurück-
getrieben, und steckte die daranstoßenden Häuser in
Brand. Der unglückliche Doge erschien bey der Gefahr,
von den Flammen verzehrt zu werden, an der Pforte seines Palasts, mit seinem keinen Sohn auf den Armen,
und flehete das Mitleiden des Pöbels an, der aber, so
unerbittlich als der Teufel, Vater und Kind in Stücken
zerriß. Bey einem solchen Beyspiel wilder Wut zieht
sich die Menschenliebe von dem unterdrückten Volk zurück, und tritt auf die Seite des Unterdrückers. Wir
wünschen fast, daß er sein Leben gerettet haben möchte,
um eine Schaar Nichtswürdiger von der Erde zu vertilgen, die noch barbarischer war als er selbst.

Nachdem sie ihre Wut in dem Tode des Tyrannen
gekühlt hatten, ließen sie die Tyranney ihren vorigen
Gang gehen. Es wurden keine Maasregeln genommen,
die Gewalt des Doge einzuschränken.

Nun schien eine Reihe von Jahren der Geist des
Aberglaubens diejenigen zu beseelen, welche diese Würde bekleideten, gleich als ob sie durch ihre Demuth den

Stolz

**) Daß seine Wahl vielmehr aus Staatsklugheit als Volks-
liebe geschehen, beweiset Le Bret in seiner Staatsgeschichte
von Venedig Th. I. S. 216. Ueb.*

Stolz des letzten Tyrannen büßen wollten. Seine drey unmittelbaren Nachfolger legten ihre Würde nieder, nachdem sie einige Jahre mit Ruhm regiert hatten, giengen in ein Kloster, und verlebten ihre letzten Jahre als Mönche.

So viele Verachtung irdischer Dinge diese fromme Dogen zu erkennen gaben, so wenig Eindruck machte ihr Beyspiel auf ihre Unterthanen, welche um diese Zeit anfiengen Europens Handel und Reichthum allein an sich zu ziehen. Und als nach einigen Jahren die ganze Christenheit von dem religiösen Wahnwitz angesteckt wurde, das heilige Land wieder zu erobern, so blieben die Venetianer von der allgemeinen Seuche so vollkommen frey, daß sie sich sogar kein Bedenken machten, den Saracenen, ungeachtet des Verbots ihrer Dogen, und der Vorstellungen des Papstes und anderer frommen Fürsten, Waffen und Kriegsgeräthe zuzuführen.

Diese Handlungscasuisten sagten: Religion und Handlung sey zweyerley; als Kinder der Kirche wären sie willig alles zu glauben, was ihre Mutter verlangte; aber als Kaufleute müßten sie mit ihren Gütern den besten Markt suchen.

In meinem folgenden werde ich mit der Uebersicht der venetianischen Regierung fortfahren.

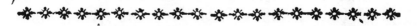

IX. Brief.

Venedig.

Handlungsgedanken nahmen des Gemüth der Venetianer nicht so völlig ein, daß sie darüber andre Mittel zu Vergrößerung ihres Staates verabsäumt hätten. Ganz Istrien unterwarf sich ihrer Herrschaft. Viele freye Städte in Dalmatien, welche von den Narentarentanern, einer seeräuberischen Nation auf dieser Küste, geplagt wurden, thaten eben das. Die Städte, welche sich weigerten, wurden von dem Doge von Venedig Peter Urseolo zum Gehorsam gebracht, der im Jahr 1000 mit einer Flotte wider sie gesandt wurde. Er richtete seine Waffen ebenfalls wider die Narentaner, und verwüstete viele ihrer Städte.

Bey seiner Zurückkunft wurde in einer allgemeinen Volksversammlung ausgemacht, daß die eroberten Städte und Provinzen von aus Venedig gesandten Magistratspersonen regiert werden sollten. Diese, welche Podestas genannt wurden, bestellte der Doge. Die Einwohner der neuerworbenen Städte erhielten nicht die Freyheiten der Bürger von Venedig, und hatten keine Stimme bey der allgemeinen Versammlung. Eben das ward in Ansehung der Einwohner aller nachher von der Republik eroberten Staaten beobachtet. Es fällt jedem leicht in die Augen, daß dieser Zuwachs zu dem Gebiet des Staats den Einfluß und die Gewalt der höchsten obrigkeitlichen Person ungemein vermehrt habe. Dieses, und der Gebrauch, dem Doge seinen Sohn an die Seite zu setzen, erregte Eifersucht unter dem Volk, und veranlaßte ein Gesetz, das solche Mitregentschaften für das Künftige untersagte.

Nach der Ermordung des Doge Michieli im Jahr 1173 ereignete sich eine noch weit wichtigere Veränderung in der Regierung. Um diese Zeit war kein andres Tribunal zu Venedig, als das von den vierzig Richtern. Dieser Gerichtshof war viele Jahre vorher errichtet worden; er erkannte über alle bürgerliche und peinliche Fälle, und wurde der Rath der Vierzigen genannt. Dieser Körper entwarf mitten in der Unordnung und Verwirrung, welche auf den Mord des Doge folgte, einen Plan, die Regierung neu zu modeln.

Bisher

Bisher hatte das Volk große Privilegien gehabt.
Es hatte seine Stimme in den Versammlungen; und
obgleich die Abkömmlinge der alten Tribunen und der
Dogen eine Art des Adels ausmachten, so hatten sie
doch keine gesetzmäßige Privilegien, oder ausschließende
Gerichtsbarkeit; nichts, was ihnen vor ihren Mitbürgern einen Vorzug gab, außer was ihr Reichthum oder
die freywillige Achtung, welche man dem Alterthum ihrer Familie erwies, ihnen ertheilte. Ein jeder Bürger
konnte so gut wie sie zu einem öffentlichen Amte erwählt
werden. Auch der größte und stolzeste Venetianer mußte nothwendig, wenn er Ehrenämter im Staat erhalten
wollte, die Geneigtheit des großen Haufens zu unterhalten suchen, dessen Stimme allein ihn zu dem Range eines Doge erheben konnte, und dessen Wut so manche
von dieser beneideten Stelle herabgestürzt hatte. Lange
hatte man die Beschwerden, die Zwietracht und die Unordnung eines solchen vermischten Haufens empfunden;
aber bisher war niemand so kühn gewesen, diese einge-
führten Rechte des Volks anzugreifen.

Die Stadt war in sechs Theile abgetheilt, welche
Sestiere (Sechstheile) genannt wurden. Der Rath
der Vierzigen bewirkte zuvörderst eine Einrichtung, daß
jedes dieser Sestiere jährlich zwey Wählende ernennen
sollte. Diese zwölf Wählende sollten das Recht haben,
aus dem ganzen Volkskörper vierhundert siebenzig Räthe zu ernennen, welche den Namen des großen Raths
führen, und in allen Stücken eben die Macht haben sollten, welche ehemals die allgemeine Volksversammlung
genoß.

Man gab vor, daß diese Einrichtung lediglich er-
funden sey, der Unordnung vorzubeugen, und Ordnung
in der großen Nationalversammlung einzuführen, daß
des Volks Wahlrecht nach wie vor bliebe, und durch
die jährliche Veränderung der Räthe diejenigen, welche

in einem Jahr nicht erwählt wären, Hoffnung behielten, es in dem folgenden zu werden. Das Volk sahe nicht ein, daß dieses Gesetz seiner Wichtigkeit nachtheilig seyn würde; inzwischen war dies der Grund der Aristokratie, die bald darauf errichtet wurde, und noch fortdauert.

Hiernächst schlugen die vierzig Richter eine andre noch feinere und wichtigere Einrichtung vor: nämlich, es sollten zur Vorbeugung des Tumults und der Unordnungen, welche bey der bevorstehenden Wahl eines Doge vermuthet wurden, (für das mal nur) eilf Commissarien aus solchen Männern erwählt werden, die wegen ihrer Einsichten und Rechtschaffenheit in dem Staat im höchsten Ansehen standen; diesen Commissarien sollte die Wahl eines Doge übertragen werden, jedoch so, daß der Erwählte nothwendig neun Stimmen haben müßte, wenn die Wahl gültig seyn sollte.

Dies zielte augenscheinlich auf die Ausschließung des Volks von allem Antheil bey der Ernennung der höchsten obrigkeitlichen Person; und das war auch in der That ihre Absicht: weil es aber nur als ein auf eine Zeit lang währendes Mittel vorgeschlagen wurde, alle Unordnungen zu verhüten, da die Gemüther gegen einander aufgebracht waren, und die Partheyen sich häuften, so wurde die Anordnung angenommen.

Nachdem der Rath der Vierziger der Gewalt des Volks diese neue Fesseln mit gleicher Verschlagenheit und Succeß angelegt hatte, so wandte er hiernächst seine Aufmerksamkeit auf die Einschränkung der Macht des Doge. Sie wurde selbst in den Händen eines guten Mannes für zu übertrieben gehalten; und in den Händen böser Männer war sie immer zur Tyranney gemisbraucht worden, wider welche man bisher kein andres Mittel ausfindig gemacht hatte, als das fast eben so schlimm als die Uebel selbst war — Aufstand des Volks, und alle Abscheulichkeiten und Ausschweifungen, von de-

I. Theil.   D   nen

nen ein solches Uebel gemeiniglich vergesellschaftet ist.
Das Tribunal der Vierziger that daher den Vorschlag,
daß der große Rath jährlich sechs Personen, nämlich eine aus jedem Theil der Stadt ernennen sollte, den geheimen Rath des Doge auszumachen, ohne deren Einwilligung keine seiner Verordnungen gültig seyn sollte; so
daß er künftig, anstatt seinen eignen geheimen Rath zu ernennen, wie bisher gebräuchlich gewesen, großentheils
von sechs Männern abhängen würde, welche selbst von
dem großen Rath abhiengen.

So billig es den Augen eines Unpartheyischen scheinen mag, beständig von einem solchen Rath anstatt seiner eignen Creaturen umgeben zu seyn, so würde es doch
derjenige, der im Besitz der Würde eines Doge war, für
die unerträglichste Neuerung angesehen, und sich demselben mit seinem ganzen Einfluß widersetzt haben; aber
als der Vorschlag gethan wurde, war kein Doge vorhanden, und er wurde folglich mit allgemeinem Beyfall
zum Gesetz gemacht.

Endlich wurde vorgeschlagen, einen Senat von sechzig Gliedern zu errichten, und solchen jährlich aus dem
großen Rath zu erwählen. Diese Versammlung trat
in die Stelle derjenigen, welche ehemals der Doge bey
außerordentlichen Vorfällen durch Botschaften, durch
welche er gewisse Bürger bitten ließ, zu kommen und
ihm mit ihrem Rath beyzustehen, zusammenberufen konnte. Die Glieder des neuen Senats, welche unabhängi-
ger als die ehemaligen sind, führen noch den Namen
Pregadi. Auch dieser Vorschlag gieng ohne Widerspruch durch, und alle diese Anordnungen wurden nach
dem Leichenbegängniß des verstorbenen Doge ausgeführt.

Sie fiengen mit der Wahl des großen Raths der
Vierhundertundsiebenzig an; hierauf folgte der Senat
von Sechzig; dann wurden die sechs Räthe, und endlich
die

die eilf Wählenden ernennet. Diese letztern mußten öffentlich einen Eid ablegen, daß sie in der ihnen jetzt anvertrauten Wahl alle eigennützige Bewegungsgründe bey Seite setzen, und ihre Stimme demjenigen ertheilen wollten, von dem sie nach ihrem Gewissen glaubten, daß seine Erhebung zum Doge zum meisten Vortheil des Staats ausschlagen werde.

Hierauf begaben sie sich in ein Gemach des Palastes, und Orio Mallipiero, einer aus den eilfen, wurde einstimmig von seinen zehn Collegen erwählt; er lehnte aber die Würde mit einer Bescheidenheit, die unverstellt gewesen zu seyn scheint, von sich ab, und wandte allen seinen Einfluß bey den Wählenden an, Sebastian Ziani zu wählen, einen Mann, der wegen seiner Talente, seines Reichthums und seiner Tugenden in der Republik berühmt war; und er versicherte sie, daß derselbe bey gegenwärtigen Umständen zu dieser Stelle weit tüchtiger als er selbst sey. Mallipiero's Einsichten stunden bey seinen Collegen in einem solchen Werth, daß sie seiner Meinung beytraten, und Ziani einmüthig erwählten.

Da diese Art zu wählen ganz neu war, und man Grund zu glauben hatte, daß der große Haufe des Volks dieselbe bey reiferer Ueberlegung nicht sehr billigen, und den neuen Doge nicht mit dem gewöhnlichen Freudenzuruf aufnehmen würde, so gebrauchte Ziani die Vorsicht, wie er dem Volk zuerst vorgestellt wurde, Geld unter dasselbe auszuwerfen. Und nie ist ein Doge mit lauterem Jauchzen empfangen worden.

Unter Ziani's Regierung wurde die sonderbare Ceremonie der Vermählung des Meers zuerst eingeführet.

Papst Alexander der dritte hatte, der Ahndung des Kaisers Friedrich des Rothbärtigen zu entgehen, seine Zuflucht nach Venedig genommen, und wurde von

diesem

diesem Staat beschützt. Der Kaiser sandte unter dem Befehl seines Sohns Otto eine mächtige Flotte wider die Venetianer aus. Diese kamen ihm mit der ihrigen unter Ziani's Anführung entgegen.

In einem hitzigen Treffen behielten die Venetianer den Sieg. Der Doge kam mit dreyßig feindlichen Schiffen, auf deren einem sich der Befehlshaber Otto befand, triumphirend zurück. Alle Einwohner von Venedig eilten ans Ufer, ihren siegenden Doge zu empfangen. Der Papst selbst kam in Begleitung des Senats und der Geistlichkeit dahin. Nachdem er Ziani umarmet hatte, überreichte Seine Heiligkeit ihm einen Ring! und sprach mit lauter Stimme: „Nimm diesen Ring, „gebrauche ihn als eine Kette, das Meer von nun an in „Unterwürfigkeit unter das venetianische Gebiet zu er= „halten; vermähle dich durch diesen Ring mit dem „Meer, und laß die Verbindung von dir und deinen „Nachfolgern jährlich gefeyert werden bis an das Ende „der Tage, damit die spätsten Nachkommen wissen mö= „gen, daß Venedig die Herrschaft über die Wellen er= „langt hat, und die See dir unterworfen ist, wie das „Weib ihrem Manne."

Da diese Rede von dem Haupt der Kirche gehalten wurde, so befremdete es das Volk nicht, daß sie ein wenig geheimnißvoll war; und der große Haufe nahm sie mit vielem Beyfall auf, ohne zu untersuchen, ob Vernunft oder gesunder Verstand darin sey, oder nicht. Seit dieser Zeit ist die Vermählung alle Jahre regelmäßig gefeyert worden.

Wenn nach Ziani's Tode die Vorschriften, wie es nach der Verabredung vor der Wahl gehalten werden sollte, buchstäblich befolgt worden wären, so würde der große Rath der Vierhundertsiebzig blos durch die Mehrheit der Stimmen einen Doge gewählt haben; aber aus unbekannten Ursachen wurde diese Methode bey Seite ge=

ſetzt, und die folgende angenommen. Es wurden vier Perſonen aus dem großen Rath erwählt, deren jede das Recht hatte, zehn zu ernennen, und dieſe vierzig zuſammen wählten den Doge.

Ihre Wahl fiel auf eben den **Orio Malliplero**, der die Würde ſeinem Freunde Ziani zu Gunſten von ſich gelehnt hatte.

Unter ſeiner Regierung wurden zwey neue Magiſtraturen angeordnet. Die erſte waren die **Avogadori**. Ihre Pflicht iſt, auf die pünktliche Ausübung der Geſetze Acht zu haben. Und ſo wie es die Pflicht andrer Magiſtratsperſonen iſt, wider die Uebertreter der Geſetze zu verfahren, ſo iſt es die ihrige, die obrigkeitlichen Perſonen anzuklagen, welche die Ausübung derſelben vernachläßigen. Sie urtheilen ebenfalls über die Natur der Anklagen, und beſtimmen, vor welchen Gerichtshof jede Sache gebracht werden ſoll; ſie laſſen keiner Parthey die Freyheit, eine Sache vor ein höheres Gericht zu bringen, über welche ein niedrigeres nicht ſo koſtbares Gericht zu ſprechen befugt iſt; und kein Schluß des großen Raths oder Senats iſt gültig, wenn nicht wenigſtens einer von den drey Avogadori währender Berathſchlagung gegenwärtig iſt. Es iſt ferner eine Pflicht der Avogadori, die Urkunden aller Entſcheidungen und Anordnungen des großen Raths und Senats aufzuheben, und wenn ſie es für gut finden, die Vorleſung ihrer und aller andern Geſetze anzubefehlen, um ſie den Senatoren wieder ins Gedächtniß zu bringen; und die Senatoren ſind verbunden, währendem Leſen zuzuhören, welches in der That eine furchtbare Gewalt iſt. Ich kenne Senatoren in einem andern Lande, welche ihrem Richter lieber die Macht geben möchten, ſie auf einmal auf eine nicht ſo langſame Art zum Tode zu bringen.

Die um dieſe Zeit errichtete zweyte Klaſſe obrigkeitlicher Perſonen wurden Richter für Fremde (al foreſtieri)

D 3

genennet. Ihrer sind ebenfalls drey. Ihr Amt ist, in allen Sachen zwischen Bürgern und Fremden, und in allen Streitigkeiten, welche Fremde mit einander haben, zu urtheilen. Diese Einrichtung war zu einer Zeit, da der Zufluß von Fremden in Venedig der Handlung wegen sowohl als wegen der Kreuzzüge sehr groß war, ungemein nützlich.

Im Jahr 1192 legte Mallipiero, der von einer sehr philosophischen Denkungsart war, nach einer sehr löblichen Regierung die Würde eines Doge nieder, und Heinrich Dandulo wurde an seine Stelle erwählt.

Ich bin von meiner bisherigen Erzählung zu müde, als daß ich einen Mann von seinem thätigen und unternehmenden Geist für diesesmal begleiten sollte, und ich habe guten Grund zu vermuthen, daß Sie ebenfalls schon seit einiger Zeit Lust gehabt haben sich zur Ruhe zu begeben.

X. Brief.

Venedig.

Heinrich Dandulo war in seinen jüngern Jahren die untern Bedienungen bey der Regierung mit allgemeinem Beyfall durchgegangen; und einige Jahre vorher, ehe er zum Doge erhoben wurde, hatte er die Stelle eines Gesandten an dem Hofe des griechischen Kaisers Immanuel zu Konstantinopel bekleidet. Hier wurde er wegen seiner unbiegsamen Rechtschaffenheit, und weil er sich weigerte, den Absichten Immanuels, welche er dem Interesse seines Vaterlandes zuwider zu seyn glaubte, beyzutreten, auf Befehl des Tyrannen fast gänzlich geblendet. Ohngeachtet dieses Fehlers und

und seines hohen Alters, da er über achtzig war, wurde er nun zum Doge gewählt.

Um diese Zeit entschlossen sich einige der mächtigsten Prinzen und Edeln in Frankreich und Flandern, von dem Eifer Innocenz des dritten angefeuert, und noch mehr aus eignem frommen hitzigen Triebe, in einem vierten Kreuzzuge den Ungläubigen das heilige Land und das Grab Christi wieder aus den Händen zu reißen; und da sie das Schicksal anderer die Beschwerden und Gefahren gelehrt hatte, die Heere zu Lande fortzubringen, so beschlossen sie den Weg von Europa nach Asien zur See zu nehmen. Sie wandten sich zu dem Ende an den Staat von Venedig, der ihnen nicht nur Schiffe zu Ueberbringung der Armee bewilligte, sondern auch an der Unternehmung als eine Hauptperson Theil nahm, und ihnen eine bewaffnete Flotte zugesellete.

Das französische Heer langte bald darauf in dem venetianischen Gebiete an; man hatte aber so übel gerechnet, daß, wie nun alles zum Einschiffen bereit war, es an dem zur Ueberbringung der Truppen versprochnen Gelde fehlte. Dies verursachte Streitigkeiten zwischen den französischen Heerführern und dem Staate, welchen der Doge durch den Vorschlag ein Ende machte, daß sie in Kriegsdiensten abtragen sollten, was sie nicht in Gelde liefern könnten. Dies wurde angenommen, und die ersten Thaten des Heers der Kreuzfahrer bestanden in der Eroberung der Stadt Zara und anderer Plätze in Dalmatien, welche sich gegen die Venetianer empört hatten. Es war zum voraus verabredet worden, daß die Armee nach diesem Dienste unverzüglich nach Aegypten eingeschifft werden sollte; Dandulo aber, der noch einen andern Anschlag im Sinn hatte, stellte vor, daß die Jahrszeit zu weit verstrichen sey, und überredete die französische Armee in Dalmatien zu überwintern.

In

In dieser Zwischenzeit machte sich Dandulo einiger günstigen Umstände zu Nutze, und wußte auf eine schlaue Art die französischen Kreuzfahrer zu der Entschließung zu bewegen, sich, ungeachtet des päpstlichen Verbots, mit der venetianischen Macht zu vereinigen und ihre Waffen gegen den Kaiser von Konstantinopel zu richten. Dandulo behauptete, daß diese Unternehmung ihren eigentlichen Plan wider das heilige Land erleichtern, und, wie er überzeugt sey, für beyde Partheyen weit größere Vortheile haben würde.

Nie war die Krone von Konstantinopel mit größern Gefahren umringt gewesen, nie waren plötzlichere Staatsveränderungen vorgefallen, als eben in diesem Zeitpunkt.

Immanuel, der den Dandulo, wie er Gesandter war, mit so vieler Grausamkeit behandelt hatte, war vom Throne gestürzt worden. Sein unmittelbarer Nachfolger hatte kurz darauf dasselbige Schicksal erfahren. Von seinem eignen Bruder verrathen, wurden ihm die Augen ausgestochen, und er in diesem kläglichen Zustande von dem Usurpateur in einer engen Gefangenschaft gehalten. Der Sohn dieses unglücklichen Mannes war von Konstantinopel entwischt, und nach Venedig gekommen, den Schutz dieses Staats anzuflehen. Das Mitleid, welches sein Unglück natürlicher Weise erregte, trug außerordentlich viel bey, des Doge Lieblingsplan, die französische und venetianische Macht wider Konstantinopel anzuführen, zu befördern. Der unermüdete Dandulo stellte sich in Person an die Spitze seiner Landesleute. Die vereinigte Armee schlug die Truppen des Thronräubers in verschiedenen Treffen, nöthigte ihn aus Konstantinopel zu fliehen, setzte seinen Bruder auf den Thron, und gab ihm seinen Sohn Alexius wieder, der vor der Grausamkeit seines Oheims nach Ve-

nedig

nedig seine Zuflucht nehmen müssen, und Dandulo in dieser glücklichen Unternehmung begleitet hatte.

Bald darauf erhob sich ein Misverständniß zwischen den vereinigten Armeen und dem Alexius, welcher nun Mitregent seines Vaters zu Konstantinopel geworden war. Die Griechen murreten über die Gunst, die ihr Kaiser diesen Ausländern bezeugte, und waren der Meinung, daß seine Freygebigkeit gegen sie mit seiner Pflicht gegen seine eigne Unterthanen nicht bestehen könnte. An der andern Seite glaubten die Kreuzfahrer, daß er mit allem Reichthum seines Reichs kaum vermögend sey, die ihnen habende Verpflichtung abzutragen. Der junge Prinz, der gerne gegen die einen gerecht, und gegen die andern dankbar seyn wollte, verlor darüber das Vertrauen beyder; und indem er sich bemühete, die Gemüther zweyer Partheyen, deren Absicht und Interesse einander entgegen stunden, zu vereinigen, wurde er von einem Griechen Murtsuphlus, der sein Vertrauen gewonnen, und den er zu den höchsten Reichswürden erhoben hatte, verrathen. Dieser Treulose machte die Griechen glaubend, daß Alexius Konstantinopel der Plünderung Preis gegeben hätte, um den Geiz und die Raubsucht dieser Ausländer, die seine Familie wieder auf den Thron gesetzt hatten, zu befriedigen. Das Volk griff zu den Waffen, der Palast wurde besetzt, Alexius und sein Vater wurden getödtet, und Murtsuphlus zum Kaiser ausgerufen.

Diese Händel, für deren Richtigkeit uns die Authentie der Geschichte bürget, scheinen so schnell als die Abwechslungen in einer theatralischen Vorstellung auf einander zu folgen.

Die Häupter der vereinigten Armee, von Schrecken und Unwillen betroffen, versammlen sich und halten einen Rath. Dandulo, der in dem Augenblick der Gefahr stets einen Entschluß zu fassen weiß, ist der Meinung,

nung, man müsse dem Thronräuber unverzüglich den Krieg ankündigen, und sich des Reichs bemeistern. Die Meinung wird angenommen, und die Eroberung des griechischen Kaiserthums beschlossen.

Nach verschiedenen blutigen Schlachten und Angriffen ersteigen die vereinigten Franzosen und Venetianer als Sieger die Stadt, und theilen die Beute des reichen Konstantinopels unter sich.

Der Doge ließ sich durch das Glück der Waffen nie so sehr verblenden, daß er das wahre Interesse seines Vaterlandes darüber aus den Augen gesetzt hätte, und dachte auf keine Erwerbung großer Staaten für die Republik auf dem festen Lande. Die Venetianer erhielten für ihren Antheil die Inseln des Archipelagus, verschiedene Häfen auf der Küste des Hellespont, Morea, und die ganze Insel Candia. Dies war für Venedig eine sehr kluge Vertheilung, da die Vergrößerung ihrer Stärke auf Handlung, Schifffahrt und der Herrschaft über die See beruhet.

Obgleich Dandulo's Gestirn im Dunkeln aufgieng und in mittäglicher Höhe mit keinem außerordentlichen Glanz erschien, so übertraf doch nichts den Schein seiner Stralen beym Untergange.

Dieser außerordentliche Mann starb zu Konstantinopel für Alter, zu einer Zeit, da der Lorbeer, der sein graues Haupt schmückte, in jugendlicher Blüte stand.

Die Jahrbücher der Menschheit stellen uns kein Beyspiel auf, das unserer Bewunderung würdiger wäre. Ein Greis von mehr als achtzig Jahren, der seines Gesichts fast gänzlich beraubt ist, verachtet die seinem Alter so nöthige Ruhe, und die sichern Ehrenbezeugungen, die ihn zu Hause begleiteten; läßt sich in eine gewagte Unternehmung wider einen entfernten und

mächti-

mächtigen Feind ein; erträgt die Beschwerden eines
kriegerischen Lebens in einem abergläubigen Jahrhundert
mit jugendlichem Geist und mit der Standhaftigkeit eines alten Soldaten; führt ein Heer religiöser Schwärmer an; trotzt zu gleicher Zeit dem Unwillen des Papsts,
den Vorurtheilen der Andächtler, und allen Gefahren
des Kriegs; läßt die Hitze eines Eroberers, die Beurtheilungskraft eines Staatsmannes, und den uneigen-
nützigen Geist eines Patrioten von sich blicken; weiß entfernte Begebenheiten vorzubereiten, zufällige Umstände
besser zu nutzen, mit den ungestümsten Charakteren um-
zugehen, und mit unvergleichlicher Geschicklichkeit alles
nach dem großen von ihm zu Vergrößerung seines Vaterlandes entworfenen Plan zu bequemen und einzulei-
ten. Und dieser Mann hatte seine Jugend, seine männlichen Jahre, und einen großen Theil seines Alters unbekannt verlebt. Wäre er als ein Siebziger verstorben,
so würde sein Name mit dem gewöhnlichen Wust der Höfe und Hauptstädte in Vergessenheit gerathen seyn. So
nothwendig sind Gelegenheiten und Situationen, die ver-
borgene Kraft der größten Charaktere ans Licht zu stellen;
und so wahr ist es, daß in der Zeit, da wir viele Männer von den gemeinsten Fähigkeiten an der Spitze der
Reiche sehen, in Ansehung derer die Perioden ihres Da-
seyns nur als Data in der Geschichte dienen, viele, deren
Talente und Tugenden ihre Jahrbücher verherrlicht haben würden, wegen der Dunkelheit ihrer Umstände, oder
der Schwachheit und Dummheit ihres Zeitalters unbemerkt sterben.

Aber ich bin durch **Heinrich Dandulo's** romanti-
sche Geschichte ganz von meinem ersten Vorsatz abge-
kommen, Ihnen einen Begriff von dem Anfang und
Fortgange der venetianischen Aristokratie zu geben; ich
will dieselbe in meinem nächsten wieder vornehmen.

XI. Brief.

XI. Brief.

Venedig.

Bey aller Freude über die durch seine Flotte und Armee gemachten Eroberungen, sahe der auf die bürgerliche Freyheit stets eifersüchtige Senat von Venedig doch ein, daß diese neue Vergrößerung des Staats die Macht und den Einfluß der höchsten Obrigkeit vermehren, und dadurch leicht den Umsturz ihrer Verfassung veranlassen könnte.

Im Jahr 1206 unmittelbar nach dem eingegangnen Bericht von Dandulo's Tode, wurden sechs neue Magistratspersonen erwählet, und mit dem Namen Correctores belegt; und diese Einrichtung ist bey jeder seitdem erfolgten Erledigung der Regierung erneuert worden.

Es liegt diesen Correctores ob, alle Misbräuche, welche sich unter der Regierung des vorigen Doge eingeschlichen haben, zu untersuchen, und sie dem Senat zu hinterbringen, damit denselben vor der Wahl eines andern Doge abgeholfen, und durch heilsame Gesetze für das Künftige vorgebeuget werde. Zugleich wurde verordnet, daß der Staat aus dem Vermögen der verstorbenen Magistratspersonen wegen alles Nachtheils, den er durch ihre üble Regierung erlitten, schadlos gehalten werden, und der Senat darüber erkennen sollte. Dieses Gesetz war in der That sehr dienlich, den Doge in seinem Betragen vorsichtig zu machen, und ist der Ursprung aller künftigen Einschränkungen dieser sehr unbeneidenswerthen Stelle gewesen.

Wer des ruhigen und sichern Genusses eines häuslichen Lebens gewohnt ist, geräth leicht auf den Gedanken, daß kein Sterblicher auf solche Bedingungen zu einem

Amte

Amte Lust haben würde; aber der Senat zu Venedig
wußte aus ausgebreitetern Kenntnissen von der menschlichen Natur, daß es immer Menschen genug giebt,
die begierig sind nach dem Scepter des Ehrgeizes zu ha-
schen, ungeachtet aller Dornen, mit denen er umgeben
seyn könnte.

Die Venetianer hatten keineswegs die Absicht, den
geringsten Flecken auf den Charakter ihres verstorbenen
patriotischen Doge kommen zu lassen; dem ohngeachtet
hielten sie das Zwischenreich nach seinem Tode für die
günstigste Gelegenheit dieses Gesetz zu machen, weil, wenn
die Untersuchung nach seiner rühmlichen Regierung anfieng, kein künftiger Doge sich Rechnung machen konnte, damit verschont zu bleiben.

Nachdem die Correctores erwählt, und die Untersuchung vorgenommen worden war, wurde Peter Ziani
zum Doge ernennet. Unter seiner Regierung wurde ein
Gericht für bürgerliche Sachen unter dem Namen des
Tribunals der Vierziger angeordnet. Die Benennung erkläret zur Gnüge die Absicht der Anordnung dieses Gerichts, an welches von den Sprüchen aller Unter-
obrigkeiten in bürgerlichen Sachen, welche in der Stadt
entschieden werden, appellirt wird. Es muß von dem
Gerichtshof der Vierziger, dessen ich schon ehemals er-
wähnet habe, unterschieden werden. Die Gerichtsbarkeit dieses letztern wurde nun auf peinliche Fälle eingeschränkt. Jenes erhielt nachher den Namen des alten
bürgerlichen Raths der Vierziger, um es von einem dritten Gericht zu unterscheiden, das ebenfalls aus vierzig
Gliedern bestund, und in der Folge gestiftet wurde, daß
in allen bürgerlichen Händeln von den Urtheilen der Un-
tergerichte außerhalb der Stadt Venedig an ihn appellirt werden konnte.

Gegen das Ende seines Lebens im Jahr 1228 legte
Ziani seine Würde nieder. Bey der Wahl seines Nachfolgers

folgers hatten **Reinier Dandulo** *) und **Jocob Tie-**
polo gleiche Stimmen. Dieses verlängerte das In-
terregnum auf zwey Monate. So oft in dieser Zeit bal-
lotirt wurde, hatte jeder von ihnen zwanzig Kugeln. Endlich befahl der Senat zu loosen, welches die Wahl zum
Vortheil des **Tiepolo** entschied.

Unter seiner Regierung wurde das venetianische Ge-
setzbuch einigermaßen verändert und ins Kurze gezogen.
Eine der größten Unbequemlichkeiten der Freyheit ist die
Anzahl der Gesetze, welche zur Beschützung des Lebens
und der Freyheit eines jeden Bürgers nöthig sind. Die
natürlichen Folgen davon sind eine Menge Rechtsgelehrte mit allen Processen und Ungerechtigkeiten, die sie veranlassen. „Die Mühe, der Aufwand, die Zögerungen,
„selbst die Gefahren der Gerechtigkeit sind der Preis,
„den jeder Bürger für seine Freyheit giebt,“ spricht
Montesquieu. Je mehr Freyheit in einem Staate
bleibet, für desto wichtiger wird Leben und Eigenthum eines
jeden Bürgers angesehen werden. Eine despotische Regierung rechnet das Leben eines Bürgers für eine Sache
von gar keiner Bedeutung.

Der Doge **Tiepolo,** der, so wie zu der Zeit viele venetianische Edelleute, selbst ein Rechtsgelehrter gewesen
war, wandte unermeßliche Arbeit an, das wüste Chaos
der Gesetze und Anordnungen, in denen die Rechtsgelehrsamkeit der auf ihre Freyheit so eifersüchtigen Republik verwickelt war, ins Licht zu setzen und in Ordnung
zu bringen. Nach einer langen Regierung legte er seine
Würde nieder, und dem Hindernisse, das sich bey seiner
Wahl ereignet hatte, vorzubeugen, wurde die Anzahl
der Wählenden durch einen neuen Schluß des Senats
auf ein und vierzig vermehrt.

Unter

---

*) Nicht **Reinier,** welcher in Candia umgekommen war,
sondern **Marin Dandulo.** S. Le Bret Staatsgeschichte
von Venedig I. Th. S. 487.

Unter der Regierung seines Nachfolgers Marin Morosini wurden zwey Richter unter dem Namen der peinlichen Nachtrichter angeordnet. Ihr Amt geht dahin, über nächtliche Verbrechen zu urtheilen, unter welcher Benennung Räubereyen, Mordbrennen, Nothzucht und Vielweiberey begriffen ist. Auch gehört dahin, wenn ein Jude bey einer Christinn schläft, obgleich, nach einer nicht zu rechtfertigenden Partheylichkeit, ein Christ bey Nacht und bey Tage bey einer Jüdinn schlafen kann, ohne daß darauf eine Strafe gesetzt wäre.

Einige Jahre hernach, unter der Regierung des Doge Reinier Zeno, wurden zu diesem Tribunal noch vier Richter hinzugethan; und während des Zwischenreichs nach seinem Tode im Jahr 1268 wurde eine neue Art, einen Doge zu wählen, festgesetzt, bey welcher man, ihrer Verwickelung ungeachtet, bisher beständig geblieben ist.

Wenn sich alle Mitglieder des großen Raths, die über dreyßig Jahr sind, in der Halle des Palastes versammlet haben, so werden so viele Kugeln, als Glieder sich gegenwärtig befinden, in ein Gefäß gethan. Dreyßig dieser Kugeln sind vergoldet, und die übrigen weiß. Jeder Rathsherr nimmt eine heraus, und wer eine vergoldete Kugel trifft, geht in ein ander Zimmer, wo wiederum ein Gefäß mit dreyßig Kugeln ist, von denen neun vergoldet sind. Die dreyßig Glieder ziehen wieder, und die zum zweytenmal das Glück haben, vergoldete Kugeln zu treffen, sind die ersten Wählenden, und haben ein Recht vierzig zu ernennen, unter denen sie selbst begriffen sind. Diese vierzig ballotiren auf eben die Art wie die vorigen auf zwölf, welches die zweyten Wählenden werden. Diese ernennen fünf und zwanzig, nämlich der erste von ihnen drey, und die andern eilf jeder zwey. Alle diese versammlen sich in einem besondern

dern Gemach, wo jeder eine Kugel aus einem Gefäß nimmt, das deren fünf und zwanzig enthält, unter welchen neun vergoldete sind. Diese bestimmen die neun dritten Wählenden, von denen jeder wiederum fünf ernennet, welches in allem fünf und vierzig macht; aus diesen kommen auf ähnliche Art wie vorhin durch Ballotiren eilf vierte Wählende; und diese eilf haben die Ernennung der ein und vierzig eigentlichen Wählenden des Doge. Wenn diese zusammen eingeschlossen sind, so machen sie den Anfang damit, drey Häupter und zwey Schreiber zu ernennen. Jeder Wählende, der alsdenn aufgerufen wird, wirft einen kleinen Zettel in ein Gefäß, das auf einer Tafel vor den Häuptern steht. Auf diesem Zettel ist der Name der Person geschrieben, welche der Wählende zum Doge zu haben wünscht.

Dann öffnen die Schreiber in Gegenwart der Häupter und der ganzen Versammlung die Zettel. Unter allen ein und vierzig befinden sich gemeiniglich nur wenige verschiedene Namen, indem die Wahl mehrentheils zwischen zwey oder drey Candidaten im Gleichgewicht schwebt. Die Namen werden, so viel ihrer auch seyn mögen, in ein andres Gefäß gelegt, und nach einander herausgezogen. Sobald ein Name hervorgenommen ist, wird er von dem Schreiber abgelesen, und die Person, die ihn führt, muß, wenn sie gegenwärtig ist, unverzüglich abtreten. Alsdann fragt einer von den Häuptern mit lauter Stimme, ob man dieser Person ein Vergehen zur Last legen könne, oder wider seine Erhebung zu der höchsten Würde etwas einzuwenden habe. Wird eine Einwendung gemacht, so wird der Beklagte hereingerufen, und angehört, was er zu seiner Vertheidigung zu sagen hat; hierauf geben die Wählenden ihre Meinung dergestalt von sich, daß sie eine Kugel in eine von zwey Büchsen, deren eine zum Ja, die andre zum Nein bestimmt

stimmt ist *). Die Schreiber zählen die Kugeln; und finden sich fünf und zwanzig in der ersten Büchse, so ist die Wahl geschehen; widrigenfalls wird ein andrer Name herausgezogen und dieselbige Untersuchung angestellt, bis fünf und zwanzig bejahende Kugeln in dem Gefäß sind.

Diese Art zu wählen, bey welcher Prüfung und Zufall so vollkommen vermischt sind, macht alle Versuche die Wählenden zu bestechen, und alle Kabalen um die herzogliche Würde unmöglich. Denn wer kann sich träumen lassen, durch Mühe oder List sich eine Wahlstimme zu verschaffen, da die Art zu verfahren alle Geschicklichkeit des Staatsmannes und des Listigen unkräftig macht?

Lorenz Tiepolo war der erste Doge, der auf diese Art erwählt wurde. Unter seiner Regierung wurde die Stelle eines Großkanzlers errichtet.

Bisher waren alle öffentliche Urkunden von Personen unterzeichnet worden, welche der Doge selbst wählte, und die den Namen Kanzler führten. Der große Rath aber, den wir immer begierig finden, die Macht des Doge einzuschränken, hielt diese Methode für untauglich, und that nun den Vorschlag, selbst einen Kanzler zu erwählen, dessen Rechte und Freyheiten von dem Doge völlig unabhängig wären. Da auch das Volk Spuren der Unzufriedenheit blicken lassen, daß die großen Bedienun-

---

*) Nach dem Bericht des mehr angeführten Le Bret werden die Kugeln in ein oben verdecktes Gefäß geworfen, welches drey Abtheilungen hat, deren eine die bejahenden, die zweyte die verneinenden, die dritte die zweifelhaften Stimmen begreift; und der Wählende wirft seine Kugel durch die oben bedeckte Mündung in das ihm beliebige Fach, daß es also niemand bemerken kann, in welches sie geworfen wird. Ueb.

I. Theil.　　　　　E

bienungen alle bey den vornehmen Familien wären, so wurde für rathsam gehalten, zu verordnen, daß der Kanzler allemal aus den Schreibern des Senats, welches Bürger waren, genommen werden sollte. Wie nachher der Rath der Zehen errichtet wurde, so ward festgesetzt, daß der Kanzler entweder aus den Schreibern dieses Departements, oder aus denen des Senats genommen werden könnte.

Der Großkanzler von Venedig bekleidet ein Ehrenamt von großer Wichtigkeit. Er hat das große Siegel der Republik, und weiß alle Staatsgeheimnisse. Er wird als das Haupt des Bürgerstandes angesehen, und seine Stelle ist die einträglichste in der Republik. Ob er aber gleich bey allen Rathsversammlungen gegenwärtig seyn muß, so hat er doch keine Stimme.

Wenn wir die Jahrbücher der Republik aufschlagen, so treffen wir allenthalben Beweise von der rastlosen Eifersucht dieser Regierung an. Sogar die häusliche Wirthschaft der Familien erregte bisweilen Verdacht, so untadelhaft auch der öffentliche Charakter des Herrn seyn mochte. Der letzterwähnte Doge hatte eine Ausländerinn geheirathet; seine beyden Söhne folgten seinem Beyspiel; einer vermählte sich mit einer Prinzessinn. Dies beunruhigte den Senat. Sie glaubten, die Edeln könnten sich durch solche Mittel ein Ansehen und Verbindungen in andern Ländern verschaffen, welche mit ihrer Pflicht als Bürger von Venedig nicht bestehen könnten. Deswegen wurde in dem Zwischenreiche, das nach Tiepolo's Tode erfolgte, von den Correctoren ein Gesetz vorgeschlagen, welches auch gleich durchgieng, kraft dessen allen künftigen Dogen und ihren Söhnen die Heirath mit Ausländerinnen, bey Strafe von dieser Würde ausgeschlossen zu seyn, untersagt wurde.

Obgleich das Volk allmählig seiner ursprünglichen Rechte, die oberste Magistratsperson zu erwählen, beraubt worden

worden war, so war doch der Doge bey den Wahlen,
die nach der Anordnung der neuen Art erfolgten, dem auf
dem Marcusplatz versammleten Haufen allemal vorgestellet worden, als ob er um ihre Einwilligung anhielte;
und dies Volk, dem dieser kleine Grad der Aufmerksamkeit schmeichelte, hatte nie ermangelt, seine Zufriedenheit durch wiederholtes Freudengeschrey auszudrücken.
Aber fast sollte man denken, der Senat habe gefürchtet,
ihm auch diesen leeren Schatten seiner alten Gewalt zu
lassen; denn er verordnete, daß künftig, anstatt den Doge dem Haufen vorzustellen, und sein Frohlocken zu empfangen, ein Syndicus im Namen des Volks dem Doge zu seiner Wahl Glück wünschen sollte.   Es scheint
nicht, daß der Senat bey dieser Gelegenheit nach seiner
gewöhnlichen Klugheit gehandelt habe. Schein nimmt
das menschliche Herz oft mehr ein, als das Wesen selbst,
wie dieses Beyspiel zeigt: denn der venetianische Pöbel äußerte weit mehr Unwillen über die Entziehung dieser geräuschvollen Ceremonie, als über die Beraubung
des wesentlichen Rechtes selbst.   Ehe nach dem Tode
des Doge Johann Dandulo eine neue Wahl mit den
gewöhnlichen Förmlichkeiten vorgenommen werden konnte, versammlete sich eine ungemeine Menge auf dem Marcusplatz, und rief mit lautem Jauchzen Jacob Tiepolo zum Doge aus, mit der Erklärung, daß dieses
bindender als alle andre Arten zu wählen, und er ihr
rechtmäßiger Doge sey.

Indem der Senat in furchtsamer Ungewißheit wegen der Folgen eines so schreckhaften und unerwarteten
Vorfalles war, vernahm er, daß Tiepolo sich mit dem
Entschlusse aus der Stadt entfernt hätte, verborgen zu
bleiben, bis er hörte, wie der Senat und das Volk diesen Streit ausmachen würden.

Da das Volk keine Person von Gewicht zu seinem
Anführer hatte, so gab es nach seinem gewöhnlichen Wan-
kelmuth

kelmuth einen Anschlag auf, den es mit seiner gewöhnlichen Unerschrockenheit angefangen hatte.

Der von der Unruhe befreyete große Rath stellte nun
eine regelmäßige Wahl an, welche auf Peter Gradenigo, einen unternehmenden, standhaften und klugen
Mann fiel, unter dessen Regierung die letzten Funken der
Demokratie völlig ausgelöscht wurden.

XII. Brief.

Venedig.

Von dem Augenblick an, da Gradenigo zum Besitz
der Würde eines Doge gelangte, machte er einen
Entwurf, das Volk aller seiner noch übrigen Macht zu
berauben. Seine einzigen Bewegungsgründe dazu waren dem Anschein nach Haß einer Volksregierung, und
Empfindlichkeit über einige Zeichen persönlichen Wider-
willens, den der Pöbel bey seiner Wahl geäußert hatte;
denn indem er die alten Rechte des Volks völlig vertilgte, ließ er doch keine Neigung blicken, die Gewalt seiner
eignen Stelle zu vermehren.

Da der große Rath noch jährlich durch Personen,
welche das Volk selbst ernennte, erwählt wurde, so schmeichelte sich dasselbe, ohngeachtet der vielen kränkenden Ab-
weichungen von der alten Verfassung, daß es noch einen wichtigen Antheil an der Regierung hätte. Und
diesen letzten Rest der zu Grabe gehenden Freyheit suchte
Gradenigo ihm auf immer zu entreißen. Einen Mann
von geringerm Muth würde ein solches Unternehmen
furchtsam gemacht haben; aber seine natürliche Unerschrockenheit, welche vom Haß angefeuert wurde, verachtete alle Gefahren und Schwierigkeiten.

Er

Er begann gleichsam zur Probe mit einigen Veränderungen in der Art den großen Rath zu erwählen; inzwischen verursachte solches Murren, und es war zu besorgen, daß bey der nächsten Wahl dieses Gerichtshofs
ein gefährlicher Tumult entstehen würde.

Aber Gradenigo setzte sich über alle Furcht hin,
und flößte auch andern Muth ein; und ehe die Zeit der
Wahl da war, so brach der entscheidende Schlag aus.

Im Jahr 1297 wurde ein Gesetz gegeben, daß diejenigen, welche wirklich zu dem großen Rath gehörten,
lebenslang Mitglieder desselben bleiben, und ihr Recht
auf ihre Nachkommen ohne einige Wahl vererben sollte.
Anf diese Art wurde auf einmal ein erblicher gesetzgeben-
der Körper aus dem Adel und eine vollkommene Aristokratie auf die Trümmer der alten Volksregierung erbauet.

Alle Bürger, die damals nicht in dem großen Rath
waren, geriethen über diese Maasregeln in Verlegenheit
und Erstaunen; besonders die alten adelichen Familien:
denn obgleich in genauem Verstande vor diesem Gesetze,
wie wir bereits angemerkt haben, kein Adel mit aus-
schließenden Freyheiten da war, so fanden sich doch in
Venedig, so wie in den meisten demokratischen Repu-
bliken, gewisse Familien, welche angesehener als andre
gehalten wurden, deren viele sich durch dieses Gesetz unter die unbeträchtlichste Person herabgesetzt sahen, welche
zufälligerweise in diesem wichtigen Zeitpunkt ein Glied des
großen Raths war. Um die Gemüther solcher gefährlichen Misvergnügten zu beruhigen, wurden zu ihrem
Vortheil Ausnahmen gemacht, und einige der mächtigsten sogleich in den großen Rath aufgenommen; andern
aber wurde versprochen, daß sie künftig Theil daran haben sollten. Durch solche ihnen künstlich gegebne Hoff-
nungen, und durch den großen Einfluß der Glieder,
welche wirklich im Rathe waren, wurde allem unmittel-

E 3   baren

baren Aufstand vorgebeugt, und auswärtige Kriege und Handlungsgegenstände wandten bald die Aufmerksamkeit des Volks von dieser empfindlichen Veränderung in der Natur der Regierung ab.

Inzwischen kochte eine starke Empfindlichkeit über diese Neuerungen in der Brust einiger Privatpersonen, welche nach einigen Jahren unter der Anführung eines Marin Bocconio den Anschlag machten, Gradenigo zu ermorden, und den ganzen großen Rath ohne Unterschied umzubringen. Dieser Anschlag wurde entdeckt, und die Rädelsführer, nachdem sie ihr Verbrechen bekannt hatten, zwischen den Säulen hingerichtet.

Diese Verschwörung Bocconi's begränzte sich auf Misvergnügte vom Bürgerstande; aber 1309 entspann sich eine unter dem Adel selbst, die noch weit gefährlicher war.

Einige der Angesehensten unter denen, die zu der Zeit der gemachten Veränderung nicht in dem großen Rathe saßen, auch ihrer Erwartung zufolge nicht nachher in denselben aufgenommen waren, verbanden sich mit einander nebst einigen sehr alten Familien, die es nicht ausstehen konnten, daß so viele Bürger in eine Gleichheit mit ihnen gesetzt waren, auch überdem sich durch Gradenigos Stolz, wie sie ihn nannten, beleidigt fanden. Diese wählten den Sohn des Jacob Tiepolo, den der Pöbel zum Doge ausgerufen hatte, zu ihrem Anführer. Ihr Zweck war, Gradenigo seiner Würde zu entsetzen, und die alte Verfassung wiederherzustellen. Es fügte sich bald eine große Menge aus den niedrigern Ständen in der Stadt zu ihnen; auch beredeten sie eine große Anzahl ihrer Freunde, und Abhängige aus Padua und dem angränzenden Lande, zu der zu dem Aufstande bestimmten Zeit nach Venedig zu kommen und ihnen beyzustehen. Wenn man die Menge bedenkt, die um diese Unternehmung wußte, so muß man erstaunen, daß

sie

sie nicht eher als die Nacht vorher, ehe sie ausgeführt werden sollte, entdeckt wurde. Der ungemeine Zufluß von Fremden erregte zuerst Verdacht, und das Geständniß einiger, welche um die Sache wußten, bestätigte denselben. Der Doge rief unverzüglich den Rath zusammen, und sandte Boten an die Befehlshaber der benachbarten Städte und Festungen, mit dem Auftrag, sich mit ihren Truppen eiligst nach Venedig zu begeben. Die Verschwornen ließen sich nicht abschrecken; sie versammleten sich und griffen den Doge und seine Freunde an, welche sich in einem Haufen um den Palast versammlet hatten. Der St. Marcusplatz war der Schauplatz dieser tumultuarischen Schlacht, die einige Stunden währte, aber ein größeres Lermen und Schrecken bey den Einwohnern, als Blutbad bey den Streitenden anrichtete. Sobald einige Kriegsbefehlshaber mit Truppen anlangten, so endigte sich der Streit mit der Niederlage der Verschwornen. Einige Edle waren in dem Handgemenge getödtet worden; eine größere Anzahl wurde auf des Senats Befehl hingerichtet. Tiepolo, der die Flucht genommen hatte, wurde für ehrlos und für einen Feind des Vaterlandes erklärt; seine Güter und Vermögen wurden eingezogen, und sein Haus auf den Grund geschleift. Nach diesen Executionen wurde es für rathsam gehalten verschiedene der angesehensten bürgerlichen Familien in den großen Rath aufzunehmen.

Diese beyde gleich auf einander gefolgte Verschwörungen verbreiteten ein allgemeines Mistrauen und Furcht in der ganzen Stadt, und veranlaßten das Gericht, welches der Rath der Zehen genannt und um diese Zeit blos als ein Tribunal auf eine Zeit lang gestiftet wurde, die Ursachen der letztern Verschwörung zu untersuchen, die Theilnehmer zu bestrafen, und den Samen derselben zu vertilgen, in der Folge aber zu einem immerwähren-

während wurde.   Ich will von demselben nichts weiter
erwähnen, bis wir zu der Periode kommen, da die
Staatsinquisition angeordnet wurde; doch kann ich nicht
umhin, anzumerken, daß unter der Regierung des Doge
Gradenigo auch ein geistliches Inquisitionsgericht in
Venedig eingeführet wurde.

Dieses Gericht hatten die Päpste schon längst an allen europäischen Höfen einzuführen gesucht; an vielen
war es ihnen nur gar zu gut gelungen; von dem venetianischen Staat wurde es nun zwar nicht völlig abgeschla-
gen, doch unter solchen Einschränkungen angenommen,
welche den erschreclichen Grausamkeiten desselben, die es
in andern Ländern begleiteten, vorgebeugt haben.

Diese Republik scheint zu aller Zeit einen starken
Eindruck von dem ehrgeizigen und regiersüchtigen Geist
des römischen Hofes gehabt zu haben; und sie hat bey
aller Gelegenheit die größte Abneigung bezeigt, den Händen der Geistlichen einige Macht einzuräumen.   Hievon
gaben die Venetianer um diese Zeit einen unwidersprech-
lichen Beweis: denn indem sie ein neues bürgerliches
Inquisitionsgericht mit der uneingeschränktesten Gewalt
errichteten, so nahmen sie die geistliche Inquisition nicht
anders als auf Bedingungen an, denen sie in keinem andern Lande sich hatte unterwerfen dürfen.

Nie brauchte der römische Hof so viele Verschlägen-
heit als in den Versuchen, diesen Einschränkungen auszuweichen und den venetianischen Senat zu bewegen, die
Inquisition auf eben den Fuß zuzulassen, als sie anderwärts angenommen worden war.   Aber so listig der
Papst war, so standhaft war der Senat, und die Inquisition wurde endlich unter folgenden Bedingungen
eingeführt.

Es sollten drey Commissarien aus dem Senat den
Berathschlagungen dieses Hofes beywohnen, von dessen
Schlüs-

Schlüssen keiner ohne Genehmigung dieser Commissarien ausgeführt werden sollte.

Diese Commissarien sollten der Inquisition keinen Eid der Treue ablegen, oder sich in irgend eine Art der Verbindlichkeit gegen sie einlassen; hingegen sollten sie sich eidlich verpflichten, dem Senat von allem, was in dem heiligen Officio vorgehen würde, nichts zu verheelen.

Ketzerey sollte das einzige Verbrechen seyn, darüber die Inquisition erkennen könnte, und im Fall der Ueberzeugung und Verurtheilung eines Strafbaren sollte sein Geld und Güter nicht diesem Gericht, sondern seinen natürlichen Erben heimfallen.

Juden und Griechen sollten eine freye Religionsübung haben, ohne von dem Gericht darin beunruhigt zu werden.

Die Commissarien sollten verhindern, daß keine zu Rom, oder anderswo außer dem venetianischen Gebiet gemachte Verordnung registrirt werde.

Den Inquisitoren sollte nicht erlaubt seyn, ohne Beytritt des Staats Bücher als ketzerisch zu verdammen; sie sollten auch nicht berechtigt seyn, andre dafür zu erkären, als welche schon durch Clemens des Achten Edict verdammet worden.

Das waren die Einschränkungen, unter denen die Inquisition in Venedig errichtet wurde; und nichts zeugt deutlicher von den guten Wirkungen derselben, als eine Vergleichung der Anzahl derer, welche hier wegen Ketzerey verurtheilt worden sind, mit denen, welche dieses Gericht an allen andern Orten, wo es errichtet worden, zum Tode verdammet hat.

Wir finden ein Beyspiel von einem Manne, Marino, welcher wegen Verfertigung eines Buchs zur Vertheidigung der Lehre Johann Hussens zu einer öffentlichen Strafe verurtheilt worden war. Dieses Verbrechens

chens

chens halber, das in den Augen der Inquisitoren das größt mögliche war, wurde er verurtheilt, in einem Gewande mit Flammen und Teufeln bemalt auf einem Gerüste öffentlich zur Schau gestellet zu werden. Aus diesem Spruch erhellet die Mäßigung der bürgerlichen Obrigkeit: denn ohne ihre Vermittelung würde der Gefangne aller Wahrscheinlichkeit nach nicht blos mit gemalten Flammen umgeben worden seyn. Dieser Vorfall, der in der Geschichte von Venedig als ein Beyspiel der Strenge angeführt wird, ereignete sich zu einer Zeit, da viele Unglückliche in Spanien und Portugal wegen kleinerer Vergehungen auf Befehl der Inquisition verbrannt wurden.

Im Jahr 1354 wurde während des Zwischenreichs nach dem Tode Andreas Dandulo von den Verbesserern der Misbräuche vorgeschlagen, daß künftig die drey Häupter des peinlichen Raths der Vierziger Mitglieder des Collegii seyn sollten. Und dieses wurde zum Gesetz gemacht.

Es wird nöthig seyn anzumerken, daß das Collegium, welches auch sonst die Signoria genannt wird, der höchste Cabinetsrath des Staats ist. Ursprünglich bestund dasselbe nur aus dem Doge und sechs Räthen; es kamen aber zu denselben zu verschiedenen Zeiten hinzu: erstlich sechs von dem großen Rath, die von dem Senat gewählt wurden; sie führten den Namen Savii, oder Weise, von der bey ihnen vermutheten Weisheit; nachher fünf Savii von dem festen Lande, deren Pflicht vorzüglich darin besteht, auf die Geschäfte der zu der Republik gehörigen Städte und Provinzen auf dem festen Lande von Europa, besonders was die Truppen betrifft, die Oberaufsicht zu haben. Zu einer andern Zeit waren auch fünf Savii wegen der Seeangelegenheiten; sie hatten aber wenig zu thun, nachdem die venetianische Seemacht unbedeutend geworden war; und nun

nun werden an ihrer Stelle von dem Senat alle sechs
Monate fünf junge Edelleute ernennet, welche den Versammlungen der Signoria beywohnen, ohne eine Stimme zu haben, ob sie gleich ihre Meinung sagen, wenn
sie gefragt werden. Die Absicht ist, sie in den Staats-
geschäften zu unterrichten, und dazu tüchtig zu machen.
Sie werden Weise der Ordnungen genennet, und alle
sechs Monate gewählt.

Zu diesen kamen die drey Häupter des peinlichen
Raths der Vierziger hinzu; und bestand sodann das Collegium in allem aus sechs und zwanzig Gliedern.

Es ist dasselbe zugleich der Geheimerath und der Re-
präsentant der Republik. Es giebt im Namen der Republik fremden Gesandten, Deputirten der Städte und
Provinzen, und den Generalen des Heers Gehör, und
ertheilt ihnen Antwort. Es nimmt alle Bittschriften
und Memoriale in Staatsangelegenheiten an, beruft den
Senat nach Belieben, und ordnet die Geschäfte an, die
in dieser Versammlung verhandelt werden sollen.

In der venetianischen Regierung wird große Sorge
getragen, der Gewalt des einen Gerichtshofs durch den
andern das Gegengewicht zu halten. Vermuthlich entstand es aus einer Eifersucht über die Gewalt dieses Collegii, daß drey Häupter des peinlichen Raths der Vierziger hinzugethan wurden.

XIII. Brief.

Venedig.

Die Geschichte keiner Nation stellt uns eine größere
Mannichfaltigkeit einzeler Begebenheiten dar, als
die venetianische. Wir haben eine Verschwörung wider
den Staat untern den Bürgern entstehen, und allein von
Personen

Perſonen von Stande ausführen ſehen. Bald darauf
ſahen wir eine andre, die ihren Urſprung unter dem Körper des Adels nahm; aber das Jahr 1355 ſtellt uns eine noch außerordentlichere auf, die nämlich von dem
Doge ſelbſt angefangen und betrieben wurde. Wenn
Ehrgeiz oder Vergrößerung ſeiner eignen Gewalt die
Quelle geweſen wäre, ſo würde es nicht ſo befremdend
geweſen ſeyn; aber ſeine Bewegungsurſache zu der
Verſchwörung war ſo klein, als die Abſicht fürchterlich war.

Marino Fallieri, Doge von Venedig, war um
dieſe Zeit achtzig Jahr alt; eine Zeit des Lebens, wo die
Hitze der Leidenſchaften gemeiniglich ſehr geſchwächt iſt.
Inzwiſchen hatte er auch damals einen ſtarken Beweis
von einer raſchen Gemüthsart durch ſeine Vermählung
mit einem jungen Mädchen gegeben. Dieſe hielt ſich
auf einem öffentlichen Ball von einem jungen venetianiſchen Edelmann für beſchimpft, und beklagte ſich heftig
gegen ihren Gemahl über dieſe Beleidigung. Der alte
Doge, der ſeinem Weibe auf das möglichſte zu gefallen
wünſchte, beſchloß, ihr wenigſtens in dieſem Stück völlige Gnugthuung zu geben.

Der Verbrecher wurde vor die Richter geführt, und
das Verbrechen mit aller Beredtſamkeit, welche das
Geld erkaufen konnte, erhöhet; aber ſie ſahen die Sache
mit unpartheyiſchen Augen an, und ſprachen das Urtheil,
ſo wie es dem Verbrechen angemeſſen war. Der Doge
gerieth in die ausſchweifendſte Wut; und da er fand, daß
der Adel keinen Theil an ſeinem Zorn nahm, ſo ließ er
ſich mit dem Admiral des Arſenals und einigen, die mit
der Regierung aus andern Urſachen misvergnügt waren,
in eine Verſchwörung ein, und entwarf einen zu gewalt-
ſamen Anſchlag, ſeines Weibes Ehre zu retten. Dieſe
Verzweifelten beſchloſſen, den ganzen großen Rath zu ermorden. Ein ſolches Blutbad war wohl ſeit dem troja-
niſchen

nischen Kriege um eines Weibes willen nicht angestiftet
worden.

Dieser Anschlag wurde mit mehrerer Verschwiegenheit behandelt, als man von einem Mann hätte erwarten können, der so wenig Vernunft als Menschlichkeit
gehabt zu haben scheint. Alles war veranstaltet; und
der Tag vor demjenigen, der zu der Ausführung bestimmt
war, erschien, ohne daß jemand, außer den Verschwornen, von diesem abscheulichen Anschlag das Geringste
wußte. Er wurde auf eben die Art entdeckt, wie der wider den König von England und das Parlament unter
Jacob dem ersten ans Licht kam.

Bertrand Bergamese, einer von den Verschwornen, wünschte Niclas Lioni, einen edeln Venetianer, bey
dem allgemeinen Blutbade zu retten; daher besuchte er
ihn, und ermahnte ihn ernstlich, unter keinerley Vorwand des folgenden Tages auszugehen, weil er sonst gewiß das Leben verlieren würde. Lioni setzte ihm zu, ihm
die Gründe dieses außerordentlichen Raths anzuzeigen;
und wie sich jener dessen hartnäckig weigerte, so ließ ihn
Lioni fest halten, sandte zu einigen seiner Freunde aus
dem Senat, und brachte es endlich durch Verheißungen
und Drohungen bey dem Gefangenen dahin, das ganze
abscheuliche Geheimniß zu entdecken.

Sie ließen die Avogadori, den Rath der Zehen
und andere hohe Staatsbediente berufen, welche den Gefangenen verhörten. Hierauf wurde Befehl ertheilt, die
Hauptverschwornen in ihren Häusern in Verhaft zu nehmen, und diejenigen aus dem Adel und Bürgern, auf
deren Treue der Rath sich verlassen konnte, zu versammlen. Diese Maasregeln konnten nicht so geheim genommen werden, daß nicht viele dadurch hätten beunruhigt
werden sollen, welche Mittel fanden, die Flucht zu ergreifen. Eine große Anzahl aber wurde in Verhaft genommen, unter denen sich zwey Häupter der Verschwor-

nen

nen unter dem Doge befanden. Bey dem Verhör gestanden sie alles. Es wies sich aus, daß nur einige ausgewählte Personen von den Vornehmsten mit der wirklichen Absicht bekannt gewesen: von sehr vielen war nur
verlangt worden, sich zu einer bestimmten Stunde bewaffnet bereit zu halten, weil sie zum Angriff gewisser
ungenannter Feinde des Staats gebraucht werden würden; es wurde von ihnen verlangt, diese Befehle völlig
geheim zu halten, und ihnen dabey gesagt, daß ihr künf-
tiges Glück auf ihre Treue und Verschwiegenheit beruhe.
Diese Leute wußten nichts von einander, und hatten keinen Argwohn, daß sie nicht zu einer rechtmäßigen Unternehmung bestellet wären. Sie wurden daher auch in
Freyheit gesetzt; aber alle Häupter der Verschwornen
legten das vollständigste Zeugniß wider den Doge ab.
Es wurde bewiesen, daß der ganze Plan nach seiner Anordnung gemacht, und von seinem Einfluß unterstützt
worden sey. Nach dem Verhör und Bestrafung der
vornehmsten Verschwornen machte der Rath der Zehen
dem Doge selbst den Proceß. Sie verlangten, daß
zwanzig Senatoren von größtem Ansehen bey dieser feyerlichen Gelegenheit zugegen seyn, hingegen zwey Verwandte des Hauses Falliert, deren einer ein Mitglied
des Raths der Zehner, und der andre ein Avogador
war, aus der Versammlung sich entfernen sollten.
Der Doge, der bisher in seinen eignen Gemächern
im Palast unter einer Wache geblieben war, wurde nun
vor das Tribunal seiner eignen Unterthanen gebracht.
Er trug seine Amtskleidung.
Man hält dafür, daß er die Beschuldigung zu leng-
nen und seine Vertheidigung zu führen gesonnen gewesen sey. Als er aber die Menge und Beschaffenheit der
wider ihn geführten Beweise hörte, wurde er von der
Stärke derselben überwältigt, bekannte sein Verbrechen,
und bat kriechend vergeblich um Gnade.

Daß

Daß ein achtzigjähriger Mann bey einer solchen Gelegenheit alle seine Standhaftigkeit verlor, ist kein Wunder; daß er sich aber durch eine unbedeutende Beleidigung zu einem so unmenschlichen überlegten Plan von Bosheit verreizen ließ, ist ohne Beyspiel.

Ihm wurde zuerkannt, den Kopf zu verlieren. Das Urtheil wurde auf dem Platz vollzogen, wo die Dogen gemeiniglich gekrönet werden.

In dem großen Gemach des Palastes, wo die Bildnisse der Dogen aufgestellet sind, ist zwischen den Portraits seines unmittelbaren Vorgängers und Nachfolgers ein leerer Platz mit dieser Inschrift:

Locus Marini Fallieri decapitati.

Das einzige andre Beyspiel, das die Geschichte unserer Betrachtung von einem Regenten aufstellet, dem von einem Gericht seiner Unterthanen nach den Gesetzen der Proceß gemacht, und das Todesurtheil gesprochen worden, ist das von Karl dem ersten, König von Großbritannien. Aber wie sehr verschieden ist der Eindruck, den die Untersuchung beyder Fälle auf uns macht!

In dem einen vergißt man die eigentlichen Fehler eines verleiteten Prinzen über die Strenge seines Schicksals, und die ruhige majestätische Standhaftigkeit, mit der er sie ertrug. Diejenigen, welche sich aus patriotischem Geist den verfassungswidrigen Maasregeln seiner Regierung entgegengesetzt, waren nicht mehr; und diejenigen, welche jetzt die Macht in Händen hatten, wurden von ganz verschiedenen Grundsätzen getrieben. Alle Leidenschaften der Menschlichkeit nehmen solchemnach an dem königlichen leidenden Theil; nichts als der unedelmüthige Partheygeist kann sie verführen, auf die Seite seiner Feinde zu treten. In seinem Proceß sehen wir mit einer Mischung von Mitleid und Unwillen den unglücklichen

glücklichen Monarchen der Bosheit der Heuchler, der Wut der Schwärmer, und der Frechheit eines Rabulisten von niedriger Herkunft ausgesetzt.

In dem andern wird jede Empfindung des Mitleids durch den Abscheu an dem ungeheuren Verbrechen erstickt.

Als im Jahr 1361 nach dem Tode des Dogen Johann Delfino die letzten Wählenden in der herzoglichen Kammer verschlossen waren, seinen Nachfolger zu ernennen, und die Wahl zwischen dreyen Candidaten schwankte, kam ein Gerücht nach Venedig, daß Lorenz Celsus, der die Flotte commandirte, einen vollständigen Sieg über die Genueser, welche damals mit Venedig Krieg führten, erhalten hätte. Diese Nachricht wurde den Wählenden mitgetheilt, welche gleich alle drey Candidaten aufgaben, und einstimmig diesen Befehlshaber erwählten. Bald darauf fand es sich, daß das Gerücht von diesem Siege völlig ungegründet gewesen war. Dies konnte nun freylich der Gültigkeit der Wahl nichts benehmen; aber es veranlaßte einen Schluß, bey ähnlichen Umständen künftig alle Gemeinschaft zwischen dem Conclave der Wählenden und dem Volk außer demselben aufzuheben.

Der Vater dieses Doge gab ein sonderbares Beyspiel von Schwachheit und Eitelkeit, welches einige Geschichtschreiber des Aufzeichnens würdig gehalten haben. Aus welchem Grunde, weiß ich nicht, es möchte denn seyn, die Nachkommenschaft mit der Betrachtung aufzurichten, daß die menschliche Thorheit fast in allen Zeitaltern einerley sey, und ihre Vorfahren nicht viel weiser als sie selbst gewesen sind. Dieser alte Mann hielt es der Würde eines Vaters unanständig, seinen Hut vor seinem Sohn abzunehmen; und damit es nicht das Ansehen hätte, daß er sich so weit herabließe, so gieng er von dem Augenblick der Wahl seines Sohnes an, da doch

alle

alle Edle dieses Zeichen der Ehrerbietung ihrem Oberherrn bewiesen, in allem Wetter, und bey aller Gelegenheit mit unbedecktem Haupte. Der Doge, der für
seines Vaters Gesundheit besorgt war, und fand, daß
keine Ueberredung noch Erklärung der Sache vermögend
wäre, seine Hartnäckigkeit zu überwinden, erinnerte sich,
daß er eben so andächtig als eitel sey, und dieses gab ihm
ein Mittel ein, welches die erwünschte Wirkung hatte.
Er ließ auf der herzoglichen Krone vor der Stirn ein
Kreuz machen. Der alte Mann wünschte so sehr dem
Kreuz seine Ehrerbietung zu bezeugen, als er es seinem
Sohn zu thun abgeneigt war; und da er kein Mittel aus-
zufinden wußte einen Hut abzunehmen, den er nie trug,
so überwand endlich die Frömmigkeit den Stolz; er setzte seinen Hut wieder auf wie ehemals, damit er ihn,
wenn sein Sohn käme, zur Ehre des Kreuzes abneh-
men könnte.

Unter der Regierung des **Lorenz Celsus** wurde der
Republik von dem berühmten Dichter **Petrarch**, der
sich einige Zeit zu Venedig aufhielt, und dem die Sitten des Volks und die Weisheit ihrer Regierung gefielen, ein Geschenk mit seiner Büchersammlung gemacht,
welche damals für sehr schätzbar gehalten wurde. Dies
war die erste Grundlage zu der großen St. Marcus-
bibliothek.

In den Jahrbüchern von Venedig finden wir beständig neue Anordnungen. Kaum wird eine Beschwerde bemerkt, so werden Maasregeln ergriffen sie zu he-
ben, oder ihren Wirkungen Einhalt zu thun. Um diese Zeit wurden drey neue obrigkeitliche Personen verordnet, die darauf sehen sollten, allem übermäßigen Aufwande in Kleidern, Equipage und anderm kostbaren Ueberfluß vorzubeugen, und diejenigen, welche die wegen
dieser Gegenstände angeordneten Prachtgesetze übertreten,
zur Strafe zu ziehen. Diese Magistratspersonen wer-

I. Theil.   F   den

den Sopra Proveditori alle Pompe genennet. Ihnen
wurde eine uneingeschränkte Gewalt eingeräumt, Leute
von gewissen Professionen, die gänzlich mit Artikeln des
Luxus handeln, mit Geldstrafen zu belegen. Zu dieser
Zahl wurden die öffentlichen Buhlerinnen gerechnet. Diese Profession war nach allen Berichten ehemals zu Venedig in einem gewissen glänzenden Zustande, den man
in keiner europäischen Hauptstadt kennete; und von den
reichsten unter ihnen wurden zu gewissen Zeiten zum
Dienste des Staats große Summen eingetrieben. Vermuthlich ist diese Auflage schwerer gewesen, als das Gewerbe es ertragen können; denn es ist gegenwärtig sehr
in Verfall und in schlechten Umständen, und die besten
Geschäfte sollen jetzt zum bloßen Vergnügen von Personen getrieben werden, die nicht den Namen haben wollen, daß sie die Profession treiben.

XIV. Brief.

Venedig.

Keine Regierung war jemals pünktlicher und unpar-
theyischer in der Ausübung der Gesetze als die venetianische. Dies wurde zu dem Wohl und zu der
Existenz des Staats selbst für nothwendig gehalten.
Ihm werden alle Achtung für einzele Personen, alle Pri-
vatabsichten, alles nagende Gefühl des Herzens aufgeopfert. Die Ausübung des Gesetzes nach aller Strenge
des Rechts wird für die Haupttugend eines Richters angesehen; und da es Fälle giebt, wo auch vielleicht der
Strengste Nachsicht beweiset, so hat die venetianische
Regierung Sorge getragen, gewisse Magistratspersonen
zu verordnen, deren einziges Geschäft darin besteht, Acht
zu haben, daß andere unter allen Umständen ihre Pflicht
beobachten.

In

In der Theorie ist das alles sehr gut, aber in der Anwendung finden wir es oft hassenswerth.

Unter der Regierung des Doge Anton Venier im Jahr 1400 wurde dessen Sohn wegen eines Vergehens, das augenscheinlich aus keiner bösern Quelle als jugendlichem Leichtsinn geflossen war, in eine Geldbuße von hundert Ducaten, und auf gewisse Zeit zum Gefängnisse verurtheilt.

Der junge Mensch wurde in seinem Kerker krank, und bat, daß er in eine reinere Luft gebracht werden möchte. Der Doge schlug ihm seine Bitte ab, und erklärte, daß das Urtheil nach dem Buchstaben vollzogen werden, und sein Sohn das Schicksal andrer, die mit ihm in gleicher Verdammniß wären, ausstehen müsse. Der Jüngling war sehr beliebt, und es geschahen viele Vorstellungen um Milderung des Urtheils wegen der ihm drohenden Gefahr. Der Vater war unerbittlich, und der Sohn starb im Gefängnisse. Dieser Mann mag noch so ein verfeinertes Herz gehabt haben, so bin ich doch mit dem meinigen, das aus den gemeinen Materialien besteht, weit besser zufrieden.

Karl Zeno wurde von dem Rath der Zehner angeklagt, daß er von Franz Carraro, Sohn des Herrn von Padua, eine Summe Geldes empfangen hätte, einem ausdrücklichen Gesetz zuwider, das allen venetianischen Unterthanen verbeut, von einem fremden Prinzen oder Staat einigen Gehalt, Pension oder Geschenk anzunehmen. Die Beschuldigung gründete sich auf ein Papier, welches bey der Eroberung der Stadt Padua von den Venetianern unter Carraro's Rechnungen gefunden worden war. Auf diesem Papier war ein Artikel von vierhundert Ducaten an Karl Zeno bezahlt. Dieser sagte zu seiner Vertheidigung, wie er mit Erlaubniß des Senats Statthalter im Mailändischen gewesen, so habe er Carraro besucht, der sich damals auf

F 2   dem

dem Schloß von Aſti als ein Gefangener befunden habe. Da er an den gemeinſten Bedürfniſſen Mangel gelitten, ſo habe er ihm beſagte Summe vorgeſchoſſen; welche ihm der Prinz, wie er kurz hernach ſeine Freyheit wieder erhalten, abgetragen habe.

Zeno war ein Mann von bekannter Rechtſchaffenheit, und von dem beſten Ruf. Er hatte die Flotten und Armeen des Staats mit dem glänzendſten Succeß commandirt; aber weder dieſe noch irgend eine andre Betrachtung konnten das Gericht bewegen, von ſeiner gewöhnlichen Strenge nachzulaſſen. Es geſtand, daß es wegen Zeno's gewöhnlicher Redlichkeit nicht Urſache habe an der Wahrheit ſeiner Erklärung zu zweifeln; aber die Verſicherungen einer angeklagten Perſon ſeyn nicht zulänglich, die Stärke der verdächtigen Umſtände, die wider ihn wären, auszulöſchen. Denjenigen, die ihn genau kenneten, würde ſeine Erklärung überzeugend ſeyn, aber ſie ſey kein rechtskräftiges Zeugniß ſeiner Unſchuld. Und man hielt ſich an einen beſondern Grundſatz dieſes Gerichts, es ſey für den Staat wichtiger, jeden auch von dem Scheine eines ſolchen Verbrechens abzuſchrecken, als jemanden loszulaſſen, wider den ein Argwohn des Vergehens zurückbliebe, ſo unſchuldig er auch ſeyn möchte.

Dieſer Mann, der der Republik die weſentlichſten Dienſte geleiſtet, und viele Siege erfochten hatte, wurde verurtheilt, aller ſeiner Würden entſetzt zu werden, und zwey Jahr ein Gefangener zu bleiben.

Aber das rührendſte Beyſpiel von der verhaßten Unbiegſamkeit der venetianiſchen Gerichte zeigt ſich in der Sache des Foſcarini, eines Sohns des Doge dieſes Namens.

Dieſer junge Menſch hatte durch einige Unbeſonnenheiten den Senat beleidigt, und war auf deſſen Befehl nach Treviſo verwieſen worden, als Almor Donato, einer

einer aus dem Rath der Zehner, am 5 November 1550
indem er in sein Haus trat, ermordet wurde.

Es wurde eine Belohnung in baarem Gelde, eine
Verzeihung dieses oder eines jeden andern Verbrechens,
und ein auf die Kinder fallendes Jahrgeld von zweyhun-
dert Ducaten, ausgeboten, wer denjenigen entdecken könnte, der den Anschlag zu diesem Verbrechen gegeben, oder
es begangen hätte. Es wurde nichts offenbar.

Man hatte beobachtet, daß ein Bedienter des jungen Foscarini, Namens Olivier, des Abends, wie
der Mord geschah, um das Haus herumgeschlichen wäre. — Er entfloh des andern Morgens aus Venedig.
Diese und andre minder wichtige Umstände erregten einen starken Verdacht, daß Foscarini diesen Mann verleitet hätte, den Mord zu begehen.

Olivier ward ergriffen, nach Venedig gebracht,
und peinlich befragt, und bekannte nichts. Weil aber
der Rath der Zehner in dem Vorurtheil stand, daß er
den Mord begangen hätte, und glaubte, daß sein Herr
weniger Standhaftigkeit besitzen würde, so verfuhr er
gegen denselben eben so grausam. Der unglückliche junge Mensch blieb mitten in der Pein bey der Versicherung,
daß er nichts von dem Mord wisse. Dies überzeugte
das Gericht von seiner Standhaftigkeit, aber nicht von
seiner Unschuld. Weil aber kein rechtsgültiger Beweis
seines Verbrechens vorhanden war, so kounte er nicht
zum Tode verurtheilt werden. Er wurde also auf lebenslang nach Canea auf die Insel Candia ver-
wiesen.

Diesem unglücklichen Jüngling war die Verweisung
unleidlicher als die Folter. Er schrieb oft an seine Verwandte und Freunde, und bat sie, sich für ihn zu verwenden, daß die Zeit seiner Verweisung verkürzt werden,
und er Erlaubniß erhalten möchte, vor seinem Tode wieder in den Schooß seiner Familie zurückzukehren. —

F 3 Alle

Alle seine Bemühungen waren fruchtlos; diejenigen, an welche er sich wendete, sprachen nie für ihn, aus Furcht den harten Rath zu beleidigen, oder sie bemüheten sich auch vergebens.

Nachdem er fünf Jahr in dem Verbannungsort ge‐ schmachtet, und alle Hoffnung zur Rückkehr durch Ver‐ mittelung seiner Familie oder Landesleute verloren hatte, so schrieb er in einem Anstoß von Verzweifelung an den Herzog von Mailand, erinnerte ihn der Dienste, wel‐ che ihm der Doge sein Vater erwiesen hatte, und bat ihn, daß er seinen mächtigen Einfluß auf den Staat von Venedig anwenden möchte, damit sein Urtheil wie‐ derrufen würde. Diesen Brief vertraute er einem von Canea nach Venedig gehenden Kaufmann, der die er‐ ste Gelegenheit zu ergreifen versprach, ihn von dannen an den Herzog zu senden; anstatt dessen aber behändigte ihn dieser Niederträchtige, gleich nach seiner Ankunft zu Venedig, den Häuptern des Raths der Zehner.

Das Verfahren des jungen Foscarini schien in den Augen dieser Richter strafbar: denn die Gesetze der Re‐ publik verbieten allen ihren Unterthanen ausdrücklich, in Sachen, die sich auf die Regierung von Venedig be‐ ziehen, den Schutz fremder Prinzen zu suchen.

Solchemnach wurde befohlen, Foscarini von Can‐ dia herüberzubringen, und er wurde in das Staatsge‐ fängniß gesetzt. Hier wurde er auf Befehl des Raths der Zehner abermal auf die Folter gebracht, um von ihm die Bewegungsgründe zu erfahren, die ihn zu dem Ent‐ schluß gebracht hätten, sich an den Herzog von Mailand zu wenden. Eine solche Ausübung der Gesetze ist die erschrecklichste Ungerechtigkeit.

Der unglückliche Jüngling erklärte dem Rath, er hätte den Brief in der völligen Ueberzeugung geschrieben, daß der Kaufmann, dessen Charakter er kenne, ihn ver‐ rathen, und den Brief ihnen überliefern würde. Er

hätte

hätte es vorausgesehen, daß er als ein Gefangener nach Venedig würde zurückgebracht werden, und hätte solches für das einzige in seinen Kräften stehende Mittel gehalten, seine Aeltern und Freunde zu sehen, nach welchem Vergnügen er lange mit unüberwindlicher Begierde geseufzet, und es gern auf Kosten aller Gefahren und Schmerzen hätte erkaufen wollen.

Die Richter wurden von diesem großmüthigen Beyspiel kindlicher Liebe wenig gerührt; sie befohlen, den unglücklichen Jüngling nach Candia zurückzubringen, wo er ein Jahr ein Gefangener seyn, und seine übrige Lebenszeit als ein Verwiesener zubringen sollte; im Fall er aber neue Versuche machen würde, sich an fremde Mächte zu wenden, so sollte er zu einer ewigen Gefangenschaft verurtheilt seyn. Zugleich gaben sie dem Doge und seiner Gemahlinn die Erlaubniß, ihren unglücklichen Sohn zu besuchen.

Der Doge war damals sehr alt. Er hatte seine Stelle über dreyßig Jahr bekleidet. Die unglücklichen Aeltern hatten in einem der Gemächer des Palastes eine Unterredung mit ihrem Sohne. Sie umarmten ihn mit aller der Zärtlichkeit, welche sein Unglück und seine kindliche Zuneigung verdienten. Der Vater ermahnte ihn, sein hartes Schicksal standhaft zu ertragen. Der Sohn betheuerte in den beweglichsten Ausdrücken, daß dieses seine Kräfte übersteige. Andere möchten immer die traurige Einsamkeit eines Gefängnisses ausstehen können, er könne es nicht; sein Herz sey zur Freundschaft und zu den wechselseitigen Annehmlichkeiten eines geselligen Lebens geschaffen; ohne diese versinke seine Seele in eine Niedergeschlagenheit, die ärger als der Tod sey, nach welchem er allein als einer Erlösung von seinem Leiden sich sehnen würde, wenn er wiederum die Schrecknisse der Gefangenschaft erfahren sollte; und in Thränen zerfließend sank er zu seines Vaters Füßen, und bat ihn,

F 4　　　Mitleid

Mitleid mit einem Sohn zu haben, der ihn stets mit
der pflichtmäßigsten Zuneigung geliebt hätte, und der an
dem Verbrechen, wegen dessen er angeklagt worden, völlig unschuldig sey.   Er beschwor ihn bey allen Banden
der Natur und Religion, bey dem Herzen eines Vaters
und bey der Barmherzigkeit des Erlösers, seinen Einfluß
auf den Rath anzuwenden, damit sein Urtheil gemildert
würde, und er nicht den grausamsten Tod von allen, den
Tod, unter den langsamen Martern eines gebrochnen Herzens, in einer schrecklichen Verbannung von allem, was
ihm lieb sey, den Geist aufzugeben, schmecken dürfe. ——
„Mein Sohn!“ antwortete der Doge, „unterwerft
„euch den Gesetzen eures Vaterlandes, und begehrt
„nichts von mir, was zu erlangen nicht in meinem Ver-
„mögen ist.“

Nach diesen Worten gieng er in ein andres Gemach; und unfähig, den heftigen Schmerz länger auszuhalten, sank er in eine Art von Empfindungslosigkeit, in
welchem Zustande er sich noch befand, als sein Sohn schon
auf der Rückreise nach Candia begriffen war.

Niemand hat sich gewagt, die Angst der bekümmer-
ten Mutter zu schildern.   Diejenigen, welche mit vor-
züglicher Empfindsamkeit begabt sind, und einigermas-
sen ähnliche Leiden erfahren haben, werden sich den richtigsten Begriff davon machen.

Der überhäufte Kummer dieser unglücklichen Aeltern rührte das Herz einiger der angesehensten Senatoren, welche sich mit so vielem Nachdruck um die völlige
Begnadigung des jungen Foscarini bemüheten, daß
sie in Begriff waren sie zu erhalten, als ein Schiff von
Candia mit der Nachricht einlief, daß der junge
Mensch kurz nach seiner Zurückkunft im Gefängniß gestorben sey.

Einige Jahre hernach bekannte ein edler Venetianer,
Niclas Erizzo, auf dem Todbette, daß er aus einem

heftigen

heftigen Haß wider den Senator **Donato** den Mord begangen, um des willen die unglückliche Familie Foscarini so viel gelitten hatte.

Zu der Zeit war das Leiden des Doge zu Ende; er hatte nur einige Monate nach dem Tode seines Sohnes gelebt. Er mußte so lange ein Bewohner der Erde bleiben, bis er seinen Sohn wegen eines ehrlosen Verbrechens bis zum Tode hatte verfolgen sehen, aber nicht so lange, bis er diesen Schandfleck von seiner Familie abgewaschen, und die Unschuld seines geliebten Sohnes der Welt offenbar werden gesehen hätte.

Nie sind mir die Wege des Himmels dunkler und verworrener erschienen, als in den Umständen und dem Ausgange dieser traurigen Geschichte. So schwer es ist, die Zulassung solcher Begebenheiten mit unsern Begriffen von der unendlichen Macht und Güte Gottes zu reimen, so natürlich ist es doch dem menschlichen Verstande, einen Versuch zu machen, und der Scharfsinn der Weltweisen aller Zeiten hat sich daran geübt. Aber in den Augen der Christen sind diese anscheinende Schwierigkeiten ein Beweis eines künftigen Zustandes, in welchem die Wege Gottes mit den Menschen völlig werden gerechtfertigt werden.

XV. Brief.

Ich habe die Nachricht von dem Rath der Zehen so lange ausgesetzt, bis ich der Staatsinquisitoren erwähnen mußte, weil die letztere Anordnung auf die erstere gegründet wurde, und nur dahin abzielt, die Hände jenes Gerichts zu verstärken, und seine Macht zu vergrößern.

Der

Der Rath der Zehen besteht eigentlich aus siebzehn Gliedern: denn außer den zehn Edelleuten, die jährlich von dem großen Rath erwählt werden, von deren Zahl dies Gericht seinen Namen empfängt, hat der Doge den Vorsitz, und sechs Räthe der Signoria sind, wenn sie es für gut finden, bey allen Berathschlagungen zugegen.

Dieses Gericht wurde zuerst 1310 unmittelbar nach Tiepolo's Verschwörung errichtet.

Es ist das höchste Gericht in allen Staatsverbrechen. Monatlich erwählt es drey Vorsteher durch das Loos, welche alle an dasselbe einlaufende Briefe eröffnen, den Inhalt berichten, und nach Gutfinden die Mitglieder zusammenberufen. Sie haben die Macht, angeklagte Personen in Verhaft zu nehmen, sie im Gefängnisse zu verhören, ihre Antworten und die Zeugnisse wider sie schriftlich zu verfassen; und wenn diese dem Gericht vorgelegt werden, so erscheinen sie als Ankläger.

Diese ganze Zeit über bleiben die Gefangenen in enger Verwahrung, der Gesellschaft aller ihrer Freunde und Verwandten beraubt, und dürfen auch durch Briefe keinen Rath bekommen. Sie können keinen Anwald zu ihrem Beystande erlangen, wenn nicht einer von den Richtern sich entschließt diesen Dienst zu übernehmen; in welchem Fall ihm erlaubt wird ihre Vertheidigung zu besorgen, und für ihre Sache zu reden. Nach derselben fället das Gericht das Urtheil, nach Mehrheit der Stimmen, spricht den Gefangenen los, oder verurtheilt ihn nach Gutdünken, öffentlich oder insgeheim hingerichtet zu werden; und wenn jemand über das Schicksal seiner Freunde und Verwandten murret, und von ihrer Unschuld und der ihnen erwiesenen Ungerechtigkeit redet, so ist ein solcher Misvergnügter in großer Gefahr, dasselbige Schicksal zu erfahren.

Ich bin überzeugt, daß Sie denken werden, ein solches Gericht sey mächtig genug, alle gute Absichten der

Regie-

Regierung auszuführen. Dieser Meinung aber war der
große Rath von **Venedig** nicht; denn er fand es 1501
für gut, das Tribunal der Staatsinquisitoren anzuord-
nen, welches noch despotischer und kürzer verfährt.

Dieses Gericht besteht aus drey Personen, welche
alle aus dem Rath der Zehen genommen werden. Zwey
eigentlich aus den Zehen, und der dritte aus den Räthen der **Signoria**, die einen Theil dieses Raths ausmachen.

Diese drey Personen haben die Macht, ohne daß
von ihrem Spruch appellirt werden kann, über das Leben eines jeden zu dem venetianischen Staat gehörigen
Bürgers zu urtheilen, und der höchste Adel, ja der Doge selbst ist davon nicht ausgenommen. Sie verwahren
die Schlüssel zu den Kasten, in die die anonymischen
Anzeigen geworfen werden. Die Anzeiger, welche eine
Vergeltung erwarten, schneiden ein kleines Stück von
ihrem Briefe ab, welches sie nachher, wenn sie die Belohnung fodern, dem Inquisitor zeigen. Diese drey
Inquisitoren haben das Recht Kundschafter zu halten,
geheime Nachrichten zu überlegen, Befehle zu ertheilen,
um alle Personen in Verhaft zu nehmen, deren Worte
und Handlungen sie für tadelhaft halten, und sie nachher, wenn sie es gut finden, zu verhören. Wenn alle
drey einerley Meinung sind, so ist keine weitere Ceremonie nöthig. Sie können nach Gefallen den Gefangenen
im Gefängniß erwürgen, im Canal Orfano ersäufen,
heimlich bey Nacht zwischen den Säulen hängen, oder
öffentlich hinrichten lassen. Und ihr Spruch mag aus-
fallen wie er will, so kann keine weitere Untersuchung an-
gestellet werden. Wenn aber einer in seiner Meinung
von den andern abweicht, so muß die Sache der ganzen
Versammlung des Raths der Zehen vorgetragen werden.
Natürlicher Weise sollte man glauben, daß der Gefangene gute Hoffnung hätte, von diesem frey gesprochen zu
werden;

werden; denn die Verschiedenheit der Meinung der drey Inquisitoren giebt zu erkennen, daß die Sache wenigstens zweifelhaft ist: und in zweifelhaften Fällen, sollte man denken, würde die Güte die Oberhand haben; aber dieses Gericht handelt nach ganz andern als den sonst gewöhnlichen Grundsätzen. Es hat die Regel, in allen Verbrechen, welche den Staat betreffen, geringere Vermuthungen für gegründet zu halten, als in andern Fällen; und der einzige Unterschied, den es zwischen einem völlig erwiesenen, und einem zweifelhaften Verbrechen macht, besteht darin, daß in ersterm Fall die Bestrafung an hellem Tage geschieht; wenn hingegen Zweifel gemacht werden können, ob der Gefangne schuldig ist, so wird er heimlich abgethan. Die Staatsinquisitoren haben zu allen Gemächern des herzoglichen Palastes Schlüssel, und können, wenn sie wollen, bis in das Schlafzimmer des Doge kommen, sein Cabinet öffnen, und seine Papiere untersuchen. Sie können ebenfalls in dem Hause einer jeden Privatperson im Staat Zutritt fodern. Sie bleiben nur ein Jahr in ihrem Amte, sind aber nachher wegen ihres Betragens während ihrer Gewalt nicht zur Verantwortung zu ziehen.

Was deucht Ihnen? sollten Sie wohl völlig gesetzten und ruhigen Gemüths seyn können, wenn Sie mit drey Personen in einer Stadt lebten, die das Recht hätten, Sie nach eignem Belieben in einem Kerker einzusperren, und zum Tode zu verdammen, ohne daß sie darüber zur Rechenschaft gezogen werden könnten?

Wenn einer auch von dem Charakter der Inquisitoren des einen Jahrs nichts zu befürchten hätte, so müßte er doch besorgt seyn, daß in dem folgenden Männer von einer verschiedenen Denkungsart die Gewalt erhalten könnten; und wenn er auch überzeugt wäre, daß die Inquisitoren allezeit aus Männern von der bekanntesten Rechtschaffenheit im Staat erwählt würden, so würde er

er doch vor der Bosheit der Angeber und geheimer Fein=
de zittern müſſen, deren Verbindung auch den Verſtand
redlicher Richter hintergehen kann, beſonders wenn dem
Angeklagten ſeine Freunde entzogen werden, und ihm ſo=
gar ein Anwald, ſeine Vertheidigung zu führen, verſagt
wird: denn bey dem ſtärkſten Bewußtſeyn ſeiner Un=
ſchuld kann er nicht ſicher ſeyn, ob er ohne Verdacht und
Beſchuldigung bleibt; und eben ſo ungewiß iſt es, ob
man ihn nicht auf die Folter bringen wird, um den Man=
gel an hinlänglichen Beweiſen zu erſetzen. Und wenn
endlich auch jemand von Natur ſo viele Standhaftigkeit
beſäße, daß ihn in Anſehung ſeiner keine von dieſen Be=
trachtungen beunruhigte, ſo könnte er doch noch wegen
ſeiner Kinder und anderer Verbindungen, für welche
mancher mehr Angſt als für ſich ſelbſt empfindet, be=
ſorgt ſeyn.

Dies ſind Gedanken, welche natürlich in den Herzen
derer aufſteigen, die in einem freyen Lande, wo kein ſol=
ches deſpotiſches Tribunal errichtet iſt, geboren und zu
leben gewohnt ſind: dennoch finden wir das Volk mitten
unter allen dieſen Gefahren dem Anſchein nach ruhig;
ja wir wiſſen, daß Menſchen in Städten, wo der Kai=
ſer oder Baſſa ſich von Zeit zu Zeit den Zeitvertreib
macht, denen, die ihm auf ſeinem Spaziergang begegnen,
den Kopf herunter zu ſäbeln, eben ſo gleichgültig ſind;
und ich zweifle nicht, wenn es etwas gewöhnliches wäre,
daß ſich die Erde öffnete und täglich eine Anzahl ihrer
Einwohner verſchlünge, ſo würde man ſolches eben ſo
gleichgültig anſehen, als man jetzt die Verzeichniſſe der
Verſtorbenen lieſet. Das iſt eine Wirkung der Ge=
wohnheit auf den Menſchen; ſo bewundernswürdig weiß
ſie ſich in die Uebel, wider welche keine Hülfe iſt, zu
ſchicken.

Aber dieſes iſt kein Grund für die venetianiſchen
Edeln, ſolche Gerichte als den Rath der Zehen oder die

Staats=

Staatsinquifitoren zu leiden, indem es unftreitig in ihrer Macht fteht, diefen Uebeln abzuhelfen. Es haben auch von Zeit zu Zeit Partheyen des Adels Verfuche ge= macht, fie gänzlich wegzufchaffen; es ift ihnen aber nicht gelungen, weil es fich gefunden hat, daß die Mehrheit des großen Raths dafür gewefen, diefe Anordnungen beyzubehalten.

Man glaubt, es der Aufmerkfamkeit diefer Gerichts= höfe zu verdanken zu haben, daß die venetianifche Re= publik von längerer Dauer als irgend eine andre gewe= fen; nach meiner Meinung aber follte die Glückfeligkeit des Volks der Hauptgegenftand einer Regierung feyn, und wenn fie es darin verfieht, fo ift es um defto fchlim= mer, je länger ihre Dauer ift. Wenn das Volk durch das, was zur Erhaltung des Staats dienen foll, un= glücklich wird, fo kann es nichts dabey verlieren, wenn es folches wegräumt, was auch immer die Folge feyn mag. Meines Erachtens würden die mehreften Men= fchen lieber in einem bequemen angenehmen Haufe leben, das nur einige Jahrhunderte ftehen kann, als in einer düftern göthifchen Wohnung, die für die Ewigkeit ge= bauet ift. Diefe defpotifche Gerichtshöfe, die Staats= inquifitoren, und der Rath der Zehen haben nicht nur unter dem venetianifchen Adel, fondern auch bey Frem= den ihre Bewunderer gehabt, und fogar bey folchen, die in andern Fällen Grundfäße entdeckt haben, welche der willkührlichen Macht gar nicht günftig find.

Ich finde folgende Stelle in einem Briefe des Bi= fchofs Burnet, Venedig betreffend:

„Dies bewegt mich, einige Worte von demjenigen „Theil der Verfaffung zu fagen, der von Fremden fo „getadelt wird, wirklich aber diefer Republik zur größ= „ten Ehre und vorzüglichften Sicherheit gereicht; näm= „lich von der uneingefchränkten Gewalt der Inquifito= „ren, die fich nicht nur auf den vornehmften Adel, fon=

„dern

„dern auch auf den Herzog selbst erstreckt, welcher ihnen
„so unterworfen ist, daß sie ihm nicht nur heftige Ver-
„weise geben, sondern auch seine Papiere durchsuchen,
„ihm den Proceß machen, und sogar zum Tode verur-
„theilen können, ohne daß sie jemand außer dem Rath
„der Zehen von ihrem Verfahren Rede und Antwort
„geben dürfen. Nicht allein alle Unterthanen, sondern
„auch der ganze Adel, und alle, die eine Bedienung in
„der Republik haben, fürchten sich vor ihnen, und die Größ-
„ten unter ihnen zittern, und werden dadurch zu einem
„untadelhaften Betragen bewogen.‟

Ich für meine Person kann nicht anders glauben, als
daß ein Tribunal, welches den Herzog, den Adel und
alle Unterthanen in Furcht erhält, und die Größten unter ihnen zittern macht, kein großer Segen für einen
Staat seyn kann. Gewiß ist es eine sehr unglückliche
Lage, in beständiger Furcht zu schweben; und wenn der
Doge, der Adel und alle Unterthanen unglücklich werden, so muß meines geringen Erachtens die Ehre und
Sicherheit der übrigen Republik von sehr geringer Wichtigkeit seyn.

In dem eben angeführten Briefe bedient sich der
Bischof, indem er von den Staatsinquisitoren redet, folgender Worte: „Wenn sie einen Fehler finden, sind sie
„so unerbittlich und in ihrer Gerechtigkeit so schnell als
„strenge, daß schon die Furcht vor ihnen ein so kräfti-
„ger Zügel ist, daß man vielleicht die Erhaltung von
„Venedig und seiner Freyheit einzig und allein diesem
„einzelnen Theil ihrer Verfassung zu verdanken hat.‟

Wie würde Ihnen, liebster Freund! eine Freyheit
in England gefallen, welche ohne den Beystand eines
despotischen Gerichts nicht beybehalten werden könnte?
Einen solchen Begriff von der Freyheit hätten Jakob
der erste oder zweyte, als eins von den Regierungs-
geheimnissen vom Thron herab verkündigen mögen: aber

daß

daß ein Rath und Bewunderer **Wilhelm des dritten**
öffentlich so schreibt, darüber muß man erstaunen. Freylich kann man sagen, der venetianische Staat könne, wegen seiner Kleinheit und republikanischen Regierungsart,
durch plötzliche Tumulte oder Aufstände des Volks gestürzt werden: desto nothwendiger sey es, ein wachsames
Auge auf das Betragen einzelner Personen zu haben, und
gegen alles auf der Hut zu seyn, was eine Quelle öffent-
licher Unordnungen und Unruhen werden könne. In
dieser Absicht könne vielleicht die Anordnung der Staatsinquisitoren einigermaßen, so wie die außerordentliche und
unregelmäßige Bestrafung des **Ostracismus** zu **Athen**,
der auf eben dem Grunde beruhete, entschuldigt werden.
In einem großen Staat, oder in einer weniger populä-
ren Regierungsform, wären solche Gefahren aus bürgerlichen Bewegungen nicht zu befürchten; eine ähnliche,
Vorsicht ihnen vorzubeugen sey daher überflüßig. Allein
aller Entschuldigungen ohngeachtet kann ich doch nicht
begreifen, wie dieses erschreckliche Tribunal in der venetianischen Republik so lange hat bestehen können, da allen Ständen an der Aufhebung desselben gelegen zu seyn
scheint, und ich gar nicht einsehen kann, aus welchem
Grunde jemand seine Erhaltung wünschen sollte. Der
Doge kann es nicht seyn, denn die Staatsinquisitoren
halten ihn völlig im Zaum; man kann sich auch nicht ein-
bilden, daß der Adel an diesem Gericht Gefallen findet,
da er der Eifersucht der Staatsinquisitoren mehr als der
Bürger oder der gemeine Mann ausgesetzt ist; am wenigsten unter allen können die Bürger ein solches Tribunal unterstützen, da keiner von ihnen zu der Stelle eines
Mitgliedes desselben gelangen kann. Da inzwischen der
Adel allein im Stande ist, diesem Gericht die Gewalt, ein
Theil der Staatsverfassung zu seyn, zu nehmen, und wir
doch finden, daß er es immer unterstützt hat, so müssen,
wir daraus den Schluß machen, daß eine Verbindung

in

in diesem Körper, die Einfluß genug auf die Mehrheit der Stimmen unter ihren Brüdern besitzt, die Macht allezeit in Händen behalten, und Mittel gefunden hat, wenigstens in dem aus ihren eignen Mitgliedern erwählten Rath der Zehen eine Mehrheit der Stimmen zu behaupten, so daß dieses uneingeschränkte Gericht vielleicht allemal abwechselnd aus den Gliedern einer geheimen Verbindung bestehet. Will man aber diese Möglichkeit aus dem Grunde leugnen, weil man die Vorsicht gebraucht durch Kugeln zu wählen, so weiß ich keine andre Ursache der Fortdauer eines solchen Gerichts zu bestimmen, als die Vermuthung, daß der venetianische Adel einen so großen Gefallen an der uneingeschränkten Gewalt hat, daß die Hoffnung, derselben auf eine kurze Zeit zu genießen, ihn alles Elend der Sklaverey auf seine übrige Lebenszeit willig ertragen läßt.

Die Aufmunterung, welche diese Regierung ungenannten Anklägern und heimlichen Anzeigen giebt, hat Folgen, welche allen Nutzen, der daraus entstehen kann, gar sehr überwiegen. Wechselseitiges Vertrauen wird dadurch vertilgt, und Verdacht und Eifersucht unter den nächsten Freunden befördert. Und da alle Stände in Furcht gesetzt werden, so werden sie zugleich gereizt boshaft zu seyn. Die Gesetze müssen jeden schützen können, der einen andern öffentlich und dreist anklagt.

Wenn Personen in einem Staat so mächtig sind, daß ein Privatmann Gefahr dabey läuft, sie ihrer Verbrechen öffentlich anzuklagen, so muß in dieser Regierung eine Schwäche seyn, die ein schleuniges Hülfsmittel erfodert; nur muß das Mittel nicht ärger als die Krankheit seyn.

Es ist kein Beweis von der gerühmten Weisheit dieser Regierung, daß sie in dem Gebrauch der Folter vielen europäischen Staaten nachahmt, nach deren vernünftigen Anordnungen sie sich keinesweges richtet, ob dieses

I. Theil.   G   gleich

gleich weit untadelhafter gewesen wäre. Mir hat es immer
sehr grausam und ungereimt geschienen, durch dieses
Mittel ein Bekenntniß zu erzwingen, und einen Beweis
des Verbrechens zu bewirken. Jemanden mehr als To-
despein leiden lassen, um zu entdecken, ob er des Todes
würdig ist oder nicht, ist eine Art der Handhabung der
Gerechtigkeit, welche ich mit meinen Begriffen von der
Billigkeit nicht reimen kann.

Ist es die Absicht der Gesetzgebung, daß ein jedes
Verbrechen durch jemandes Leiden gebüßt werden soll,
und ist es einerley, ob diese Büßung durch die Marter
einer unschuldigen Person oder des Schuldigen geschieht,
so hab ich nichts zu sagen: ist es aber ihre Absicht, die
Wahrheit zu entdecken, so wird die schreckliche Erfindung der Folter oft fehlschlagen; denn unter zwanzigen
werden neunzehn alles sagen, wodurch sie ihrem Schmerz
am baldigsten ein Ende zu machen glauben, es mag wahr
oder falsch seyn.

XVI. Brief.

Venedig.

Ohngeachtet seit der Anordnung der Staatsinquisition
sich verschiedene wichtige Begebenheiten ereignet
haben, welche auf die Macht, den Reichthum und den
Umfang der Herrschaft dieser Republik großen Einfluß
gehabt, so ist doch die Beschaffenheit der Regierung immer dieselbige geblieben. Ich will mich also in dem,
was ich noch zu sagen habe, sehr kurz fassen und beym
Allgemeinen bleiben.

Ich habe schon angemerkt, daß diese Republik nach
ihrer gewöhnlichen Staatskunst in allen Kriegen, die
zwischen ihren Nachbarn entstanden, so lang als möglich
eine

eine Neutralität beobachtet habe: wenn sie aber wider
ihren Willen genöthigt war, sich für eine Parthey zu erklären, so verband sie sich gemeiniglich mit dem Staat,
von deſſen Macht und Wohlstand sie wegen seiner entfernten Lage für **Venedig** die wenigste Gefahr zu besorgen hatte.

Inzwischen scheint die Republik zu sehr vernachläßigt
zu haben, Vertheidigungsbündniſſe mit andern Staaten
zu schließen, und endlich durch ihre beständig geäußerte
Eifersucht und unermeßliche Reichthümer ein Gegenstand
des Haſſes und Neides aller europäischen Mächte geworden zu seyn. Diese allgemeine Eifersucht wurde 1508
durch den arglistigen Geist des Papstes Julius des
zweyten angefeuert, und in Wirksamkeit gesetzt. **Ju-**
lius, der Kaiser **Maximilian**, **Ludwig** der zwölfte
und **Ferdinand** von **Aragonien** schloſſen zu **Cambray**
eine geheime Verbindung wider die Republik **Venedig.**
Schon die Benennung der Mächte, aus denen dieses
Bündniß bestand, giebt uns einen sehr hohen Begriff
von der Wichtigkeit des Staats, wider den es geschloſ-
ſen wurde.

Die Herzoge von **Savoyen**, **Ferrara** und **Man-**
tua traten diesem Bunde bey, und machten Anspruch
auf einen Theil der venetianischen Staaten. Es war
nicht schwer, Anfoderung an einen Theil des Gebiets eines Staats zu machen, der eigentlich nichts mehr als einige sumpfige Inseln im Grunde des adriatischen Meerbusens besaß. Und ganz **Europa** glaubte, das Bündniß von **Cambray** würde **Venedig** auf seinen ersten Beſitz wieder einschränken.

Da die Venetianer sich aller Hoffnung eines auswärtigen Beystandes beraubt sahen, so suchten sie in ihrem eignen Muth Hülfe, und beschlossen, der ihnen drohenden Gefahr mit dem Geist eines tapfern unabhängi-
gen Volks zu begegnen.

G 2 Ihr

Ihr General, Graf Alviano, führte eine Armee wider Ludwig, der schon früher als die andern Verbundenen gerüstet und in Italien eingerückt war. So groß der Muth des Senats und die Geschicklichkeit ihres Generals war, so waren ihre Soldaten doch keineswegs mit den disciplinirten Truppen Frankreichs zu vergleichen, die einen kriegerischen Adel zu Officieren hatten, und von einem tapfern Monarchen angeführt wurden. Alviano's Heer wurde geschlagen; neue Feinde fielen die Republik von allen Seiten an, und sie verlor in einem Feldzug ihr ganzes Gebiet in Italien, das sie in Jahrhunderten erworben hatte.

Nun fand Venedig, daß es sich nicht länger auf seine eigne Stärke und Hülfsquellen verlassen konnte, und suchte mit List eine Verbindung zu trennen, der es zu widerstehen keine Kräfte hatte. Da der venetianische Staat wußte, daß Julius das Haupt des Bundes war, so bot er ihm die Uebergabe der Städte an, auf welche er Anspruch machte, und bezeugte ihm im übrigen eine Unterwürfigkeit, die des ehrgeizigen Papstes Stolz befriedigen, und seinen Zorn abwenden konnte; auch gelang es den Venetianern, Ferdinand von dem Bunde abwendig zu machen. Da nun Ludwig und Maximilian ihre einzige Feinde waren, so konnten sie den Krieg aushalten, bis Julius, der nun weiter keinen Haß gegen die Republik hegte, und eine Reue über die Verheerung seines Vaterlandes durch die französischen und deutschen Armeen empfand, sich mit Venedig vereinigte, diese Heere aus Italien zu vertreiben. So wurde die Republik mit dem Verlust eines kleinen Theils ihrer italiänischen Herrschaften von einem Untergange errettet, den ganz Europa als unvermeidlich angesehen hatte. Die langen und beschwerlichen Kriege, an denen dieser Staat Theil nehmen mußte, beweisen, daß seine Stärke und Hülfsquellen nicht erschöpft waren.

Im

Im Jahr 1570 wurden die Venetianer zu einem verderblichen Kriege mit der ottomanischen Pforte gezwungen, zu einer Zeit, da der Senat, aus Ueberzeugung, wie sehr er der Ruhe bedürfe, sich mit vieler Klugheit und Politik bey allen Streitigkeiten, die das übrige Europa beunruhigten, neutral gehalten hatte. Solymann der zweyte begehrte unter dem nichtigsten Vorwande die Insel Cypern von ihm.

Es war weltkündig, daß diese Foderung keinen bessern Grund hatte, als eine von einer zureichenden Macht unterstützte heftige Begierde, diese Insel zu erobern. In dem Gericht der Billigkeit möchte diese Art des Rechts wohl nicht für gültig gehalten werden; aber in der Rechtsgelehrsamkeit der Monarchen hat sie immer einen Vorzug vor allen andern behauptet.

Die Türken landen auf Cypern mit einem großen Heer. Sie belagern die Hauptstadt Famagusta; die Besatzung vertheidigt sich mit dem hartnäckigsten Muth; die Türken werden bey verschiedenen Anfällen zurückgeschlagen; viele tausend derselben werden getödtet; aber die Glieder werden beständig wieder verstärkt. Der Befehlshaber Anton Bragadino, der Beweise der größten Kriegserfahrenheit und des tapfersten Heldenmuths abgelegt hat, und dessen Besatzung ganz abgemattet und in Ansehung der Anzahl sehr geschwächt worden, ist genöthigt zu capituliren.

Er machte die Bedingungen, daß die Besatzung mit ihren Waffen, Gepäcke und drey Kanonen ausziehen, und in türkischen Schiffen nach Candia übergebracht werden sollte, und die Bürger nicht geplündert, sondern ihnen verstattet werden sollte, sich mit ihren Gütern wegzubegeben.

Der türkische Bassa Mustapha hatte den Ort nicht sobald in Besitz genommen, als er ihn den Janitscharen zur Plünderung übergab. Die Besatzung wurde in Ket-

ten

ten gelegt, und als Sklaven auf die türkischen Galeren
vertheilt. Die vornehmsten Officiere wurden enthaup-
tet, und der tapfere Bragadino wurde an eine Säule
gebunden, und in des Bassa Gegenwart lebendig ge-
schunden.

Wir treffen in den Jahrbüchern der Menschheit Begebenheiten an, welche Zweifel wider die Wahrheit der
richtigsten Geschichte in uns erregen. Wir können nicht
glauben, daß die Bewohner dieser Erdkugel und Geschöpfe von einer Gattung mit uns solche Thaten je begangen haben. Wir sollten beynahe denken, daß wir
die Archive der Hölle läsen, deren Einwohner nach den
besten Nachrichten ein beständiges Vergnügen darin
setzen, einander so wohl als alle Fremde zu martern.

Die Eroberung der Insel Cypern soll den Türken
funfzigtausend Mann gekostet haben. Um diese Zeit
hatte nicht nur Venedig, sondern auch die ganze Christenheit Ursache, den Fortgang der türkischen Waffen zu
fürchten. Der venetianische Staat rief alle katholische
Staaten um Hülfe an; aber Frankreich war damals
mit den Türken im Bunde. Maximilian fürchtete ihre Macht; die Krone von Portugal war auf dem Haupt
eines Kindes, und Polen war durch den Krieg mit
Rußland erschöpft worden. In dieser großen Noth
erhielt Venedig Beystand von Rom, dessen Macht es
so oft widerstanden hatte, und von seinem neulichen Feinde,
Spanien.

Papst Pius der fünfte und Philipp der zweyte
vereinigten ihre Flotten mit der venetianischen. Messina
wär der Sammelplatz dieser verbundenen Kriegsschiffe.
Der berühmte Dom Johann von Oesterreich, Karls
des fünften natürlicher Sohn, war Generalissimus;
Marcus Anton Colonna commandirte den päpstlichen Theil, und Sebastian Veniero den venetianischen.

schen. Die türkische Flotte war ihnen in der Anzahl der
Schiffe ungemein überlegen.

Die beyden Flotten stießen in dem Meerbusen von
Lapanta auf einander. Man sagt, daß die türkischen
Galeren gänzlich von Christensklaven so wie die christlichen von Türken regieret worden. Ein auffallender Beweis von der barbarischen Behandlungsart der Kriegs-
gefangenen in den damaligen Zeiten, und die in diesem
Falle eben so ungereimt als barbarisch war. Denn durch
ein Cartel zu Auswechselung der Gefangenen würde die
größte Anzahl dieser Unglücklichen ihre Freyheit erlangt
haben, ohne daß die Stärke der beyderseitigen Flotten dadurch vermindert worden wäre. Die Schiffe kamen
zum Gefecht, und die Türken wurden völlig geschlagen.
Geschichtschreiber versichern, daß zwanzigtausend Türken in dem Treffen getödtet, und die Hälfte ihrer Flotte
vernichtet worden. Dies ist eine ungeheure Anzahl, die
an einer Seite in einem Seetreffen getödtet worden;
doch ist zu merken, daß kein türkischer Schriftsteller etwas davon schreibt.

Pius der fünfte starb bald nach der Schlacht von
Lapanta. Nach seinem Tode gieng es an Seiten der
Alliirten mit dem Kriege gar langsam. Philipp wurde der Kosten müde, und die Venetianer mußten einen
Frieden erkaufen, die Insel Cypern den Türken abtreten und ihnen drey Jahre lang einen jährlichen Tribut
von hunderttausend Ducaten bezahlen. Diese Umstände dienen keineswegs zu Bestätigung der Berichte der
christlichen Schriftsteller von dem unermeßlichen Verlust
der Türken in der Seeschlacht von Lapanta.

Im Anfang des siebzehnten Jahrhunderts hatte die
Republik mit dem Papst einen Streit, welcher in diesem
Zeitalter für sehr wichtig gehalten wurde, und die Auf-
merksamkeit der ganzen Christenheit auf sich zog.

G 4   Paul

Paul der fünfte war eben so begierig als seine Vorgänger, die päpstliche Gewalt auszubreiten. Er hegte ein eingewurzeltes Vorurtheil wider die Venetianer, weil sie allen geistlichen Eingriffen jederzeit Widerstand gethan hatten.

Mit Ungeduld suchte er Gelegenheit, seinen Haß zu offenbaren, und erwartete, daß die frommen Fürsten von Europa ihm beystehen sollten, dies widerspenstige Kind der Kirche zum Gehorsam zu bringen. Er machte den Anfang mit der Foderung einer Summe Geldes zu der Führung des Kriegs wider die Türken in Ungarn. Er beschwerte sich über gewisse Sprüche des Senats die innere Regierung der Republik betreffend, besonders über einen, durch welchen die Erbauung mehrerer neuer Kirchen ohne Erlaubniß dieser Versammlung verboten wurde, welches, wie er sagte, einen starken Geruch der Ketzerey hätte; und besonders schrie er wider den Rath der Zehen, daß sie einen Geistlichen ins Gefängniß gesetzt hätten, und zu einem öffentlichen Verhör Anstalt machten. Dieser ehrwürdige Mann, dessen sich Seine Heiligkeit so eifrig annahm, wurde beschuldigt, fünf Personen, und darunter seinen eignen Vater, vergiftet zu haben. Auch wurde ihm beygemessen, daß er an dem Mord eines andern Schuld sey, und der Entdeckung zuvorzukommen nachher den Mörder vergiftet hätte.

Der Senat schlug das Geld ab, bestätigte seinen Schluß wider die Erbauung der Kirchen, und billigte das Betragen des Raths der Zehen, dem Geistlichen den Proceß zu machen.

Die Schriftsteller der damaligen Zeit schlugen sich auf die eine oder die andre Seite, welches zu einem Federkriege Anlaß gab. Obgleich in demselben kein Blut vergossen wurde, so wurden doch ungemein viele Grundsätze sehr bestritten. Diejenigen, welche auf der Seite des Päpstes waren, behaupteten, daß die weltliche Macht
der

der Fürsten der seinigen unterworfen sey; daß er ein Recht habe, sie ihrer Staaten zu berauben, und ihre Unterthanen von ihrem Eid der Treue loszusprechen, so oft es zur Ehre Gottes und dem Besten der Kirche erfodert würde, worüber niemand so gut urtheilen könnte als der Papst, weil jedermann wisse, daß er unfehlbar sey; Geistliche wären der bürgerlichen Gewalt nicht unterworfen; ein geistliches Gericht, oder der Papst hätte allein Gewalt über sie, und nichts sey abscheulicher, als einen Proceß wider einen Gefangenen, worin auch seine Verbrechen bestehen möchten, fortzusetzen, nachdem der Vater der Kirche, der eine ungezweifelte Gewalt hätte, Sünden zu vergeben, sich für ihn verwendet hätte.

Der Senat räumte in seiner Antwort ein, daß der Papst das Oberhaupt der Kirche, und seine Macht in allen Glaubenssachen unbegränzt sey, und in diesem Stück glaubte man ihm blindlings und in Demuth. Man wäre weit entfernt, Seiner Heiligkeit die Unfehlbarkeit in Kirchensachen streitig zu machen, besonders in seinem eignen Gebiet. Was aber die Regierung ihrer Unterthanen beträfe, so würden sie die ganze Bemühung davon selbst übernehmen, und den Geistlichen so unpartheylsche Gerechtigkeit widerfahren lassen als andern Ständen. Sie glaubten ebenfalls befugt zu seyn, zu beurtheilen, wenn und zu welchem Zwecke sie ihre Unterthanen mit Steuern belegen wollten, und ob es nöthig sey, neue Kirchen in Venedig zu bauen oder nicht. Endlich schmeichelten sie sich, daß es nicht wider die Ehre Gottes sey, einem Mörder den Proceß zu machen.

Der größte Theil der christlichen Fürsten war der Meinung, daß der Senat Recht hätte. Der Papst wurde in seinen Erwartungen getäuscht; und da er keine Unterstützung fand, so war er froh, seinen Stolz unter

G 5   der

der Vermittelung Heinrichs des vierten von Frankreich in Sicherheit zu bringen, der Seiner Heiligkeit
Niederlage den Schein eines Siegs zu geben suchte.

XVII. Brief.

Venedig.

In den Jahrbüchern von Venedig ist das Jahr 1618
durch eine Verschwörung merkwürdig, die weit
furchtbarer als die vorhin bemerkten war. Die Absichten andrer Verschwörungen giengen auf eine Veränderung in der Regierung, oder höchstens auf den Sturz
einer besöndern Klasse mächtiger Personen; der jetzige
Anschlag aber hatte die völlige Vertilgung der Republik
zur Absicht. Ich rede von der Verschwörung, welche
der spanische Abgesandte, Marquis von Bedmar, ge-
meinschaftlich mit dem Herzog von Ossuna und dem
spanischen Statthalter in Mailand schmiedete.

Der Abt St Real hat dieses schwarze Vorhaben
so interessant beschrieben, daß es dadurch allgemein bekannter als irgend ein Stück der venetianischen Geschichte geworden ist. Dieser Schriftsteller wird beschuldigt,
er habe seine Erzählung mit einigen erdichteten Umständen geschmückt; ein Vorwurf, der oft den angenehmsten
Schriftstellern aus Neid von solchen gemacht worden, denen die Natur die Möglichkeit benahm, solche Irrthümer zu begehen, deren Wahrheiten lange nicht so interessant als Erdichtungen, und deren Erdichtungen so einfältig als die unschmackhaftesten Wahrheiten sind. Giebt
es wohl Leser, welche glauben, daß die Reden der Generale vor einer Schlacht, wie sie Livius aufgezeichnet
hat, wirklich in diesen Ausdrücken gehalten worden?
Oder wünscht einer deswegen, daß sie aus der Geschichte
ausge-

ausgetilgt werden möchten? Der Abt St. Real hat
ebenfalls den Verschwornen Reden in den Mund gelegt,
und ohne wesentliche Veränderung die wirklichen Um=
stände der Geschichte verschönert. Ich meines Theils
empfinde eine gewisse Dankbarkeit gegen jeden, der mich
unterhält; und da St. Reals lebhafte Geschichte meine
Leidenschaften in eine angenehme Bewegung versetzt, so
kann ichs nicht leiden, wenn mir ein phlegmatischer
Mensch mein Vergnügen stören will, und wegen einiger
wenigen Verschönerungen mit angenommener weisen Mi=
ne das Ganze für einen bloßen Roman erklärt.

Die Entdeckung dieses Anschlags, und die Eindrücke
von Eifersucht und Schrecken, welche er in den Gemü=
thern der Einwohner von Venedig zurückließ, gaben
wahrscheinlich zu einem noch boshaftern Plan, als alle
bisher erzählte Verschwörungen, Anlaß, der auch wirk=
lich ausgeführt wurde.

Eine Gesellschaft von Bösewichtern vereinbarte sich,
einige vom Adel der Verrätherey anzuklagen, bloß um
der den Angebern ausgesetzten Belohnung zu genießen.
Dies schreckliche Verbrechen ist in allen Regierungen zu
erwarten, wo Kundschafter und Angeber Aufmunterung
finden. Zu Venedig ereignet es sich häufig; bisweilen
ohnstreitig, ohne entdeckt, und bisweilen, wenn es entdeckt
wird, ohne öffentlich bestraft zu werden, aus Furcht die
Angeber abzuschrecken. Aber bey Entdeckung dieser Ver=
bindung entsetzte sich ganz Venedig dermaßen, daß der
Senat es für rathsam hielt, alle Umstände bekannt zu
machen.

Eine gewisse Anzahl dieser Ruchlosen spielten die
Rolle der Angeber; die andern, welche auf die Angabe
ihrer Mitgehülfen in Verhaft genommen wurden, erschie=
nen als Zeugen.

Ein edler Venetianer von ehrwürdigem Charakter,
ein bejahrter Mann, Namens Foscarini, ward ein
Schlacht=

Schlachtopfer dieser abscheulichen Kabale, und Venedig
sahe mit Erstaunen und Schmerz einen ihrer ehrwürdig-
sten Bürger angeklagt, verurtheilt und als einen Verrä-
ther hingerichtet.

Endlich folgten die Angaben so schnell auf einander,
daß sie bey den Richtern Verdacht erregten. Die Angeber selbst wurden in Verhaft genommen, und besonders verhört, und der ganze abscheuliche Anschlag kam
an den Tag. Die Buben wurden nach dem Verdienst
ihrer abscheulichen Bosheit bestraft. Foscarini's Ehre
wurde wieder hergestellt, und seiner beleidigten Familie
alle mögliche Ersetzung gethan. Ein solches Beyspiel
despotischer Uebereilung der Inquisition hält allen Vortheilen, die je für den Staat daraus, oder aus der Aufmunterung verhaßter Angeber entstehen können, das Gegengewicht.

Wenn der Proceß des unglücklichen Foscarini öffentlich und nicht insgeheim nach der Weise des Inqui-
sitionsgerichts geführt, und ihm erlaubt worden wäre, Zeugen für sich aufzustellen, oder den Beystand solcher Freunde zu haben, die alle seine Handlungen kenneten, so
würde die Falschheit und Bosheit dieser Beschuldigungen wahrscheinlich entdeckt und sein Leben gerettet worden seyn.

Im Jahr 1645. unternahmen die Türken eine unerwartete plötzliche Landung auf der Insel Candia. Dies-
mal zeigte der Senat zu Venedig seine gewöhnliche
Wachsamkeit nicht. Er hatte die unermeßliche kriegerische Zurüstung vorwärts gehen sehen, und sich doch
durch des Großherrn Kriegserklärung gegen Malta, und
sein Vorgeben, daß die Kriegsrüstung dieser Insel
gelte, einschläfern lassen. Die Truppen landeten ohne
Widerstand, und Canea wurde nach einer hartnäckigen
Vertheidigung erobert.

Wie

Wie diese Nachricht nach Venedig kam, so erregte sie einen allgemeinen Unwillen wider die Türken; und der Senat beschloß, diesen schätzbaren Theil seines Gebiets auf das Aeußerste zu vertheidigen. Man sann auf außerordentliche Mittel Geld aufzubringen. Unter andern wurde vorgeschlagen, den Adelstand zu verkaufen. Vier Bürger boten jeder hunderttausend Ducaten für diese Ehre, und ungeachtet einiges Widerspruchs gieng dieser Vorschlag endlich durch. Achtzig Familien wurden in den großen Rath aufgenommen, und erhielten Würde und Vorrechte des Adels. Welchen Begriff giebt uns dieses von dem Reichthum der Einwohner von Venedig!

In gewissen Stücken ist keine Belagerung, welche die Geschichte oder auch nur die Dichter aufgezeichnet haben, denkwürdiger, als die Belagerung von Candia, der Hauptstadt auf der Insel dieses Namens. Sie währte vier und zwanzig Jahre. Der Republik Venedig ausnehmende Kräfte setzten ganz Europa in Erstaunen; ihr Muth nahm alle tapfre Helden jeder Nation für sie ein. Aus allen Ländern kamen Freywillige nach Candia, ihre Tapferkeit zu zeigen, Kenntnisse in der Kriegskunst zu erwerben, und einem braven Volk, das man bewunderte, zu Hülfe zu kommen. Der Herzog von Beaufort, der Liebling des pariser Pöbels in dem Kriege der Schleuderer, fand hier nebst mehrern tapfern französischen Officieren seinen Tod.

Während dieser berühmten Belagerung gewannen die Venetianer viele wichtige Siege über die türkischen Flotten. Bisweilen wurden sie von den Mauern von Candia vertrieben, und die türkische Besatzung zu Canea sogar von der venetianischen Flotte belagert. Das Blutbad, welches unter dem türkischen Heer angerichtet wurde, ist ohne Beyspiel. Aber bald ersetzte eine Regierung, die ein so volkreiches Gebiet, und eine despotische

tische Gewalt über ihre Unterthanen hat, die Stelle derselben wieder.

Mahomed der vierte, der über die Länge der Belagerung ungeduldig wurde, kam nach Negropont,
damit er desto öftere Nachrichten von dem Vezier, der
die Belagerung commandirte, erhalten möchte.   Der
Vezier schickte einen Officier mit Depeschen an den Kaiser, ihm die Art, wie er die Laufgräben anlegte, zu erklären, und ihm zu versichern, daß er alle mögliche Sorgfalt anwenden würde, das Leben der Soldaten zu schonen.   Der menschenfreundliche Kaiser antwortete: er
hätte den Vezier hingeschickt die Stadt einzunehmen, und
nicht das Leben der Soldaten zu schonen; und beynahe
hätte er Befehl ertheilt, dem Officier, der diese Botschaft brachte, den Kopf abzuschlagen, um den Vezier
in seinen Unternehmungen anzufrischen, und ihm zu zeigen, wie wenig er sich aus dem Leben der Menschen
mache.

Ungeachtet der Vezier sich seiner Sparsamkeit rühm-
te, so soll doch dieser Krieg zweyhunderttausend Türken
das Leben gekostet haben.   Candia capitulirte 1668,
und die Bedingungen wurden redlich gehalten.   Der
venetianische General Morosini, der Wunder der Tapferkeit und Fähigkeit gethan hatte, zog mit kriegerischen Ehrenzeichen aus dem Schutt dieser wohl verthei-
digten Stadt.

Die Kosten eines so langwierigen Krieges erschöpften
die venetianischen Hülfsquellen ungemein, und sie konnten solche nicht so bald wie vormals ersetzen, da sie des reichen Monopoliums des asiatischen Handels genossen;
denn längst hatte die Entdeckung des Vorgebirges der
Guten Hoffnung diese schätzbare Handlung den Portugie-
sen und andern Nationen eröffnet.

Die Republik blieb in einem ruhigen Zustande, und
suchte durch die Künste des Friedens und Bearbeitung
des

des noch behaltenen Theils der Handlung ihren leeren
Schatz zu füllen, bis sie 1683 durch die Verwegenheit
der ottomanischen Pforte in einen neuen Krieg verwickelt
wurde. Die Venetianer hatten seit einiger Zeit durch
Unterhandlungen und viele Bemühungen zum Vergleich
sich mit den Türken zu setzen gesucht; und ohngeachtet
das übermüthige Betragen ihrer Feinde ihnen wenig
Hoffnung zu einem guten Erfolg gab, so hatten sie doch
einen solchen Abscheu für den Krieg, daß sie noch in
Zweifel stunden, ob sie die Beleidigungen verschmerzen,
oder mit den Waffen zurücktreiben sollten; bis endlich
eine Begebenheit, welche Venedig die größte Freude
verursachte, und ganz Europa in Erstaunen setzte, die
Sache entschied. Dies war der große Sieg, den der
König von Polen Sobiesky vor den Mauern von
Wien über die türkische Armee erhielt.

In diesem neuen Kriege commandirte ihr General
Morosini abermal die Flotte und Truppen der Republik, und behauptete den großen Ruhm, den er in Candia erworben hatte. Er eroberte Morea, welches mit
einigen andern Eroberungen im Carlowitzer Frieden
1699 förmlich an Venedig abgetreten wurde.

In dem Successionskriege beobachtete der Staat
von Venedig eine genaue Neutralität. Dieser Streit
stand mit seinem Interesse in gar keiner Verbindung;
inzwischen hielt er doch eine Armee auf seinen Gränzen in
Italien auf den Beinen, die stark genug war, den streitenden Mächten Achtung einzuflößen. Aber bald nach
dem Utrechter Frieden wurden die Venetianer wieder
von ihren alten Feinden den Türken angegriffen, welche,
da sie die großen europäischen Mächte durch ihre letzten
Kriege erschöpft, und unfähig sahen der Republik beyzustehen, dies für den günstigen Augenblick hielten, Morea, das ihnen so kürzlich entzogen worden, wieder zu
erlangen. Die Türken erreichten ihren Zweck, und die
Vene-

Venetianer ließen in dem Paſſarowitzer-Frieden, der auf dieſen unglücklichen Krieg folgte, Morea fahren; dagegen gab ihnen der Großherr die kleinen Inſeln Cerigo und Cerigotto, nebſt einigen von ſeinen Truppen in dieſem Kriege in Dalmatien genommenen Plätzen zurück. Dieſe nebſt den Inſeln Corfu, Santa Maura, Zante und Cephalonia, den Ueberbleibſeln ihres Gebiets in der Levante, haben ſie ſeitdem mit großen Koſten befeſtigt, indem ſie ihre einzige Gränzmauer wider die Türken ſind.

Seit dieſem Zeitpunkt hat ſich keine weſentliche Veränderung in der venetianiſchen Regierung ereignet, auch haben ſich ihre Staaten weder weſentlich vermehret noch vermindert. Gegenwärtig haben ſie von den Türken wenig zu beſorgen. Sie müſſen ihre Aufmerkſamkeit auf einen furchtbarern Feind richten, als die Republik und das Haus Oeſterreich zuſammen ſind. Und wenn auch die Türken in Ruhe wären, ſo iſt doch das, was in der Levante ihnen noch übrig iſt, kaum des Namens werth, nachdem der Republik Cypern, Candia und ihre Beſitzungen in Griechenland genommen worden ſind.

Venedigs Fall entſtand nicht, wie Roms, aus der Zunahme des Aufwandes oder der Empörung ihrer Armeen in entfernten Colonien, oder bürgerlichen Kriegen. Venedig hat an Macht und Wichtigkeit aus Urſachen abgenommen, die ſich nicht vorausſehen ließen, und wider welche, wenn ſie auch vorauszuſehen geweſen wären, ſich keine menſchliche Klugheit hätte verwahren können. Wie hätte die Republik der Entdeckung einer Fahrt nach Aſien um das Vorgebürge der guten Hoffnung vorbeugen, oder verhindern ſollen, daß andere Nationen von einem Geiſt der Unternehmung, der Induſtrie und der Handlung beſeelt würden? In ihrer gegenwärtigen Lage iſt es wenig wahrſcheinlich, daß ſie neue Eroberungen

verſuchen

versuchen sollten; glücklich, wenn es ihnen erlaubt ist, im ruhigen Besitz dessen, was sie haben, zu bleiben. Venedig hat den fürchterlichsten Nachbar an dem Kaiser, dessen Staaten das Gebiet der Republik an allen Seiten berühren. Ihre Unabhängigkeit beruhet gänzlich auf seiner Mäßigung, oder, wenn er diese Tugend verlieren sollte, auf dem Schutz einiger großen europäischen Mächte.

Ich habe nun den mir vorgenommenen Grundriß der venetianischen Regierung vollendet. Ich konnte nicht umhin, viele der vornehmsten historischen Begebenheiten einzumischen; und ich muß gestehen, daß ich mich weitläuftiger bey denselben aufhielt, nachdem Sie mir meldeten, daß Sie gesonnen wären, Ihrem jungen Freunde Abschriften von meinen Briefen über diese Materie zu geben, ehe er seine Reise anträte. Ich wünschte, daß sie vollkommener wären; doch wird er wenigstens nicht in die Lage einiger Reisenden, die ich hier angetroffen habe, gerathen, welche, nachdem sie einige Monate hier gewesen, von dem alten oder neuern Zustande der Stadt nichts anders wußten, als daß die Einwohner in Booten anstatt der Kutschen führen, und, überhaupt zu reden, Larven trügen.

XVIII. Brief.

Venedig.

Nachdem ich mit Ihnen die glänzenden Zeiten der venetianischen Geschichte durchwandert bin, und Ihren Blicken ihre Staatsleute und Helden geschildert habe, so wollen wir nun zu dem gegenwärtigen Geschlecht zurückkehren, in dessen Leben und Umgang — ich sage es Ihnen vorher — nichts heroisches ist. Es

I. Theil.　　　　H　　　　ist

ist wahr, daß wir in andern Ländern, so wie in Venedig, nur von Helden lesen können; selten sind sie zu sehen. Die Ursache ist leicht. So lange sie gesehen werden können, halten wir sie für keine Helden. Der Geschichtschreiber hält sich bey dem Großen und Außerordentlichen auf; das Gemeine und Unbedeutende findet in seinen Nachrichten keinen Platz. Wenn wir die Namen eines Epaminondas, Themistocles, Camillus, Scipio, und andrer großen Männer Griechenlands und Rom hören, so denken wir an ihre große Thaten, weiter wissen wir von ihnen nichts; aber wenn wir die großen Männer unserer Zeiten sehen, so erinnern wir uns unglücklicher Weise an ihre ganze Geschichte. Die Bürger von Athen und Rom, die in den Tagen obgedachter Helden lebten, bewunderten sie vermuthlich nicht so sehr als wir; und hoffentlich werden unsere Nachkommen nach acht bis zehn Jahrhunderten für die großen Männer des gegenwärtigen Zeitalters eine höhere Achtung hegen, als ihre vertraute Bekannte für sie haben, oder man von denen vermuthen kann, welche sie täglich in den Spielhäusern sehen. Sie erkennen leicht, daß dieses alles wenig mehr als ein Commentar über die alte Beobachtung ist: Keiner ist seinem Kammerdiener ein Held.

Die Anzahl der Komödienhäuser in Venedig ist außerordentlich, wenn man die Größe der Stadt bedenkt, die nicht über hundert funfzigtausend Einwohner enthält; und doch sind, die Opern mit eingeschlossen, acht bis neun Theater hier. Man bezahlt an der Thür für den Einlaß eine Kleinigkeit; dafür hat man das Recht ins Parterre zu gehen, wo man sich umsehen, und wählen kann, in welchem Theile des Hanses man sitzen will. Vorn im Parterre, nächst dem Orchester, sind einige Reihen Stühle; die Sitze derselben sind an der Rücklehne hinaufgeschlagen und angeschlossen. Wer einen Stuhl haben will, bezahlt dem Thürwärter etwas weniges mehr, welcher

cher gleich aufschließt. Leute von seinem Ansehen bedienen sich dieser Stühle; aber der Hintertheil des Parterre
ist voller Livreebedienten und Gondelierer in ihren gewöhnlichen Arbeitskleidern. Der Adel und die vorneh-
mern Bürger nehmen Logen auf ein Jahr, doch sind immer genug für Fremde übrig. Der Preis ist jeden Abend
nach der Jahrszeit, und dem Stück, das gespielt wird,
veränderlich.

Ein venetianisches Schauspielhaus hat in den Augen
derer, die zu der Pracht der Londoner gewöhnt sind,
ein trauriges Ansehen. Viele Logen sind so dunkel, daß
die Gesellschaft in denselben kaum in einer geringen Entfernung erkannt werden kann, selbst wenn sie auch keine
Masken tragen. Jedoch ist das Theater wohl erleuchtet, so daß die Personen in den Logen alles, was auf
demselben vorgeht, vollkommen gut sehen können; und
wenn sie gesehen werden wollen, so fodern sie Licht in ihre Logen. Zwischen den Acten sieht man bisweilen Damen mit ihren Cavalieri Servanti in dem hintern
Theil des Parterre, wenn es nicht voll ist, herumspazie-
ren. Da sie verlarvt sind, so machen sie sich kein Bedenken, die Gesellschaft mit ihren Ferngläsern von diesem
Platz zu betrachten. Wenn das Spiel anfängt, so gehen sie wieder in ihre Logen. Diese beständige Bewegung von einer Loge zur andern, und zwischen den Logen
und dem Parterre, muß einige Unordnung verursachen, und
denen ohnstreitig unangenehm seyn, die nur um des
Stücks halber da sind. Doch muß mitten in dieser Dunkelheit und Unordnung etwas Angenehmes sich finden,
welches nach der Meinung der Mehrheit der Versammlung diesen gemeinen Unbequemlichkeiten das Oberge-
wicht hält.

Die Musik der Oper wird hier für so schön gehalten,
als sie in irgend einer Stadt in Italien ist, und ist auf
alle Weise über das Lob eines so armseligen Beurtheilers,

H 2   als

als ich bin, erhaben. Auf die dramatischen und poetl-
schen Schönheiten des Stücks wird wenig geachtet; dem
Dichter werden so viele Anachronismen und andre Ungereimtheiten, als er Lust hat, verstattet. Wenn nur die
Musik den Beyfall des Kritikers hat, so wird seine Beurtheilungskraft durch keine Abgeschmacktheiten in den andern Theilen der Composition beleidigt. Der berühmte
Metastasio hat sich dieser Nachsicht in seinen Opern,
welches schöne dramatische Aufsätze sind, nicht bedienen
wollen. Er hat die Verbindung, die immer zwischen
dem Verstand und der Musik seyn muß, beyzubehalten
gesucht.

Was die Musik der ernsthaften Oper betrifft, so ist
sie für mein Ohr insgemein gar zu fein; und ich muß
zu meiner Schande gestehen, daß ich mich außerordentlich anstrengen muß, bis zu Ende auszuhalten.

Der Mensch ist in der That glücklich, der eine wahre Empfindung für eine schöne Musik hat. Er hat durch
dieses Mittel eine Quelle des Genusses mehr als die, deren Gehörnerven nicht so fein sind. Inzwischen ist es
so ungereimt als einfältig, ein außerordentliches Ergötzen
an Dingen zu affectiren, zu deren Genuß die Natur unsern Körper nicht gebauet hat. Aber wie viele unserer
dieser Thorheit beschuldigten Bekannten haben wir auf
dem Haymarket *) sich eine heftige Marter anthun sehen, und mitten unter einem nicht zu unterdrücken möglichen Gähnen ausrufen hören: Reizend! vortrefflich!
bravissimo!

Es ist zum Erstaunen, was sich einige Leute für
Mühe geben, sich lächerlich zu machen; und es ist wirklich eine Lust, zu beobachten, in welchen verschiedenen Gestalten sich der keine verachtungswerthe Geist des affectir-
ten Wesens unter den Menschen zeigt.

Ich

---

*) Ort, wo das Opernhaus in London stehet.

Ich erinnere mich eines sehr ehrlichen Mannes, der wenig oder gar kein Französisch verstand; da er aber einige Redensarten aufgeschnappt hatte, so brachte er solche bey jeder Gelegenheit an, und affectirte unter seinen Nachbarn auf dem Lande die vollkommenste Kenntniß und höchste Bewunderung dieser Sprache. Wenn jemand aus Gefälligkeit für seinen Geschmack ein paar Worte in dieser Sprache redete, so nickte mein guter Freund allemal mit dem Kopf und lächelte dem Redenden mit der bestmöglichsten Kennermine, wenn er auch nicht ein Wort davon verstand. Eiust redete ihn der Pfarrer bey einer Mittagsmahlzeit auf dem Lande mit diesen nachdrucksvollen Worten an: Monsieur! je trouve ce plum pudding extrêmement bon. Da dieses nicht in der Sammlung der Redensarten meines Freundes war, so verstund er es nicht. Er winkte und lächelte jedoch dem Geistlichen auf seine gewöhnliche bedeutende Art. Sein Nachbar, dem die altkluge und wichtige Mine, mit welcher jener solches sagte, aufgefallen war, bat meinen Freund, es ihm auf englisch zu erklären. Nach einigem Anstand antwortete er: Die Wendung des Ausdrucks sey so fein, und der französischen Sprache so vorzüglich angemessen, daß sich von der eigentlichen Schönheit der Gedanken in einer Uebersetzung sehr viel verlieren würde.

In der komischen Oper habe ich bisweilen die Handlung allein, unabhängig von der Dichtkunst oder Musik, den größten Beyfall erregen sehen. Ich sah ein Duett von einem alten Manne und einem jungen Mädchen, das seine Tochter vorstellte, auf eine so drollichte Art singen, daß es ein allgemeines Ancora von den Zuschauern herauslockte. Das Verdienst des musikalischen Theils der Composition war, wie mir gesagt wurde, nur sehr mittelmäßig, und von den Gedanken sollen Sie selbst urtheilen.

H 3

Der

Der Vater berichtet seiner Tochter singend, daß er eine vortreffliche Parthey für sie gefunden habe. Der Bräutigam sey reich, sehr klug, nicht zu jung, und überdas sein ganz besondrer Freund, der ihm an Person und Gemüthsart sehr gleiche. Endlich macht er ihr bekannt, daß die Trauung des andern Tages vor sich gehen solle. Sie dankt ihm mit der lustigsten Mine für seine verbindliche Gesinnungen, und setzt hinzu, daß es ihr sehr lieb würde gewesen seyn, wenn sie ihm einen blinden Gehorsam gegen seine Befehle hätte zeigen können, in so fern nur der Mann nach ihrem Geschmack wäre. Da aber dieses nach der von ihm gemachten Schilderung nicht glaublich sey, so erklärt sie sich, sie wolle ihn des folgenden Tags nicht heirathen, und setzt mit einem sehr langen Triller hinzu, daß, wenn sie auch bis in Ewigkeit lebte, sie doch bey ihrer Meinung beharren würde. Der Vater kündigt ihr in der größten Wut an, daß sie ihn anstatt morgen noch desselbigen Tages heirathen solle. Hierauf antwortet Sie: nein; Er: ja; Sie: nein, nein; Er: ja, ja; die Tochter: nein, nein, nein; der Vater: ja, ja, ja; und so geht das Singen fünf, sechs Minuten fort. Sie sehen wohl, daß darin nichts bewundernswürdiges witziges ist; und eine Tochter, die in der Wahl eines Mannes anders denkt als ihr Vater, ist keine neue dramatische Erfindung. Nnn, wie gesagt, dem Duett ward Ancora zngerufen. Sie sangen es gleich nochmals, und weit drollichter als das erstemal. Das ganze Haus verlangte es einstimmig nochmals; und es wurde zum drittenmal auf eine eben so gefällige, und doch von den vorigen beydenmalen ganz unterschiedene Art gesungen.

Ich dachte, das Haus würde uns über dem Kopf zusammenfallen, so ausschweifend laut waren die Zeugnisse des Beyfalls.

Die

Die beyden Schauspieler mußten abermal erscheinen, und das Duett zum viertenmale singen. Sie thaten es in einem so neuen, so natürlichen und so äußerst komischen Styl, daß die Versammlung glaubte, allen vorherigen Vorstellungen hätte etwas gefehlt, und nur das letztemal hätten sie das rechte Komische getroffen.

Einige fiengen an nochmal zu rufen; aber der ganz erschöpfte alte Mann bat um Verschonung, da man denn auch davon abstand. Vorher hatte ich nie einen Begriff davon gehabt, daß man in dem Singen einer Arie solche starke komische Fähigkeiten zeigen könnte.

Der Tanz ist hier bey der Oper ein eben so wesentliches Stück als in London. Gewiß giebt es weit mehrere Menschen, die gegen die Annehmlichkeiten der Musik taub, als die gegen die Schönheiten des Tanzes blind sind. Im Singen können die Schauspieler oft lange, besonders in Recitativen, trillern, ohne daß jemand darauf achtet. Aber in dem Augenblick, da das Ballet anhebt, hören alle Gespräche auf, so allgemein sie auch gewesen sind, und aller Zuschauer Augen sind auf die Bühne gerichtet. So war es auch immer in London, und ungeachtet der Mühe, die manche anwenden es zu verbergen, so wissen wir doch alle die Ursache; aber in Italien, muß ich gestehen, erwartete ich nicht, daß man dem Tanz den Vorzug vor der Musik geben würde.

Da ich die Tänze in der französischen Oper gesehen hatte, und neulich von Wien gekommen war, wo wir einige von Noverres reizenden Balletten schön ausgeführt gesehen, so konnten wir die hiesigen nicht sehr bewundern, obgleich gegenwärtig einige sehr hochgeschätzte Tänzer drunter sind, die alle Abend auftreten.

Man sagt, daß die Italiäner mehr Geschmack an Behendigkeit und großen Sprüngen ihrer Tänzer als an anmuthigen Bewegungen haben.

H 4 Es

Es ist sonderbar, daß sie mit ihren Ballets nicht öfterer abwechseln. So lange eine Oper wiederholt wird, giebt man immer einerley Ballet dabey. Daß einerley Oper eine Zeit lang wiederholt wird, hat seinen guten Grund; denn man findet oft mehr Geschmack an der Musik, wenn sie dem Ohr ein wenig bekannt geworden ist, als im Anfang: aber ein Ballet kann ohne Schwierigkeit alle Abend verändert werden.

XIX. Brief.

Venedig.

Viele Leute wundern sich, daß in einer Regierung, die so eifersüchtig auf ihre Macht ist, als die venetianische, keine Soldaten in der Stadt sind, die ausübende Gewalt zu unterstützen, und die Unruhen unter dem Volk zu unterdrücken. Ich meines Theils bin gar sehr der Meinung, daß der Grund, daß hier keine kriegerische Besatzung ist, in der Eifersucht der Regierung zu suchen sey.

Ein unumschränkter Prinz liebt ein stehendes Heer, und mag gern immer von Wache umgeben seyn; denn da er die immerwährende Quelle der Ehren und Beförderung ist, so wird ihm die Armee natürlich sehr ergeben seyn, und bey aller Gelegenheit ein blindes Werkzeug seines Willens werden. Aber in Venedig ist kein sichtbarer immerwährender Gegenstand, dem die Armee anhängen kann. Dem Doge würde, wenn auch eine Besatzung da wäre, das Commando darüber nicht erlaubt werden. Die drey Staatsinquisitoren wechseln immer ab; und ehe eine Parthey die Neigung der Soldaten gewinnen könnte, würde die andre erwählt werden. Eine in Venedig angeordnete zahlreiche Besatzung würde daher

her die Regierung wahrscheinlicher umstürzen, als unterstützen; denn es würde vielleicht einigen reichen und mächtigen Edeln nicht schwer fallen, die Besatzung zu bestechen, und den Befehlshaber zu gewinnen, jedem ihrer
ehrgeizigen Entwürfe zum Umsturz der Verfassung beyzutreten.

Ob aber gleich keine förmliche Besatzung in kriegeri-
scher Uniform vorhanden ist, so giebt es doch eine wirkliche Macht, die unter dem Befehl des Senats und des
Raths der Zehen steht, und hinlänglich ist, alle Bewegungen des Volks zu unterdrücken. Diese Macht besteht, außer den Sbirren, in einer großen Menge herz-
hafter Männer, die ohne unterscheidende Kleidung im
Solde der Regierung und unter dem Befehl jenes Raths
stehen. Hierzu kommt das ganze Corps der Gondolierer, die Kühnsten und Verwegensten unter den gemeinen
Venetianern. Diese Schaar ist dem Adel sehr ergeben,
von dem sie am meisten gebraucht wird, und mit dem sie
zu einer gewissen Vertraulichkeit gelangt, weil derselbe
den mehresten Theil seiner Zeit in ihren Booten zubringt,
und sie um viele seiner Liebeshändel wissen. Eine große
Anzahl Gondolierer stehen im Dienst besonderer Edelleute; und es ist kein Zweifel, daß sie alle bey einem Aufstande des Volks die Parthey des Adels und Senats wider das Volk ergreifen würden. Sie können mit einem
Wort als eine stehende Miliz angesehen werden, die
gleich bereit ist, wenn die Regierung ihrer Dienste
begehrt.

Endlich könnte der große Rath selbst, in dem Fall einer gewaltsamen Unruhe, unter den Bürgern und Pöbel
aus dem kleinen Zeughaus in dem herzoglichen Palast
gleich bewaffnet werden, und würde eine sehr furchtbare
Macht wider eine unbewaffnete Menge seyn: denn die
venetianischen Gesetze verbieten einem Bürger bey Todesstrafe Schießgewehr zu haben; und dies Gesetz wird

H 5 *von*

von den Staatsinquisitoren mit aller Genauigkeit ausgeübt.

Durch dieses Mittel ist die ausübende Macht der Regierung zu Venedig so unwiderstehlich als zu Peters-
burg oder Konstantinopel, und hier ist noch weit weniger Gefahr, daß die Regierung durch die Werkzeuge
ihrer eignen Macht gestürzt werden könne: denn obgleich
eine regelmäßige Armee oder Besatzung durch die Verschlagenheit eines ehrgeizigen Doge, oder durch eine Verbindung einiger reichen und dem Volk günstigen Edeln
bestochen werden kann, in welchem Falle auf einmal eine
Revolution entstehen würde, so ist es doch fast unmöglich zu begreifen, daß alle oberwähnte verschiedene Mächte beredet werden könnten, zum Besten eines Mannes
oder einer keinen verbundenen Anzahl zu handeln, ohne
von der Wachsamkeit der Inquisitoren, oder der Eifersucht derer, die an der Verschwörung keinen Theil hätten, entdeckt zu werden. Und wenn wir annehmen, daß
eine Mehrheit des Adels zu einer Veränderung in der
Regierungsform geneigt wäre, so haben sie nicht nöthig,
ein geheimes Verständniß zu machen; sie können in die
Rathskammer kommen, und die Veränderungen, die sie
für dienlich halten, anzeigen.

XX. Brief.

Venedig.

Ohnstreitig ist die Einrichtung der Staatsverfassung
von Venedig mit vieler Ueberlegung und tiefem
Nachdenken gemacht worden; aber weit mehr würde ich
sie bewundern, wenn der Rath der Zehen und die Staatsinquisitoren nie einen Theil derselben ausgemacht hätten.
Ihre Anordnung verdirbt nach meiner Meinung die Wirkung

kung alles übrigen. Gleich den Geizigen, die wirklich
verhungern, indem sie die Beschwerden der Armuth zu
vermeiden suchen, unterstützen die Venetianer unter dem
Vorwande, den Despotismus abzuhalten, wirklich ein
despotisches Tribunal. In einigen Stücken ist dieses
System ärger, als die festgegründete immerwährende
Tyranney einer Person. Denn den Charakter und die
Grundsätze dieser Person kann man kennen lernen, und
wenn man sich bemüht, sich in ihre Denkungsart zu schicken, so kann man vielleicht unbeunruhigt leben; aber
nach diesem Plan haben sie heut einen Freydenker, und
morgen einen Andächtler zum Tyrannen. Dieses Jahr
sehen die Inquisitoren gewisse Stücke des Wandels als unschuldig an, welche ihren Nachfolgern im folgenden Jahr
als Staatsverbrechen scheinen. Man weiß nicht, was
man thun oder lassen soll. Es muß eine allgemeine Eifersucht regieren, und Vorsicht angewendet werden, einen Argwohn der Regierung, von welchem man in andern Ländern nichts weiß, zu verhüten. Daher finden
wir, daß die edeln Venetianer sich fürchten, Umgang
mit fremden Gesandten, oder überhaupt mit Ausländern zu haben. Sie sind sogar in den Besuchen, die
sie bey andern ablegen, vorsichtig, und sprechen sich selten, außer in den Versammlungen oder auf dem Broglio. Die berühmte Heimlichkeit ihrer öffentlichen Berathschlagungen entsteht aller Wahrscheinlichkeit nach
aus dem nämlichen Grundsatz der Furcht. Wenn bey
uns alle Unterhaltung von öffentlichen Angelegenheiten
bey Todesstrafe verboten wäre, und die Glieder des
brittischen Parlaments durch allgemeine Befehle nach
Belieben der Staatssecretaire zur Nachtzeit gefangen
genommen, und zu Tyburn gehangen oder in der
Themse ersäuft werden könnten, so will ich schwören,
daß die Welt von dem, was in beyden Parlaments-
häusern vorgeht, so wenig erfahren würde, als jetzt
von

von dem, was in dem Senat zu Venedig verhandelt wird.

Einem edeln Venetianer ist es nicht zuträglich, die Liebe und das Zutrauen des gemeinen Volks in einem hohen Grade zu erwerben. Es erregt die Eifersucht der Inquisitoren, und ist ein ziemlich sicheres Mittel, von allen hohen Bedienungen ausgeschlossen zu werden. Eine Regierung, welche so vieles Mistrauen und Argwohn äußert, wenn sie wenig oder gar keinen Grund dazu hat, wird nicht ermangeln, von eben dieser Gesinnung Merkmale zu geben, wenn sie nach der allgemeinen Meinung einige Ursache hat, behutsam zu verfahren. Alle Klassen der Geistlichkeit sind nach der venetianischen Verfassung von einem Sitz im Senat, oder von einer bürgerlichen Bedienung ausgeschlossen; und es ist ihnen so wenig mittelbar als unmittelbar erlaubt, sich in Staatsgeschäfte zu mischen. In vielen Stücken sind sie selbst des Einflusses beraubt, der doch in protestantischen Ländern sogar der Geistlichkeit verstattet wird. Der Patriarch von Venedig kann die zu der Marcuskirche gehörigen Aemter nicht besetzen. Alle Dechante werden von dem Doge und den Senatoren ernennet.

Ob es gleich dem Adel und der Geistlichkeit verboten ist, mit Fremden von Staatssachen zu reden, so bemerkt man doch, daß die Gondelierer ungemein bereitwillig sind, von dieser und andern Materien mit allen zu reden, die ihnen die geringste Aufmunterung geben. Die, welche nicht eigentlich in Diensten eines besondern Edelmannes stehen, werden oft von der Regierung, wie zu Paris die Miethlakeyen, als Spione der Fremden gehalten. Man sagt, daß diese Bursche, indem sie, um die Unterredung sich gar nicht zu bekümmern scheinend, ihre Gondeln rudern, auf alles, was gesagt wird, merken, um es, wenn sie glauben, daß der Regierung im geringsten daran gelegen seyn kann, es denen, in deren Sold sie

stehen,

stehen, zu hinterbringen. Wenn das wahr ist, so sind die zu bedauern, die alles Gewäsche anhören müssen, was solche eingebildete Staatskluge erzählen. Sobald ein Fremder zu Venedig anlangt, melden sich die Gondolierer, welche ihn nach der Stadt gebracht haben, gleich bey einem gewissen Departement, und zeigen an, wo sie ihn eingenommen, nach welchem Hause sie ihn gebracht, und was sie sonst seinetwegen aufgeschnappt haben. Alle diese Vorsicht erinnert mich an die Besatzung zu Darmstadt, von der ich Ihnen in meinem Briefe von da her Nachricht gab, wo Tag und Nacht die schärffte Wache im Winter so wohl als im Sommer gehalten, und alle Vorsicht gebraucht wird, als wenn der Feind vor dem Thor wäre, da doch kein Sterblicher die geringste Absicht wider die Stadt hat, und alle Einwohner überzeugt sind, daß der Ort sich nicht acht Tage würde halten können, wenn wirklich ein Heer mit feindseligen Absichten sich näherte. Auf eben diese Art, dünkt mich, dient alle Eifersucht und Mistrauen, alle zahlreiche Maschinen, die in Bewegung gesetzt werden, und das ganze verwickelte System zu Entdeckung der Anschläge und zur Vertheidigung der Verfassung der Republik, zu nichts, als ihre eigne Unterthanen zu beunruhigen. Ihre Verfassung ist gewiß in keiner solchen Gefahr, daß sie zu ihrer Vertheidigung einer solchen Menge Maschinen bedürfte, es müßte denn seyn, daß der Kaiser einen Anschlag wider sie machte; und in solchem Falle ist sehr zu befürchten, daß Spione, Gondelierer, Löwenrachen und Staatsinquisitoren den Fortgang desselben schwerlich hindern würden.

Ohne diese Staatsinquisition, die ich so sehr verabscheue, daß ich dadurch bisweilen von meinem Zwecke abkomme, könnten hier alle Stände des Volks ausnehmend glücklich seyn. Die Geschäfte der verschiedenen Gerichtshöfe, und die große Anzahl der Staatsbedienungen geben dem Adel eine beständige Beschäftigung, und

versehen

versehen ihn mit schicklichen Gegenständen zu Erregung
der Betriebsamkeit und des Ehrgeizes. Die Bürger
machen einen achtungswürdigen Körper in dem Staat
aus, und ob sie gleich nicht in den Senat kommen können,
so können sie doch wichtige und einträgliche Stellen be-
kleiden. — Wenn sie sich auf Künste und Wissenschaften
legen, die in Venedig aufgemuntert werden, so haben
sie eine schöne Aussicht, angenehm zu leben, und für ihre
Familie etwas zurückzulegen. Nirgends ist das Privat-
eigenthum sicherer als in Venedig; und ohngeachtet es
den asiatischen Handel nicht mehr ohne Mitbewerber
treibt, so ist seine Handlung doch noch ansehnlich, und
viele Privatpersonen erwerben durch den Handel große
Reichthümer. Die hier angelegten Manufacturen be-
schäftigen alle fleißige Arme, und beugen der garstigen
Betteley, den kleinen Diebstälen und den Räubereyen
vor, welche sämmtlich oder zum Theil in den mehresten
europäischen Ländern etwas gewöhnliches sind.

Ihre Unterthanen auf dem festen Lande werden, wie
mir gesagt wird, gar nicht gedruckt. Der Senat hat
gefunden, daß sanfte Behandlung und gute Begegnung
die beste Policey, und zu Verhütung der Empörungen
wirksamer als Armeen sind. Daher dürfen die Podestas ihrer Gewalt nicht misbrauchen, und das Volk
streng und ungerecht behandeln. Die Statthalter wissen, daß alle wider sie vorgebrachte Klagen von dem Senat sorgfältig untersucht werden. Dies hält sie von manchen Misbräuchen ihrer Macht ab, und macht, daß die
benachbarten Provinzen, die ehemals zu diesem Staat
gehörten, das Kriegsglück bedauern, das sie der billigen
Regierung ihrer alten Herren entriß.

XXI. Brief.

XXI. Brief.

Venedig.

Obgleich die venetianische Regierung noch unter der
Botmäßigkeit der Eiferſucht ſtehet, ſo iſt doch
dieſer böſe Geiſt aus der Bruſt der Privatperſonen völlig
verbannet. Anſtatt daß die Weiber ehemals zu Venedig eingeſchloſſen gehalten wurden, ſo haben ſie nun einen ſelbſt zu Paris unbekannten Grad der Freyheit.
Von beyden Extremen iſt ohne Zweifel das jetzige vorzuziehen.

Die Ehemänner ſcheinen endlich überzeugt zu ſeyn,
daß die Keuſchheit ihrer Weiber unter ihrer eignen Auf-
ſicht am ſicherſten iſt, und wenn ein Weib ihre Ehre ihrer eignen Achtung nicht werth hält, ſie der ſeinigen noch
weniger würdig iſt. Aus dieſem Syſtem muß nebſt vielen andern der Vortheil entſtehen: daß, wenn ein Ehemann glaubt, ſein Weib ſey ihrer ehelichen Verbindung
getreu geblieben, er die Zufriedenheit genießt zu erkennen, daß ſie aus Liebe zu ihm oder aus rühmlichen Gründen ſo verfährt; da hingegen vormals ein venetianiſcher
Ehemann nicht gewiß ſeyn konnte, ob er ſeines Weibes
Keuſchheit nicht eiſernen Stangen, Riegeln und Schlöſ-
ſern zu danken hätte.

Wer konnte ſich wohl einfallen laſſen, daß ein Weib,
deren Keuſchheit nur durch ſolche Mittel bewahret würde,
im Grunde achtungswerther als eine gemeine Hure ſey?
Der alte Plan des Miſtrauens und der Einſchränkung
muß, ohne einmal den Gegenſtand deſſelben ſicher zu ſtel-
len, großen Anlaß zur Verſchlimmerung des Herzens
des Mannes ſowohl als des Weibes gegeben haben;
denn wie könnte ein Mann, der nicht vollkommen niederträchtig dächte, ein Vergnügen an der Geſellſchaft eines

nes Weibes finden, die nach seiner eignen Ueberzeugung sich sehnt, in die Armen eines andern Mannes zu kommen? Unter allen kriechenden Beschäftigungen, denen sich die elenden Adamssöhne jemals unterworfen haben, ist wahrlich diejenige, ein Weib vom Morgen bis in die Nacht, und auch die Nacht durch zu bewachen, die allerdemüthigendste. Ein so unedles Mistrauen muß ebenfalls die ärgste Wirkung auf das Gemüth der Weiber gehabt; sie müssen ihre Kerkermeister mit Abscheu und Schrecken angesehen haben: und dürfen wir uns wundern, wenn einige die gemeinen Gondolierer auf den Seen, und die Müssiggänger auf den Gassen ihren Männern vorgezogen haben? Mit der Eifersucht ist auch Gift und Dolch aus der venetianischen Galanterie verbannt worden, und die unschuldige Larve in ihre Stelle getreten. Nach den besten Nachrichten, welche ich einziehen können, ist diese Larve ein unschuldigeres Mittel, als man sich gemeiniglich einbildet. Ueberhaupt hat sie nicht die Absicht, die Person, die sie trägt, zu verbergen, sondern soll nur zur Entschuldigung dienen, daß man nicht in völliger Kleidung ist. Mit einer an den Hut befestigten Maske, und einem schwarzen mit Spitzen von gleicher Farbe besetzten Mantel über die Schultern, ist ein Mann zu jeder Assemblee in Venedig geputzt genug.

Die auf der Gasse oder nach den Schauspielhäusern mit Larven gehen, welche wirklich das Gesicht bedecken, sind entweder in Liebeshändeln verwickelt, oder wollen, daß es die Zuschauer glauben sollen. Denn das ist auch eine Art von affectirtem Wesen, die hier so sehr als anderwärts im Gange ist; und mir ist von denen, die sich viele Jahre zu Venedig aufgehalten haben, versichert worden, daß galante Herren, die den Ruf eines Liebeshandels lieben, ob sie gleich vor der Katastrophe desselben sich scheuen, hier keine seltsame Charaktere sind; und

ich

ich glaube dieſes deſto mehr, da ich täglich viele ſchwäch-
liche Männer verlarvt herumſchweben ſehe, denen eine
Schale warme Kraftſuppe zuträglicher als das ſchönſte
Frauenzimmer in Venedig wäre.

Wie mir an einem Nachmittage ein Herr von meiner Bekanntſchaft auf dem Marcusplatz von dieſer beſondern Affectirung Nachricht gab, hieß er mich auf einen venetianiſchen Edelmann, den er kennete, merken,
der mit geheimnißvoller Mine eine weibliche Maſke in
ſein Caſſino führte. Mein Freund kannte ihn ſehr gut,
und verſicherte mich, daß er der unſchuldigſte Menſch in
Anſehung des Frauenzimmers ſey, den er kennete. Wie
dieſer galante Herr merkte, daß wir ihn anſahen, ſo fiel
ſeine Larve gleichſam zufälligerweiſe ab; und nachdem er
uns ſein Geſicht völlig ſehen laſſen, machte er ſie in der größten Eile wieder vor, und floh mit ſeiner Geſellſchafterinn
in das Caſſino.

Fugit ad ſalices, ſed ſe cupit ante videri.

Ohne Zweifel haben Sie von den kleinen Gemächern
in der Nähe des Marcusplatzes gehört, welche Caſſinos genannt werden. Sie haben das Unglück, in einem
ſehr ſchlechten Ruf zu ſtehen. Man beſchuldigt ſie, daß
ſie unordentlicher Liebe gänzlich gewidmete Tempel ſind,
und erzählt Fremden tauſend ärgerliche Hiſtörchen davon,
welche die Venetianer ſelbſt nicht glauben, weil ſie ſonſt
die Caſſinos nicht erlauben würden. Denn ich halte es
für völlig ungereimt ſich einzubilden, daß Männer ihren
Weibern erlauben würden, ſolche Oerter zu beſuchen,
wenn ſie nicht überzeugt wären, daß dieſe Geſchichtchen
keinen Grund hätten; und ſo viel ich auch von der Aus-
ſchweifung der venetianiſchen Sitten gehört habe, ſo
kann ich doch nicht glauben, daß Weiber, ſelbſt von
zweydeutigem Ruf, Caſſinos ſo öffentlich, als ſie thun,

I. Theil.   J   beſuchen

besuchen würden, wenn man sich da bey ihnen mehrere Freyheiten als anderwärts herausnehmen könnte.

Der offne Platz vor der Marcuskirche ist der einzige
Ort in Venedig, wo sich eine Menge Volks versammlen kann. Es ist Mode, hier einen großen Theil des
Nachmittags spazieren zu gehen, der Musik und andrer
Zeitvertreibe zu genießen; und ob es gleich dort Caffee-
häuser giebt, und die venetianischen Sitten den Weibern
sowohl als den Männern den Besuch derselben verstatten: so war es doch natürlich, daß die Edelsten und Reichsten keine eigne Gemächer vorzogen, wo sie, ohne über-
rascht zu werden, einige wenige Freunde auf eine unge-
zwungenere und vertraulichere Art als in ihren Palästen
unterhalten könnten. Anstatt zu einer förmlichen Abendmahlzeit zu Hause zu gehen, und nachher nach diesem
Ort des Vergnügens zurückzukehren, lassen sie Caffee,
Limonade, Obst und andre Erfrischungen nach dem Cas-
sino bringen.

Es ist nicht unwahrscheinlich, daß diese keine Gemächer gelegentlich zu Liebeshändeln gebraucht werden;
aber daß dieses die gewöhnliche und bekannte Absicht seyn
sollte, warum sie besucht werden, ist unter allen am wenigsten glaublich.

Einige Schriftsteller, welche die venetianischen Sitten noch ausschweifender als die von andern Nationen
beschrieben haben, versichern zugleich, daß die Regierung diese Ausschweifung unterstütze, um die Gemüther
des Volks weich zu machen und zu zerstreuen, und dadurch zu verhindern, daß sie wider die Verfassung keine
Anschläge schmieden oder Versuche machen. Wenn dies
sich so verhielte, so wäre es nicht zu leugnen, daß die
venetianischen Gesetzgeber ihren Patriotismus auf eine
sehr außerordentliche Art zu erkennen geben, und auf ein
sehr außerordentliches Mittel verfallen sind, ihr Volk zu
guten Unterthanen zu machen. Erst ordnen sie ein despotisches

tisches Gericht an, die öffentliche Freyheit zu bewahren,
und dann verderben sie die Sitten des Volks, um sie
von Anschlägen wider den Staat abzuleiten. Inzwischen ist dieses letzte Klugheitsstück nichts weiter als eine
Muthmaßung einiger theoretischen Staatsklüglinge, die
ohne hinlänglichen Beweis Facta für richtig annehmen,
und nachher ihre Klugheit darin sehen lassen, Gründe
davon angeben zu wollen. Ich glaube, es würde schwer
seyn zu beweisen, daß die Venetianer den sinnlichen Ver-
gnügungen mehr ergeben sind, als die Einwohner von
London, Paris oder Berlin. Da es aber die Staatsinquisitoren nicht für rathsam halten, und der Geistlichkeit es nicht erlaubt ist, sich in Galanterien zu mischen;
da eine große Anzahl von Fremden sich jährlich zwey- bis
dreymal in Venedig bloß zum Vergnügen versammlet,
und hauptsächlich, da es gebräuchlich ist verlarvt zu gehen: so bildet man sich ein, daß die Sitten hier zügel-
loser als anderswo sind. Ich habe Gelegenheit gehabt
zu beobachten, daß die Gewohnheit eine Larve zu tragen, mit welcher die Vorstellung von Verbergen und
heimlichen Händeln gemeiniglich verbunden ist, ein Großes zu der Einbildung vieler Leute von der venetianischen
Ausschweifung beygetragen hat. Aber ich meines Theils
hege diesen Verdacht von keinem Stück weißem oder
schwarzem Papier mit verstellten Gesichtszügen; denn
oft habe ich die vollkommenste Nichtswürdigkeit unter
einem sanft lächelnden Stück Menschenhaut gefunden.

XXII. Brief.

XXII. Brief.

Ich sehe wohl ein, daß es einen längern Aufenthalt zu Venedig, und bessere Gelegenheit, als ich gehabt habe, erfodert, um den Charakter der Venetianer entwerfen zu können. Wenn ich aber nach dem, was ich gesehen habe, eine Schilderung von ihnen machen sollte, so würde ich sie als ein lebhaftes, sinnreiches Volk schildern, das öffentliche Zeitvertreibe ausschweifend liebt, an Laune ungemeinen Geschmack hat, noch mehr aber den wahren Freuden des Lebens als denen ergeben ist, die auf Pralerey beruhen, und aus Eitelkeit entstehen.

Das gemeine Volk zu Venedig hat einige Eigenschaften, die selten in dieser Sphäre des Lebens gefunden werden; es ist besonders nüchtern, verbindlich gegen Fremde, und freundlich im Umgang mit einander. Die Venetianer sind überhaupt lang und wohl gewachsen. Sie sind eben so stark, aber nicht so fett als die Deutschen. Letztere sind blond, und haben hellgraue oder blaue Augen. Die Venetianer hingegen sind mehrentheils bräunroth mit schwarzen Augen. Auf den Gassen von Venedig trifft man viele schöne männliche Gesichter an, die denen gleichen, welche Paul Veronese und Titian gemalt haben. Die Weiber haben ein schönes Gesicht, ausdrucksvolle Züge, und eine feine fleischfarbne Haut. Ihr Haar tragen sie auf eine ihnen sehr gut stehende Art. Sie sind ungezwungen, und unterhalten ohne Widerwillen Bekanntschaft mit Fremden, die ihnen von ihren Verwandten vorgestellet, oder gehörig empfohlen worden sind.

Fremde sind hier in vielen Stücken weniger eingeschränkt als die Eingebornen. Ich habe einige gekannt, welche,

welche, nachdem sie es in den meisten europäischen Haupt-
städten versucht, Venedig zu ihrem Aufenthalt vorgezogen haben, wegen der mannichfaltigen Lustbarkeiten,
der sanften Sitten der Einwohner, und der vollkommenen Freyheit, die ihnen in allen Dingen verstattet wird,
außer daß sie die Maasregeln der Regierung nicht tadeln dürfen. In welcher Gefahr die Venetianer sind,
die sich diese Freyheit herausnehmen, habe ich schon gesagt. Wenn ein Fremder so unbesonnen verfährt, wider die Form oder Maasregeln der Regierung zu reden,
so empfängt er entweder eine Botschaft, das Gebiet des
Staats zu räumen, oder ihm wird auch ein Sbirre gesandt, ihn nach den Staaten des Kaisers oder des Papstes zu begleiten.

Viele Engländer halten die Häuser für unbequem;
inzwischen sind sie dem Klima von Italien besser angemessen, als wenn sie nach dem Muster der Häuser in
London gebauet wären, welches vermuthlich der Plan
ist, dem diese Kritiker ihren Beyfall geben. Die Flu-
ren sind von einer Art rother Tünche mit einer glänzenden Glasur überzogen, die weit schöner als Holz, und in
Feuersgefahr weit sicherer ist, weil sie dem Fortgange desselben Einhalt thut.

Die vornehmsten Gemächer sind im zweyten Stock.
Selten bewohnen die Venetianer den ersten, der oft ganz
mit unnützem Hausrath angefüllt ist. Vermuthlich ziehen sie den zweyten vor, weil er von den Feuchtigkeiten
aus den Seen weiter entfernt, oder auch weil er heller
und munterer ist; oder sie können auch bessere mir unbe-
kannte Ursachen dieses Vorzugs haben. Wenn gleich
die Einwohner von Großbritannien sich des untersten
Stocks zu ihren vornehmsten Zimmern bedienen, so ist
das doch noch kein vollkommener Beweis, daß die Venetianer Unrecht haben, wenn sie den zweyten vorziehen.
Wenn ein scharfsinniges vernünftiges Volk durchgehends

J 3   einem

einem Gebrauch) in bloßen zur Bequemlichkeit gehörigen
Dingen folgt, so wird man gemeiniglich finden, daß, so
ungereimt dieser Gebrauch) auch dem Auge eines Fremden auf den ersten Anblick scheinen mag, er doch wahre
Vorzüge hat, die alle scheinbare Unbequemlichkeiten ersetzen. Dieses sehen Reisende wohl ein, die nicht mit
zu großer Eilfertigkeit durch die Länder streifen, welche sie
besuchen; denn wenn sie sich Zeit genommen haben, alle
Umstände abzuwägen, so finden sie oft Grund das zu lo-
ben, was sie ehemals tadelten. Ich könnte dieses mit
manchen Beyspielen erläutern; aber Ihr eignes Nachdenken wird Ihnen so viele aufstellen, daß es überflüssig
seyn würde, mehrere hinzuzuthun. Gewohnheit und
Mode haben den größten Einfluß auf unsern Geschmack
an der Schönheit oder Vortrefflichkeit aller Arten. Was
aus mannichfaltigen Ursachen das Muster in einem Lande geworden ist, das ist bisweilen gerade das Gegentheil
in einem andern. Eben das, was einen Hut mit einem
niedrigen Rande zu einer Zeit zierlich und zu der andern
lächerlich scheinen macht, hat auch eine verschiedene Vers-
art zum Muster der Vollkommenheit in dem alten Rom
und neuen Italien, in Paris oder in London aufgestellt. In Sachen des Geschmacks, besonders in der
dramatischen Dichtkunst, hält es schwer, die Vorurtheile
wegzuräumen, welche jede Nation in Ansehung der ihrigen hat. Selten erlangt man eine so vollkommene
Kenntniß von einer fremden Sprache und fremden Sitten, daß man alle Feinheiten von jener und Anspielun-
gen auf diese versteht; folglich scheint uns manches ungereimt, woran der Eingeborne großen Geschmack
findet.

Der gereimte Dialog der französischen Schauspiele
kommt dem Engländer, der zum erstenmal den französischen Schauplatz besucht, ungereimt und unnatürlich vor;
die aber lange in Frankreich gewesen sind, und eine

vollkomm-

vollkommnere Kenntniß der Sprache erlangt haben, versichern uns, daß die tragische Muse ihre Würde ohne Reime nicht behaupten kann, und daß solche auch dem Lustspiele eine Zierde geben, die alle Einwürfe überwiegt. Da die Engländer die französische Sprache mehr studiren und besser verstehen, als die französische Nation die unsrige, so finden wir, daß viele unsrer Landsleute die Schönheiten des Corneille schmecken, und diesem Genie den gerechten Zoll der Bewunderung bezahlen; da hingegen kaum ein einziger Franzose gefunden wird, der von Shakespears Verdienst einige Begriffe hat.

Ohne mit Recht der Partheylichkeit beschuldigt zu werden, kann ich wohl behaupten, daß die Engländer in diesem Stück eine größere Aufrichtigkeit und edlere Denkungsart äußern als die Franzosen. Die Unregelmäßigkeiten in Shakespears Drama fallen jedem in die Augen, und würden in unsern Zeiten von einem Dichter, der nicht den hundertsten Theil seines Genies besäße, vermieden werden. Hingegen sind seine eigenthümlichen Schönheiten von einer Vortrefflichkeit, die vielleicht noch von keinem Dichter irgend einer Zeit oder Landes erreicht worden ist; indessen bleiben alle französische Kritiker, von Voltaire an bis zu dem elendesten Schmierer in den litterarischen Tagebüchern, bey den erstern stehen, schreyen über den barbarischen Geschmack der englischen Nation, reden von der grotesken Abgeschmacktheit der Erfindungskraft des Dichters, und erläutern solche durch partheyische Auszüge der tadelhaftesten Scenen in Shakespears Stücken.

Wenn ein ganzes Volk mit dem Grade der Beurtheilungskraft, den ihm selbst die Feinde der brittischen Nation einräumen, sich in der höchsten Bewunderung eines Mannes vereinigt, und Jahrhunderte seine Stücke mit ungesättigter Begierde sieht, so sollte es doch wohl jenen Franzosen einfallen, daß vielleicht in den Werken dieses

dieses Dichters Vortrefflichkeiten seyn möchten, welche sie nicht sähen; und eine mittelmäßige Unpartheylichkeit müßte sie gelehrt haben, daß es anständiger seyn würde, mit ihrem Spott zurückzubleiben, bis sie mehr Kenntniß von einem Schriftsteller erlangt hätten, wider den sie ihren Witz auslassen wollten.

Ein Zufall, der mir seit meiner Ankunft zu Venedig begegnete, hat mich von der Uebereilung derer völlig überzeugt, die ohne nöthige Kenntnisse, auf welche sie ihre Meinung gründen müssen, urtheilen; obgleich mein Vorurtheil weit eher als das Betragen oberwähnter Kritiker zu entschuldigen war.

Ich hatte, ich weiß nicht wie, die verächtlichste Meinung von dem italiänischen Drama gefaßt. Ich hatte gehört, daß gegenwärtig kein erträglicher Schauspieler in Italien sey; und ich war lange gelehrt worden, ihre Komödie als das verächtlichste Zeug von der Welt anzusehen, welches nicht belustigen, und einem Manne von Geschmack nicht einmal ein Lächeln abnöthigen könnte, indem sie ganz leer von ächtem Witz, voller Zoten, und nur für den niedrigsten Pöbel gut sey. Mit diesen Gesinnungen, und begierig Seiner Gnaden einen völligen Beweis von ihrer Richtigkeit zu geben, begleitete ich dem Herzog von Hamilton an dem Tage unserer Ankunft zu Venedig in die Komödie.

Der unterhaltendste Charakter in diesem Stück war ein Stotternder. In diesem Fehler, und den sonderbaren Geberden, mit denen ihn der Schauspieler begleitete, bestand ein großer Theil des Zeitvertreibs.

Aus Misfallen, anstatt des Witzes und der Einfälle, so jämmerliches Zeug einzuschieben, äußerte ich eine Verachtung für eine Versammlung, die sich mit solchen Possen unterhalten ließ, und an der Vorstellung eines Naturfehlers Vergnügen finden konnte.

Indem

Indem wir innerlich der Feinheit und Vorzüglichkeit unsers Geschmacks Beyfall gaben, und die Würde dieser Gesinnungen durch eine verachtende Ernsthaftigkeit unsers Gesichts behaupteten, gab der Stotterer dem Harlekin von einer Sache Nachricht, welche denselben sehr interessirte, und auf die er mit allen Zeichen der Begierde horchte. Der unglückliche Redner war eben zu dem wichtigsten Theil seiner Erzählung gekommen, indem er nämlich seinem ungeduldigen Zuhörer berichten wollte, wo seine Liebste verborgen sey, als er unglücklicher Weise über ein Wort von sechs bis sieben Sylben stolperte, das den Fortgang seiner Erzählung völlig unterbrach. Er versuchte es nochmal und abermal, aber immer vergebens. Sie werden wohl beobachtet haben, wenn ein Stotterer seine Meinung durch verschiedene andre Worte eben so gut ausdrücken könnte, es doch weit leichter seyn würde, einen Heiligen zur Veränderung der Religion als ihn zu bewegen, ein andres Wort in die Stelle dessen zu gebrauchen, über welches er stolperte. Er bleibt bey dem, was ihm zuerst einkam, und erstickt lieber mit dem Wort im Halse, als daß er es für ein andres aufgeben sollte. Harlekin nennete bey dieser Gelegenheit seinem Freunde wohl ein Dutzend her; aber er verwarf sie alle mit Verachtung und blieb bey seinen fruchtlosen Versuchen, das heraus zu würgen, was ihm zuerst in den Wurf gekommen war. Endlich griff er sich entsetzlich an, und alle Zuschauer gafften in Erwartung seiner glücklichen Entbindung, als das verdammte Wort verkehrt herauf kam, und dem unglücklichen Mann in der Kehle stecken blieb. Er sperrte das Maul auf, zitterte, würgte sich, das Gesicht schwoll auf, und es war als wenn die Augen zum Kopf herausspringen wollten. Harlekin knöpfte dem Stotternden die Weste und den Halskragen des Hemdes auf; er fächelte sein Gesicht mit seiner Mütze, und hielt ihm etwas zu riechen vor die

J 5   Nase.

Naſe. Endlich in der Angſt, ſein Patient möchte den
Geiſt aufgeben, ehe er ihm die verlangte Nachricht er=
theilen könnte, rannte er in einem Anfall der Verzweife=
lung mit ſeinem Kopf dem Sterbenden wider den Bauch;
und das Wort flog ſo laut aus ſeinem Munde, daß es
der entfernteſte Theil des Hauſes hören konnte.

Dies wurde auf eine ſo ungemein komiſche Art vor=
geſtellt, und das luſtige ungereimte Mittel war mir ſo
unerwartet, daß ich unverzüglich in ein lautes Gelächter
ausbrach, in welches der Herzog und Ihr junger Freund,
Hänschen, der bey uns war, mit einſtimmte. Unſer
Lachen war ſo laut, ſo ſtark und ſo anhaltend, daß die
Geſellſchaft ihre Aufmerkſamkeit von der Bühne auf un=
ſre Loge richtete, und das ganze Haus in ein allgemei=
nes noch ſtärkeres Lachen, wie das erſte, ausbrach.

Wie wir zu Hauſe kamen, fragte mich der Herzog
von Hamilton, ob ich noch ſo ſehr wie zuvor überzeugt
ſey, daß man gar keinen Geſchmack haben müßte, wenn
man ſich ſo weit herablaſſen könnte, in der italiäniſchen
Komödie zu lachen.

XXIII. Brief.

Padua.

Wir wurden zu Venedig einige Tage länger, als
wir geſonnen geweſen waren, durch einen ſtarken
Regen aufgehalten, der die Straße nach Verona un=
fahrbar machte. Wir gaben daher den Gedanken auf,
dieſe Stadt für dasmal zu beſehen, und der Herzog be=
ſchloß, zu Waſſer nach Ferrara zu gehen. Zu dem
Ende miethete ich zwey Barken. In der einen giengen
die Chaiſen, das Gepäcke und einige Bediente gerade
nach Ferrara, und wir ſchifften uns in der andern nach
Padua ein.

Nachdem

Nachdem wir die Lagunen paſſirt waren, kamen wir
auf die Brenta, konnten aber unſern Weg auf dieſem
Fluß nicht weiter, als bis nach dem Dorfe Doglio fort-
ſetzen, wo eine Brücke iſt. Es war aber das Waſſer
von dem letztern Regen ſo ſehr angelaufen, daß unſer
Boot unter dem Gewölbe nicht durchkommen konnte.
Wir ließen es alſo bis zu unſerer Zurückkunft da liegen,
mietheten zwey offne Chaiſen, und ſetzten unſern Weg
längſt dem Ufer der Brenta nach Padua fort.

Beyde Seiten dieſes Fluſſes zeigen reizende blühende Scenen der Pracht und Fruchtbarkeit, und ſind mit
einer großen Mannichfaltigkeit ſchöner Vorwerke von
der Arbeit Palladio's und ſeiner Schüler geſchmückt.
Das Grün der Wieſen und Gärten wird von dem in
England nicht übertroffen.

Ich höre, daß der venetianiſche Adel auf ſeinen Vorwerken in wenigerm Zwange lebt, und ſeine Freunde mit
größerer Freyheit unterhält, als in ſeinen Paläſten in der
Stadt. Es iſt natürlich zu vermuthen, daß ein Venetianer eine beſondere Zufriedenheit empfinden muß, wenn
ihm ſeine Geſchäfte in der Stadt erlauben, der erheitern-
den Ausſicht der grünen Felder zu genießen, und die freye
Luft des Landes einzuhauchen.

„Wie dem, der lange in einer volkreichen Stadt
„eingeſchloſſen iſt, wo dicke Häuſer und Cloaken
„die Luft verunreinigen, und an einem Sommermor-
„gen herauseilt, unter den angenehmen Dörfern und
„daneben liegenden Pachtgütern Luft zu ſchöpfen, al-
„les, was ihm aufſtößt, Ergötzen verurſacht: der Ge-
„ruch des Korns, oder das röthliche Gras, oder die
„Kühe, oder das Milchhaus; jedes ländliche Geſicht,
„jeder ländliche Laut.“

Ich geſtehe meines Theils, daß ich nie die Schönheit dieſer Zeilen Miltons mit größerer Rührung empfunden habe, als da ich durch die reizende von der
Brenta

Brenta gewässerte Landschaft kam, nachdem ich in der wässerichten Stadt Venedig eingeschlossen gewesen war.

Da der Herzog Padua diesesmal auch aus dem Grunde besuchen wollte, Seiner königlichen Hoheit dem Herzog von Gloucester seine Schuldigkeit zu bezeugen, so warteten wir diesem Prinzen auf, sobald wir die Erlaubniß dazu erhalten hatten. Seine königliche Hoheit hatte sich hier einige Zeit mit der Herzoginn aufgehalten. Er befand sich sehr krank zu Venedig, und ihm war gerathen worden, sich um der gesunden Luft willen hieher zu begeben. Mit vielem Vergnügen setze ich hinzu, daß er jetzt außer Gefahr ist. Eine Nachricht, mit der Sie vielen Leuten in England eine Freude machen können.

Keine Stadt hat weniger Aehnlichkeit mit dem Lande als Venedig, und keine Stadt mehr als Padua: denn ein großer Theil des Umfangs innerhalb der Mauern ist ungebauet, und die Stadt durchgehends so dünn bewohnt, daß an vielen Orten das Gras zwischen den Steinen, womit die Straßen gepflastert sind, wächst. Die Häuser sind auf Säulengängen gebauet, welches, als die Stadt wohl bewohnt und in blühendem Zustande war, ein prächtiges Ansehen gehabt haben mag; aber in ihrem gegenwärtigen Zustande giebt es ihr vielmehr einen melancholischen und düstern Anschein.

Die dem H. Anton, dem großen Patron dieser Stadt, gewidmete Franciscanerkirche war der Ort, wohin uns der Cicerone aus unserm Gasthofe zuerst führte. Der Körper dieses heiligen Mannes ist in einem Sarge unter einem Altar in der Mitte der Kapelle, und soll einen angenehmen und erfrischenden Geruch ausdünsten. Fromme Katholiken halten dieses für den natürlichen Ausfluß aus dem Körper des Heiligen. Ketzer aber behaupten, daß der Wohlgeruch, denn der ist wirklich vorhanden, von gewissen Balsamen entsteht, die alle Morgen auf den Marmor gerieben worden, ehe die Verehrer

kommen,

kommen, ihre Andacht zu halten. Ich lasse mich nie drauf ein, meine Meinung über streitige Punkte dieser Art zu eröffnen; so viel aber wird mir zu sagen erlaubt seyn, daß, wenn dieser süße Geruch wirklich aus dem Körper des heiligen Franciscaners kommt, so ist seine Ausdünstung gar sehr von derjenigen unterschieden, die ich bey allen seinen Brüdern, denen ich je nahe gekommen bin, bemerkt habe.

Die Manern dieser Kirche sind mit Opfern von Ohren, Augen, Armen, Beinen, Nasen, und fast allen Theilen des menschlichen Körpers, als Zeichen der von diesem Heiligen gethanen Curen bedeckt: denn die Krankheit mag gewesen seyn an welchem Theile des Körpers sie wolle, so wird eine Abbildung desselben in Golde oder Silber nach dem Maaße der Dankbarkeit und des Reichthums der Patienten aufgehangen.

In einer keinen Entfernung von dieser Kirche ist ein Platz, die Schule des H. Antons genannt. Hier sind viele Thaten des Heiligen auf nassem Kalch gemalt; einige von Titian. Viele außerordentliche Wunder sind hier aufgezeichnet. Besonders bemerkte ich eines, das, wenn es oft wiederholt würde, dem Frieden der Familien gefährlich werden könnte. Der Heilige fand es für gut, die Zunge eines neugebornen Kindes zu lösen, und es mit dem Vermögen zu reden zu begaben; da denn das Kind mit einer seinem Alter natürlichen Unklugheit vor einer großen Gesellschaft mit lauter Stimme anzeigte, wer sein wahrer Vater sey. Die Wunder, welche diesem berühmten Heiligen zugeschrieben werden, übertreffen an der Zahl diejenigen weit, welche die Evangelisten von unserm Heilande aufgezeichnet haben; und ob man gleich nicht behauptet, daß der H. Anton sich selbst vom Tode erweckt habe, so erzählen doch seine Verehrer Dinge von ihm, welche dem fast gleich sind. Ein ungläubiger Türk hatte heimlich brennende Materien unter

die

die Kapelle gebracht, in der Abſicht, ſie zu verbrennen.
Der H. Anton aber ſchrie dreymal laut aus ſeinem
marmornen Sarge, erſchreckte dadurch den Ungläubigen,
und entdeckte den Anſchlag. Dies Wunder iſt deſto
wundernswürdiger, da dem Heiligen die Zunge ausgeſchnitten worden, und ſolche wirklich in einem kryſtalle-
nen Gefäß aufbehalten, und als eine koſtbare Relliquie
jedem, der neugierig iſt, ſie zu ſehen, gezeigt wird. Ich
erwähnte dieſes als eine Schwierigkeit, welche die Richtigkeit des Wunders ein wenig zweifelhaft machte; und
der ſcharfſinnige Menſch, dem ich dies einwandte, ſchien
erſt in einiger Verlegenheit zu ſeyn. Nachdem er ſich
aber beſonnen hatte, ſagte er, das, was anfänglich ein
Einwurf zu ſeyn ſchiene, ſey wirklich eine Beſtätigung
der Wahrheit: denn es würde nicht geſagt, daß der Heilige geredet hätte, ſondern er hätte geſchrieen; welches
ohne Zunge geſchehen könnte; wenn ihm aber die Zunge
nicht ausgeſchnitten geweſen wäre, ſetzte er hinzu, ſo würde der Heilige ohne Zweifel den türkiſchen Anſchlag mit
deutlichen Worten berichtet haben.

Von dem Thurm der Franciſtanerkirche hatten wir
eine ſehr deutliche Ausſicht auf das ſchöne Land, das Padua umgiebt. Alle Gegenſtände in einer kleinen Entfernung ſchienen ergötzlich und blühend; aber jedes Ding
unter unſern Augen gab Elend und Verfall zu erkennen.

XXIV. Brief.

Padua.

Die nächſte dem Range nach, aber in Anſehung der
Baukunſt weit vorzüglichere Kirche iſt die der H.
Juſtina, welche nach einem Riß des Palladio erbauet
worden, der von einigen für einen von den zierlichſten,
die

die er je gemacht hat, gehalten wird. Die H. Justina
soll an dem Orte, wo die Kirche steht, den Martyrertod
erlitten haben, und aus dieser Ursache soll solche eben auf
der Stelle erbauet seyn. Für die Gemälde in der Kirche
wäre es ein Glück gewesen, wenn die Heilige auf einem
trocknern Boden gelitten hätte: denn sie scheinen von der
Feuchtigkeit, die in der Gegend herrscht, wo die Kirche
jetzt steht, sehr beschädigt geworden zu seyn. Es ist ein
weiter Platz vor der Kirche, Prato della Valle genannt,
wo in den Jahrmärkten Buden und Läden von allen Arten Kramwaaren aufgeschlagen sind. Ein Theil dieser
Ebne, die von Käufern und Verkäufern nie entweihet
werden darf, wird das heilige Feld genennet, weil hier
eine große Menge christlicher Martyrer den Tod erlitten
haben sollen.

St. Justinens Kirche ist mit vielen Altären geziert, die mit Bildhauerarbeit verschönert sind. Der
Fußboden ist besonders prächtig, und von mosaischer Arbeit aus Marmor von verschiedenen Farben. Viele andre kostbare Sachen sind als Zierrathen in dieser Kirche;
besonders besitzt sie einen größern Ueberfluß als vielleicht
irgend eine Kirche in der Christenheit an gewissen Klein-
dien, nämlich an Gebeinen der Martyrer. Hier ist ein
ganzer Brunnen voll davon, die denen gehören, welche
auf dem Prato della Valle hingerichtet sind; und, was
von einem noch größern Werth ist, es versichern die Be-
nedictiner, denen diese Kirche gehört, daß sie auch die
Körper der beyden Evangelisten Matthäus und Lucas
besitzen. Die Franciscaner, welche zu einem Kloster in
Venedig gehören, machen ihnen den zweyten dieser beyden großen Preise streitig, und sagen, daß sie den wahren Körper des H. Lucas haben, dieser in der Justi-
nenkirche aber nur untergeschoben sey. Die Sache
wurde dem Papst vorgetragen, der zum Vortheil der einen Seite entschied; aber das hält die Eigner des andern

dern nicht ab, bey ihrer erſten Foderung zu beharren, ſo daß der Streit wahrſcheinlich vor dem jüngſten Tage nicht völlig entſchieden werden wird.

Die Halle des Stadthauſes zu Padua iſt die größte, die ich je geſehen habe. Nachdem ich ſie mit Schritten ausgemeſſen, ſo halte ich dafür, daß ſie dreyhundert engliſche Fuß lang und hundert breit iſt. Die emblematiſchen und aſtrologiſchen Gemälde von Giotto ſind ſehr verdorben. Dieſe unermeßliche Halle iſt im zweyten Stock, und iſt mit Büſten und Statuen einiger berühmten Perſonen geziert. Dem Geſchichtſchreiber Livius, der aus Padua gebürtig war, iſt hier ein Grabmal errichtet. Die vormals ſo berühmte Univerſität iſt jetzt, ſo wie alles in der Stadt, in Verfall. Das anatomiſche Theater könnte fünf bis ſechshundert Studenten faſſen, aber die Stimme des Profeſſors iſt wie die Stimme eines Predigers in der Wüſten. Der zügelloſe Geiſt der Studenten, der ehemals unendlich weit gieng, und es gefährlich machte des Nachts auf der Gaſſe zu gehen, iſt nun gänzlich erloſchen; er hat mit der Zahl der Studenten allmählig abgenommen. Ob Eifer zur Litteratur, wegen welcher die Studenten auf dieſer Univerſität berühmt waren, in gleichem Grade abgenommen hat, kann ich nicht beſtimmen; aber es iſt mir geſagt, daß bey weitem der größere Theil der jungen Leute, die nun die Univerſität beſuchen, dem Prieſterſtande gewidmet ſind, und ſich der Gottesgelahrheit befleißigen; und da hat man die Beobachtung gemacht, daß man mit einer geringen Gelehrſamkeit die geheimnißvollen Theile derſelben beſſer faſſen und predigen kann als mit vieler.

In dieſer Stadt iſt eine Tuchmanufactur, und ich vernahm, daß die Einwohner von Venedig, den Adel nicht ausgenommen, kein andres Tuch tragen, als was hier gemacht iſt. Man ſollte daher vermuthen, daß dieſe Manufactur ſehr gut fortkommen müßte; aber die

außer-

außerordentliche Menge von Bettlern, von welchen dieser Ort wimmelt, sind ein starker Beweis, daß Handel und Manufacturen keineswegs in einem blühenden Zustande sind. In meinem Leben habe ich nicht so viele Bettler auf einmal gesehen, als uns bey der St. Antonskirche anfielen. Der Herzog von Hamilton machte eben ein solches Versehen, als Sable in dem Leichenbegängniß *), der sich beklagt, daß, je mehr Geld er seinen Trauerleuten gäbe, betrübt auszusehen, je lustiger sähen sie aus. Der Herzog gab alles, was er bey sich hatte, der schreyenden Menge, die ihn umgab, unter der Bedingung, daß sie schweigen und uns verlassen sollten; aber sie wurden nur noch zahlreicher und lauter wie zuvor. Fremde, die Padua besuchen, werden daher wohl thun, den Befehl des Evangelii zu beobachten, und ihre Almosen im Verborgenen zu geben.

XXV. Brief.

Vom Po.

In meinem Briefe aus Padua vergaß ich von den großen Ansprüchen dieser Stadt auf das Alterthum zu reden. Sie giebt den Trojaner Antenor für ihren Stifter aus, und dieses Vorgeben stützt sich auf klassisches Ansehen. Im ersten Buch der Aeneis beschwert sich Venus gegen Jupiter, daß ihr Sohn Aeneas noch auf dem Meer herumstreife, da dem Antenor erlaubt worden, sich niederzulassen und eine Stadt in Italien zu erbauen:

Hic tamen ille urbem Patavi sedesque locavit.

Lucan

---

*) Ein englisches Lustspiel.

I. Theil.   K

Lucan in seiner Pharsalia, wenn er den Augur
beschreibt, der in den Wolken die Begebenheiten dieses
entscheidenden Tages lieset, spielt ebenfalls auf diese Geschichte Antenors an:

Euganeo, si vera fides memorantibus, augur
Colle sedens, Aponus terris ubi fumifer exit
Atque Antenorei dispergitur unda Timavi,
Venit summa dies, geritur res maxima, dixit.
Impia concurrunt Pompeii & Caesaris arma.

Einige neuere Kritiker haben behauptet, daß die beyden Dichter sich eines geographischen Irrthums schuldig
gemacht haben, indem der Fluß Timavus unweit
Trieste, hundert Meilen von Padua, in den adriatischen
Meerbusen fällt, und der Aponus nahe bey Padua,
und eben so weit vom Timavus ist.

Wenn Antenor solchemnach eine Stadt da gebauet
hat, wo der Fluß Timavus in die See fällt, so muß
solche weit von dem jetzigen Padua entfernt gelegen haben. Die paduanischen Antiquarier beschuldigen daher
Virgilen ohne Bedenken dieses Verstoßes, um nur den
trojanischen Prinzen zu ihrem Ahnherrn zu behalten. Die
aber mehr Achtung für Virgils Charakter als für Pa-
duas Alterthum haben, bestehen darauf, daß der Dichter Recht hat, und die von Antenor gebauete Stadt an
den Ufern des Timavus just hundert Meilen von dem
neuen Padua gelegen habe. Den Lucan lassen beyde
Theile stecken, ob man gleich nach meiner geringfügigen
Meinung natürlicher Weise vermuthen muß, daß einer
der Ströme, der in den Timavus fiel, den Namen
Aponus geführt habe, welches den Dichter rechtfer-
tigt, ohne das Verhältniß zwischen den Paduanern und
Antenor zu schwächen.

Die Einwohner von Padua scheinen selbst sich ein
wenig zu fürchten, ihren Anspruch ganz allein auf klassisches Ansehen zu gründen. Wie daher im Jahr 1283

ein

ein alter Sarg mit einer unverständlichen Aufschrift auf-
gegraben wurde, so ward derselbe für Antenors Grab
erklärt, in einer der Gassen hingestellt, und mit einer
Balluſtrade umgeben; und um die Sache außer
Zweifel zu ſetzen, verſichert eine lateiniſche Inſchrift
den Leſer, daß er den Leichnam des berühmten Antenor
enthielte, der, nachdem er aus Troja entflohen, die
Euganei aus dem Lande vertrieben, und dieſe Stadt
Padua erbauet hätte.

Obgleich die Paduaner finden, daß es Leute giebt,
die bösartig genug ſind zu behaupten, daß dieſer Sarg
die Gebeine des berühmten Trojaners keinesweg ent-
halte, ſo können ſie doch der Bosheit dieſer Sophiſten
Trotz bieten, zu beweiſen, daß es einer andern Perſon
Gebeine ſind; und auf dieſem verneinenden Beweis, verbunden mit dem, was ich oben angeführt habe, beruhet
der Werth ihres Vorgebens.

Nachdem wir einige Tage zu Padua geblieben waren, giengen wir nach dem Dorf Doglio zurück, wo
wir unſer Schiff gelaſſen hatten. Unterwegs beſahen
wir einige Vorwerge an den Ufern der Brenta. Die
Gemächer ſind artig und geräumig, und müſſen im
Sommer angenehm ſeyn. Aber für den Winter ſcheint
kein italiäniſches Haus eingerichtet zu ſeyn, ob er gleich
bisweilen in dieſem Lande eben ſo ſtreng als in England
ſeyn ſoll.

Wir ſchifften uns auf unſer kleines Fahrzeug ein,
und kamen bald in einen Canal von zwey und zwanzig
italiäniſchen Meilen lang, der mit dem Po Gemein-
ſchaft hat, auf welchem wir bequem von zwey Pferden
fortgezogen wurden. Wir brachten die vorige Nacht auf
unſerm Schiff zu, und dieſe wird es ebenfalls geſchehen;
denn es iſt nicht wahrſcheinlich, daß wir Ferrara eher
als morgen erreichen werden. Die Ufer dieſes berühmten Fluſſes ſind ungemein fruchtbar. Da wir ſanden,

daß

daß wir das Schiff immer einholen konnten, so belustigten wir uns den größten Theil des Tags mit Spazieren-gehen. Das Vergnügen, das wir auf diesem klassischen Grunde empfinden, und das Interesse, das wir an allen Gegenständen umher nehmen, rührt nicht ganz von ihren natürlichen Schönheiten her. Ein großer Theil derselben entsteht aus dem magischen Colorit der poetischen Beschreibung.

Die Nachrichten, welche man neulich von dem schlechten Gesundheitszustande des Königs von Preussen gehabt hat, sind vermuthlich nicht wahr, oder wenn sie es sind, so habe ich gute Hoffnung zu seiner Wieder-herstellung. Ich gründe sie auf das stille und ruhige Ansehen des Eridanus, das nicht so beschaffen ist, wenn das Schicksal einer sehr großen Person ungewiß ist. Erinnern Sie sich nicht, in welcher Wut er unmittelbar vor dem Tode Julius Cäsars war, und wie sehr er tobte?

> Proluit insano contorquens vortice sylvas
> Fluviorum Rex Eridanus, camposque per omnes
> -Cum stabulis armenta tulit.

Es ist kein Wunder, daß der Po bey den römischen Dichtern so berühmt ist, da er ohnstreitig der schönste Fluß in Italien ist.

Er scheint der Lieblingsfluß Virgils gewesen zu seyn:

> — Gemina auratus taurino cornua vultu
> Eridanus, quo non alius per pinguia culta
> In mare purpureum violentior influit amnis.

Herr Addison wird bey dem Anblick dieses Flusses mit einem gewissen Enthusiasmus begeistert, der seine Gedichte nicht immer belebt:

> „Von tausend Entzückungen erhitzt, überseh ich den Eridan durch blumichte Wiesen irren. Der König der Fluthen! der, über ihre Ebnen rollend, den auf-
> gethürm-

gethürmten Alpen die Hälfte ihrer Feuchtigkeit ent-
zieht, und, von dem Schnee eines ganzen Winters an-
geschwollen, da, wo er fließt, Reichthum und Ueberfluß austheilt."

Ungeachtet alles dessen, was die lateinischen Dichter, und zu Nachahmung derselben die aus andern Nationen vom Po gesungen haben, bin ich überzeugt, daß
kein Fluß in der Welt so gut besungen ist, als die
Themse.

„Auch du, großer Vater der brittischen Fluthen, über-
siehst mit frohem Stolz unsere hohe Wälder; wo hohe
Eichen ihre wachsende Ehrenzeichen bewegen, und
künftige Flotten an deinen Ufern erscheinen. Neptun
selbst empfängt von allen Strömen keinen reichern
Tribut, als er dem deinigen giebt. Keine Meere
scheinen so reich, keine Ufer so lustig, keine Seen so
sanft, keine Quellen so klar. Auch der Po, dessen
Strom längst den Wolken hinströmt, schwellt die Tö-
ne der fabelnden Dichter nicht so sehr an, als der
deinige, der Windsors berühmte Wohnungen besucht."

Wenn Sie noch widerspenstig sind, und des Po Lob-
rednern beypflichten, so muß ich Denham zu Hülfe rufen, und ich hoffe, Sie werden so viel Geschmack und
Aufrichtigkeit haben, zu gestehen, daß die folgenden
Zeilen ohne Vergleichung die vortrefflichsten Zeilen sind,
die je über einen Fluß geschrieben worden:

„Mein vom Hügel herabsteigendes Auge übersieht
die Themse, wie sie zwischen üppigen Thälern hin-
streift. Themse, der von seinem alten Vater gelieb-
teste aller Söhne des Oceans, läuft seinen Umarmungen zu, eilt der See seinen Tribut zu bezahlen,
wie das sterbliche Leben zur Ewigkeit eilt. Zwar hat

K 3   er

er mit jenen Strömen keine Aehnlichkeit, deren
Schaum Ambra, und deren Kies Gold ist. Seinen
ächten und schuldlosern Reichthum zu erforschen, suche nicht auf seinem Grunde, sondern übersieh sein
Ufer, über welches er freundlich seine großen Flügel
breitet, und Ueberfluß für den künftigen Frühling aus-
brütet. Aber er vernichtet ihn auch nicht durch ein
zu zärtliches Verweilen, wie Mütter, die ihre Kinder
für liebe erdrücken. Eben so wenig nimmt er mit
plötzlicher ungestümer Welle, wie verschwendrische
Könige, den Reichthum zurück, den er gab. Keine
unerwartete Ueberschwemmungen vernichten die Hoff-
nungen des Schnitters, oder spotten der Arbeit des
Pflügers; sondern göttlich fließt seine unermüdete
Güte. Erst ist es ihm Lust Gutes zu thun; dann
liebt er das Gute, das er thut. Seine Wohlthaten
schränken sich auch nicht auf seine Ufer ein, sondern
sind frey und allen gemein, wie die See oder der
Wind; wenn er, sich seiner von dem Tribut seiner dank-
baren Ufer vollen Vorrathshäuser zu rühmen, oder sie
zu vertheilen, die Welt besucht, und in seinen schwim-
menden Thürmen beyde Indien zu uns bringt, und
zu den unsrigen macht; Reichthum findet, wo er ist;
ihn ertheilt, wo er mangelt; Städte in Wüsten,
Wälder in Städten pflanzt: so daß uns kein
Ding, kein Ort fremde ist, da sein schöner Schooß
die Börse der Welt ist. O könnt ich fließen wie
du, und deinen Strom zu meinem großen Beyspiel
machen, so wie er mein Thema ist! Tief, doch
klar; sanft, doch nicht schläfrig; stark ohne
Grimm, ohne überfließende Fülle. Der Himmel rühme sich seines Eridanus nicht mehr, sein
Ruhm verliert sich in dir wie ein kleinerer
Strom."

Sie

Sie werden denken, daß ich einen starken Trieb haben muß, einen Brief zu schreiben, da ich so lange Auszüge aus Dichtern mache. Inzwischen ist das die einzige Ursache nicht. So lange wir an dem Po bleiben, werden natürlich die Flüsse ein Gegenstand meines Briefes. Ich behauptete, daß die Themse erhabner als der Lieblingsfluß der klassischen Schriftsteller sey, und wünschte Ihnen einige meiner stärksten Beweise auf einmal vorzulegen, um Ihnen die Mühe zu ersparen, die Originale nachzusehen.

XXVI. Brief.

Ferrara.

Wir langten hier diesen Morgen frühe an. Die prächtigen Gassen, und viele schöne Gebäude zeigen, daß Ferrara ehemals eine reiche blühende Stadt gewesen sey. Inzwischen äußern sich an den gegenwärtigen Einwohnern, deren Anzahl in Betracht des Umfangs der Stadt sehr klein ist, alle Merkmale der Armuth.

Die Glückseligkeit der Unterthanen beruhet in einer despotischen Regierung mehr auf dem persönlichen Charakter des Oberherrn als in einem freyen Staat; und auf die Unterthanen kleiner Prinzen, die nur ein kleines Gebiet haben, machen die guten und schlechten Eigenschaften dieser Prinzen mehr Eindruck als auf die Einwohner großer und weitläuftiger Reiche. Ich hatte häufige Gelegenheiten, diese Anmerkung in Deutschland zu machen, wo man oft die Gemüths- und Denkungsart des Fürsten aus Untersuchung der Umstände und der allgemeinen Verfassung des Volks kennen lernen kann, ohne ihn gesehen oder seinen Charakter gehört zu haben.

K 4 Wenn

Wenn der Fürst eitel und wollüstig ist, so sucht ers mäch-
tigern Souverains an Pracht gleich zu thun, so wie er
sich von gleichem Stande mit ihnen hält; und diese Versuche endigen sich allemal in der Unterdrückung und Armuth seiner Unterthanen: wenn aber der Fürst auf der
andern Seite vernünftig, thätig und wohlwollend ist, so
wirken seine gute Eigenschaften, da die engen Grenzen
seines Gebiets es ihm leicht machen, die wirkliche Verfassung und das wahre Interesse seiner Unterthanen kennen zu lernen, unmittelbar und kräftiger zu dem Besten
derselben, als wenn seine Staaten weitläuftiger, und er
selbst genöthigt wäre, durch seine Minister zu regieren.

Vormals wurde das Herzogthum Ferrara von seinen eignen Herzogen regiert, deren viele von besagtem
Charakter waren, und Ferrara war einige Generatio-
nen eine der glücklichsten und blühendsten Provinzen in
Italien. Im Jahr 1597 wurde es mit dem Kirchen-
staat vereinigt, und seit der Zeit ist es allmählig in Armuth und Verfall gerathen. Es muß einem wesentlichen Fehler in der Regierung zuzuschreiben seyn, wenn
eine Stadt wie diese, die in einem fruchtbaren Boden,
an einem schiffbaren Strom, nahe am adriatischen Meer
liegt, arm bleibt. Die Veränderung des Oberherrn
ausgenommen, so waren alle andre Ursachen, die von
der Armuth der Stadt Ferrara angegeben werden, auch
in den Tagen ihres Wohlstandes vorhanden.

Obgleich die Bürger von Ferrara nicht vermögend
gewesen sind, ihren Handel und Industrie beyzubehalten,
so haben sie doch noch ein altes Vorrecht, Degen zu tragen. Dies Vorrecht erstreckt sich auf den niedrigsten
Handwerker, der mit größter Würde einhertritt. Die
Fechtkunst ist unter allen Wissenschaften allein noch in
einem blühenden Zustande in dieser Stadt, welche ganz
Italien mit geschickten Fechtmeistern versorgt. Ferrara war ehemals wegen einer Manufactur von Degen-
klingen

Klingen berühmt. Die Schotten im Hochlande, die sehr viele gebrauchten, und in der Wahl ihrer Klingen eigensinniger als andre waren, pflegten sie von einem berühmten Meister in dieser Stadt, Andrea di Ferrara, kommen zu lassen. Und noch werden bey den Hochländern die besten Arten von Schwerdtern ächte Andreas-Ferraras genennet.

Gegen eine der vornehmsten Kirchen über sind zwey Bildsäulen von Erz. Eine des Niclas Marquis von Este, und die andre des ersten Herzogs von Ferrara Borso von Este, dessen Andenken in dieser Stadt noch in großen Ehren gehalten wird. Ich war neugierig in die Benedictinerkirche zu gehen, um den Ort zu sehen, wo Ariost begraben liegt. Der Grad der Wichtigkeit, den Menschen bey ihren Zeitgenossen und bey den Nachkommen haben, ist sehr verschieden. Dieser schöne bilderreiche alte Barde hat dem neuern Italien mehr Ehre gemacht als neun und vierzig Päpste und Fürsten, die darin geboren sind, aus funfzigen; und sein Ruhm nimmt noch immer zu, da jene, welche in ihrem Leben von dem großen Haufen angestaunt wurden, jetzt völlig vergessen sind. Vielleicht entstund seine Wichtigkeit in seinem Leben von dem Schutz des Hauses Este; jetzt erhalten die durchlauchtigen Namen seiner Gönner und das Land seiner Geburt durch ihn Wichtigkeit in den Augen des ganzen Europa.

Der Kaiser ist mit zween seiner Brüder kürzlich in dem Gasthofe, wo wir jetzt sind, abgetreten. Unser Wirth thut sich darauf so viel zu gut, daß er von nichts anders redet. Er hat mich mit tausend Particularien von seinen durchlauchtigen Gästen unterhalten. Es ist unmöglich, daß er diese Anekdoten je vergessen sollte: denn er wiederholt sie beständig, seit die königlichen Brüder sein Haus verlassen haben. Ich fragte ihn, was wir zum Abendessen haben könnten. Er antwortete: Wir

K 5   sollten

sollten in eben dem Zimmer zu Abend essen, in welchem Seine kaiserliche Majestät die Mittagsmahlzeit eingenommen hätten. Ich wiederholte meine Frage, und er antwortete: er glaube nicht, daß drey umgänglichere Prinzen in der Welt wären. Ich sagte, ich hoffe, das Abendessen werde bald fertig seyn; und er erzählte mir, der Erzherzog sey ein Liebhaber von Fricassee gewesen, der Kaiser aber habe ein gebratenes Huhu vorgezogen. Ich sagte mit ungeduldiger Mine, er würde mir einen großen Gefallen thun, wenn er unser Abendessen herauf sendete. Er bückte sich und gieng nach der Thür, ehe er aber sich entfernte, kehrte er noch einmal um und versicherte mich, daß obgleich Seine Majestät nur ein Mensch wie ein anderer wären, so hätten Sie doch als ein Kaiser bezahlt.

Um das Andenken dieser großen Begebenheit, daß ein Kaiser mit zween seiner Brüder bey ihm gegessen hatten, zu verewigen, ließ der Wirth durch einen Geistlichen von seiner Bekanntschaft folgende prächtige Inschrift machen, die nun auf einen Stein an der Thür seines Hauses eingehauen ist:

QVOD
TABERNA HAEC DIVERSORIA
HOSPITES HABVERIT TRES FRATRES
CONSILIIS, MORIBVS, ET IN DEVM PIETATE
PRAECLAROS
MARIAE THERES. BOHEMIAE ET HUNG.
REGINAE &c. &c.
ET TANTI MATRIS VIRTUTI SIMILLIMOS
MAXIMILIANVM AUSTRIAE ARCHIDUCEM
CENAE ET QUIETATIS CAUSA
TERTIO CALEND. IUNII M.D.C.C.LXXV.
DIE POSTERO PRANDIUM SUMPTUROS
PETRUM. LEOP. MAGN. HETRUR. DUCEM
ET IOSEPHUM SECUND. ROM. IMPERATOREM
SECULI NOSTRI ORNAMENTUM ET DECVS
NE TEMPORIS LONGITUDO
HUIUSCE LOCI FELICITATEM OBLITERET
PERENNE HOC MONUMENTUM.

Nie

Nie sind drey Personen wohlfeiler zur Unsterblichkeit gelangt. Sie hat ihnen nichts mehr als ein einziges Nachtlager in einem schlechten Gasthofe, weil kein besseres Quartier zu haben war, gekostet.

XXVII. Brief.

Bologna.

Als wir Ferrara verließen, so bestand unser Wirth darauf, daß wir sechs Pferde vor unsere Chaise nehmen sollten, weil die Wege schlecht wären, und der Boden um die Stadt meist feucht und schwer sey. Ich suchte vorzustellen, daß wir hinlänglich mit vier auskommen würden; aber er fertigte mich kurz ab, indem er betheuerte, die Wege wären so tief, daß er auch seinem besten Freunde in der Welt, nicht einmal dem Kaiser, wenn er in Person da wäre, verstatten würde, weniger als sechs zu nehmen. Hiewider war nun nichts mehr einzuwenden; diesem Grunde würde man nichts haben entgegensetzen können, wenn er auch verlangt hätte, daß wir zwölf nehmen sollten.

Wenn man sich Bologna nähert, so verbessert sich allmählig der Anbau des Landes, und scheint auf einige Meilen, ehe man nach der Stadt kommt, ein beständiger Garten zu seyn. Die Weingärten sind nicht durch Hecken abgetheilt, sondern durch Reihen Ulmen und Maulbeerbäume; und es schlängelt sich der Wein auf die schönste malerischste Art in Büscheln von einem Baum zum andern. Doch ist das Land nicht allein an Wein fruchtbar, sondern auch an Korn, Oliven und Weideland, und hat nicht ohne Grund den Namen Bologna die Fette (la Grassa) erhalten.

Die

Die Stadt iſt wohl gebauet und volkreich; die Anzahl der Einwohner beläuft ſich auf ſiebzig oder wohl gar
achtzig tauſend Mann.   Die Häuſer haben insgemein
hohe Säulengänge, die noch eine beſſere Wirkung thun
würden, wenn die Straßen nicht ſo enge wären: aber
in dieſem Punkt iſt die Pracht der Bequemlichkeit aufgeopfert; denn in Italien wird Schatten als eine Wol-
luſt angeſehen.

Dem Herzogthum **Bologna** wurden gewiſſe Bedingungen zugeſtanden, als es ſich der päpſtlichen Herrſchaft unterwarf.   Dieſe Bedingungen ſind mit einer
Pünktlichkeit und Treue erfüllt worden, welche viele ei-
frige Proteſtanten an der römiſchen Kirche nicht erwarten würden.

Bologna behält den Namen einer Republik, ſen-
det einen Geſandten an den päpſtlichen Hof, und auf
den Wappen und Münzen des Staats ſteht das Wort
Libertas (Freyheit) nebſt den ſchmeichelnden Anfangs-
buchſtaben S. P. Q. R.   Die bürgerliche Regierung und
Policey der Stadt iſt in den Händen der obrigkeitlichen
Perſonen geblieben, welche von dem Senat erwählt werden, der ehemals aus vierzig Gliedern beſtand; ſeitdem
aber die Republik unter den Schutz des Papſts (wie der
Ausdruck iſt) gekommen, hat derſelbe noch zehn hinzuzuthun für gut gefunden; doch behalten dieſe funfzig
noch den Namen der **Quaranta** (Vierziger).   Die
Menſchen ſind insgemein unruhiger über die Veränderung eines Namens in Dingen, welche ſie lange mit Ehrfurcht betrachtet haben, als über eine wirkliche Veränderung in der Natur der Dinge ſelbſt.   Der Papſt mag
gute Staatsurſachen gehabt haben, die Anzahl der
Rathsperſonen bis auf funfzig zu vermehren; aber er
konnte keine haben, ſie den Rath der Funfziger zu nennen, wenn das Volk lieber funfzig verſammlete Männer
den Rath der Vierziger nennen wollte.   Einer von den
Senato-

Senatoren ist der Präsident im Senat, und wird der
Gonfaloniere genennet, weil er die Standarte (Gon-
falone) der Republik trägt. Er ist die oberste Magistratsperson, wird von einer Wache begleitet, und ist
beständig in dem Palast oder in der Nähe, um bey allen
Vorfällen bereit zu seyn; doch behält er seine Stelle nur
zwey Monate, indem sie von den Senatoren wechsels-
weise verwaltet wird.

Bey allem diesem Schein der Unabhängigkeit wird
die Republik von einem Cardinallegaten von Rom regiert. Er wird nebst einem Vicelegaten und andern
Beyständen von dem Papst ernennet. Die Befehle,
welche der Legat ausfertigt, werden dem Vorgeben nach
mit Genehmigung des Raths ertheilt, wenigstens werden sie von diesem klugen Staatskörper nie bestritten.
Die Stelle, welche von höherer Würde ist als irgend eine, die der römische Hof gegenwärtig zu vergeben hat,
wird auf drey Jahre besetzt. Nach Verlauf dieser Zeit
wird von Seiner Heiligkeit entweder ein neuer Legat ernennet, oder der alte noch auf drey Jahre bekräftigt.

Dieser geistliche Vicekönig lebet sehr prächtig, und
hat ein zahlreiches Gefolge von Pagen, Stallmeistern
und Hellebardierern, welche ihn in die Stadt begleiten. Wenn er aufs Land geht, hat er eine Wache zu
Pferde bey sich.

Der Gonfaloniere und die obrigkeitlichen Personen
ordnen alles an, was gewöhnlich in die Policey ein-
schlägt, und entscheiden in gemeinen Processen nach den
Gesetzen und alten Gebräuchen der Republik; doch ist es
ohnstreitig, daß in Sachen von großer Wichtigkeit, und
in der That, so oft er Lust hat sich darein zu mischen, der
Cardinallegat auf die Urtheile Einfluß hat. Dem Senat und den Häusern des Adels muß dieses kränkend seyn;
aber von dem Volk überhaupt wird es weniger empfunden,

den, da es allem Ansehen nach unter einer sanften und
wohlthätigen Regierung lebt.

Die Einwohner von Bologna führen einen ansehnlichen Handel in Seide und Sammet, welche hier in
großer Vollkommenheit verfertigt werden. Das Land
bringt ungemein viel Oel, Wein, Flachs und Hanf hervor, und versorgt ganz Europa mit Würsten, Maca-
ronen, Liqueurs und Essenzen. Das Volk scheint sehr
betriebsam zu seyn, und der Frucht seiner Arbeit zu genießen. Die Märkte sind auf das überflüßigste mit Lebensmitteln besetzt. Früchte sind in großer Mannichfaltigkeit und alle in ihrer Art vortrefflich zu haben. Der
gemeine Landwein ist ein leichter weißer Wein von angenehmen Geschmack, den Fremde allen hier zu haben seyenden französischen und deutschen Weinen vorziehen. Diejenigen, welche mit der Bewirthung in den hiesigen
Gasthöfen nicht vergnügt sind, müssen sehr schwer zu befriedigen und von einem so eigensinnigen Geschmack und
Gemüthsart seyn, daß sie sich selbst und andern nicht
nur auf ihrer Reise durch Italien, sondern auch auf
ihrer ganzen Reise durch das Leben ungemein zur Last
werden.

Die Stadt hat sehr viele Paläste. Der sogenannte
öffentliche Palast ist bey weitem der geräumigste, aber
nicht der zierlichste. In diesem wohnt der Cardinallegat. Es sind auch Gemächer für den Gonfaloniere, und
Hallen oder Kammern für einige Gerichtshöfe darin.
Dieses Gebäude, welches von außen ein finsteres, unre-
gelmäßiges Ansehen hat, enthält einige prächtige Gemächer und einige wenige gute Gemälde. Die schätzbarsten sind ein großes Stück von Guido; die Jungfrau mit
dem Kinde Jesus auf einem Regenbogen sitzend. Ein
Simson, der sich mit dem Wasser aus dem Kinnbacken
labet, mit welchem er eben die Philister geschlagen, ebenfalls von Guido; ein Johannes der Täufer, von Ra-

phael,

phael, ein Duplicat von dem im Palais royal zu Paris, doch nach dem Urtheil einiger Kenner weit schlechter. Meines Erachtens ist es zu bedauern, daß dieser große Maler die Zeit, welche er wenigstens auf eines derselben verwandte, nicht zu einem seiner Talente würdigern Gegenstande gebraucht hat. Eine einzige unbeschäftigte Figur kann nie so sehr gefallen als eine Gruppe, die sich mit einer sehr interessanten Handlung beschäftigt. Es ist Schade, wenn ein Maler, der auch nur in einem mittelmäßigen Grade fähig ist, die Leidenschaften zu erwecken, seine Gaben auf einzelne Figuren einschränkt. Wie viel unwürdiger ist dann solches dessen, der alles Erhabene und Rührende der Kunst besaß!

Das erste, was einem Fremden bey seiner Ankunft in die Stadt ins Auge fällt, ist ein prächtiger marmorner Brunnen auf dem Platz vor dem öffentlichen Palast. Die Hauptfigur ist eine Bildsäule Neptuns von eilf Fuß hoch. Eine Hand hat er ausgestreckt, in der andern hält er den Dreyzack. Körper und Glieder sind von einem schönen Ebenmaaß; die Anatomie ist vollkommen, der Ausdruck des Gesichts strenge und majestätisch. Diese Figur des Neptuns, so wie alle andre von Knaben, Delphinen und Sirenen, die ihn umgeben, sind von Erz. Sie sind alle von Giovanni di Bologna verfertigt, und werden sehr geschätzt; doch ist es nach meinem Dünken eine Unschicklichkeit, daß aus den Brüsten der Seenymphen oder Sirenen das Wasser in Strömen fließt.

Ueber dem Eingange des Palastes des Legaten ist eine Bildsäule eines Papstes von Erz. Die päpstliche Krone und die andern Kleidungsstücke desselben sind dem Genie des Verfertigers nicht so günstig gewesen, als die nackte Simplicität Neptuns. Ein reisendes Frauenzimmer wird inzwischen, wenn sie nicht eine außerordentliche Liebhaberinn der schönen Künste ist, eher die Geschicklichkeit

lichkeit des Werkmeisters in der Nachahmung der Falten
des priesterlichen Gewands, als die anatomische Genauig=
keit in dem majestätischen Ebenmaaß der Glieder des
Wassergottes bewundern.

XXVIII. Brief.

Bologna.

Die Universität Bologna ist einer der ältesten und
berühmtesten Sitze der Gelehrsamkeit in Europa,
und die von dem Grafen Marsigli im Anfange dieses
Jahrhunderts gestiftete Akademie der Künste und Wis=
senschaften ist allein schon hinreichend, Fremde zum Be=
such dieser Stadt zu bewegen, wenn auch sonst nichts ih=
rer Neugier würdig wäre.   Ueber der Pforte dieses
prächtigen Gebäudes ist folgende Inschrift:

BONONIENSE SCIENTIARUM ATQUE ARTIUM
INSTITUTUM AD PUBLICUM TOTIUS
ORBIS USUM.

In demselben ist eine sehr schätzbare Bibliothek in
drey großen Zimmern, wo jeder täglich vier Stunden
studiren und sich der Bücher bedienen kann; auch giebt
es Gemächer für die, welche sich auf die Bildhauer=,
Maler=, Bau=, Scheide=, Zergliederungs=, Stern=
kunst und alle Zweige der natürlichen Weltweisheit le=
gen.   Sie sind sämmtlich mit Rissen, Mustern, Instru=
menten, und allen zu Erläuterung dieser Wissenschaften
nöthigen Werkzeugen versehen.   Auch sind Professors
da, die ordentliche Vorlesungen halten, und die Stu=
denten in den verschiedenen Theilen der Wissenschaften
unterrichten.   Hier ist eine Halle voller Modelle der bür=
gerlichen und Festungsbaukunst; eine schätzbare Mün=
zensammlung, und eine andre von natürlichen Selten=
heiten,

heiten, als Thieren, Erden, Erzen, Mineralien, und eine vollständige Sammlung von Probstücken zu Hülfsmitteln in dem Studio der Materia Medica und aller Theile der Naturgeschichte; eine Gallerie von Statuen, die aus einigen wenigen Originalen, und aus sehr schönen Copieen der besten Bildsäulen in Italien besteht. An einem Nachmittage besuchte ich die Maler- und Bildhauerakademie. Zwey Männer stunden in verschiedenen Stellungen auf einem Tisch. Ungefähr funfzig Studirende saßen im Amphitheater um sie her; einige zeichneten ihre Figur in Kalch, andre modelten sie in Wachs oder Thon. Da jeder Studirende die beyden Männer aus einem andern Gesichtspunkte betrachtete, so gab die verschiedene Manier der Studenten, nebst der Veränderung des Helldunkeln in jedem Gesichtspunkt, jedweder Zeichnung das Ansehen, als ob sie nach einer andern Figur gemacht wäre. Nichts kann dem jungen Lehrling vortheilhafter seyn, als diese Uebungen, die bisweilen am hellen Tage, bisweilen bey dem Schein der Lampen vorgenommen werden, und einen völligern Begriff von der Wirkung des Lichts und Schattens geben, als irgend eine andre Methode.

Alle Jahre werden unter die Künstler Ehrenpreise für die besten Muster in der Maler-, Bildhauer- und Baukunst ausgetheilt.

Das anatomische Theater ist mit Bildsäulen berühmter Aerzte geziert; und in dem dazu gehörigen Museo ist eine Menge anatomischer Präparate, auch eine vollständige Folge von anatomischen Figuren in Wachs: ein Mann und Weib in ihrem natürlichen Zustande; dieselben mit abgelöseter Haut und zellichtem Gewebe, so daß die äußern Muskeln des ganzen Körpers und der Glieder zu sehen sind. In den folgenden Figuren sind die äußern Muskeln immer mehr weggethan, bis endlich das bloße Skelet bleibt. Alle diese Figuren sind gut ge-

I. Theil.   L   macht,

macht, haben das natürliche Ansehen und Lage der Muskeln und Blutgefäße so genau, als es von einem Werke dieser Art erwartet werden kann. Auch sind hier Modelle in Wachs von besondern Theilen, und von verschiedenen Stücken des Eingeweides des menschlichen Körpers; doch sind diese Modelle mit den Präparaten der wirklichen Theile in Dr. Hunters Museum keineswegs zu vergleichen. Gegen diese gehalten, würde ihre Wachsarbeit so, wie ihre besten Abgüsse von dem vaticanischen Apoll und Laokoon neben die Originale gestellt, erscheinen. Auch die wirklichen Präparate, die hier gezeigt werden, sind in der That weit geringer, als die von jenem großen Anatomiker, der jetzt die vollständigste und genaueste Sammlung von anatomischen Präparaten besitzt, die je durch menschliche Geschicklichkeit und Fleiß verfertigt worden sind.

Wir haben unsere Pflicht treulich beobachtet, alle Kirchen und Paläste dieser Stadt zu besehen, welche einige der größten Muster der Kunst enthalten; da aber die Nachricht davon nicht so unterhaltend als die Beschauung selbst seyn möchte, so will ich Ihre Geduld mit vieler Mäßigung anstrengen.

Die Kirche des H. Petronius nimmt einen Theil des großen unregelmäßigen Platzes ein, auf welchem der oberwähnte Brunnen steht. Sie ist die größte in Bologna. Auf dem Pflaster dieser Kirche zog Cassini seinen Meridian, und innerhalb der Mauern dieses Gebäudes wurde Karl der fünfte gekrönet. Diese Umstände können den Sternkundigen und Historiker interessiren; aber die Statue eines Soldaten, die in einer der Kapellen steht, zieht die Aufmerksamkeit eines frommen Katholiken auf sich. Dieser Mann, der im Spiel begriffen war, und Gefahr lief, alles sein Geld zu verlieren, that ein inbrünstig Gebet zu der Jungfrau Maria um ein wenig besser Glück; sie aber, die die Spieler nie

nie begünstigte, war zu seiner Bitte taub. Wie er fand,
daß sein Unglück fortdauerte, so zog der rasende Un-
mensch sein Schwerdt und verwundete beydes die Jungfrau und das Kind in ihren Armen. Er fiel, wie Sie
leicht erachten können, aller Bewegung beraubt, gleich
zur Erde. Man führte ihn ins Gefängniß, und verdammte ihn zu einem schändlichen und schmerzhaften
Tode. Im Gefängniß kam er zur Erkenntniß seiner
Bosheit, und die H. Jungfrau wurde durch seine Reue
so erweicht, daß sie ihm den Gebrauch seiner Glied-
maßen wieder schenkte, und die Richter, die den Wink
verstanden, verziehen ihm völlig. Zum hinlänglichen
Beweise dieser denkwürdigen Begebenheit zeigt man das
Schwerdt, mit welchem die That geschehen ist.

Ein auf der Spitze eines Hügels drey Meilen von
der Stadt gelegnes Dominicanerkloster ist im Besitz eines Gemäldes der Jungfrau von dem H. Lucas. Man
weiß nicht eigentlich, wie es dahin gekommen ist; und eine Erkundigung ist eine Anzeige der Ketzerey und wird
übel genommen. Das Volk ist durchgehends von der
Aechtheit überzeugt, und freuet sich über die Ehre der
Nachbarschaft. Dies Porträt hat zum Besten der Einwohner von Bologna viele Wunder verrichtet. Eine
sonderbare Gallerie, die gegen Mittag offen, und gegen
Mitternacht von einer Mauer bedeckt ist, geht den ganzen Weg von der Stadt nach dem Kloster. An der off-
nen Seite ruhet sie auf einer langen Reihe von Pfeilern,
und ist zu Ehren der Jungfrau und zur Bequemlichkeit
der Pilgrime von einer freywilligen Beysteuer erbauet
worden. Dieser lange Säulengang ist von den Pfeilern
bis an die Mauer zwölf Fuß breit, und von gehöriger
Höhe. Alle Innungen der Stadt gehen einmal im Jahr
in feyerlicher Procession nach dem Kloster und bringen
das heilige Gemälde mit, die Stadt zu besuchen. Es
wird durch die vornehmsten Gassen getragen, und von

jedem

jedem Einwohner, der sich ein Wachslicht kaufen kann,
begleitet. Währender Procession werden die Glocken
ohne Aufhören gelautet, die Kanonen abgefeuert, und
die unter Gewehr stehenden Truppen beobachten, wenn
das Bild vorbeygetragen wird, eben die Ceremonie, als
wenn es der commandirende General wäre. Das gemeine Volk bildet sich ein, als habe das Gemälde ein
ungemeines Vergnügen an diesem jährlichen Besuch der
Stadt Bologna. Sie sind sogar überzeugt, daß es,
wenn es nicht geholet würde, sich aus den Rahmen los-
machen, und den ganzen Weg zu Fuß thun würde; sie
haben aber nicht Lust die Probe zu machen, theils weil
sie die Jungfrau dadurch erzürnen möchten, und theils
weil man nicht wissen könnte, wenn das Bild einmal angefangen hätte zu wandern, wenn es wieder aufhören
würde.

Obgleich der Adel von Bologna jetzt nicht sehr reich
ist, so sind doch viele Paläste in einem prächtigen Geschmack angelegt, und fassen Gemälde von großem Werthe in sich. Die Paläste wurden gebauet und ausgeziert,
als die Eigner reicher waren, und die schönsten Werke
der Baukunst und Malerey wohlfeiler als jetzt angeschafft
werden konnten. Die Gallerien und Gemächer sind geräumig und prächtig; doch giebt es auch in den glänzendsten einige Sachen, die dem Auge derer anstößig sind,
die der vollkommenen Genauigkeit der Auszierung in den
englischen Häusern gewohnt sind. Die Fenster haben in
einigen Palästen keine viereckte in Bley eingefaßte
Scheiben; und die Fußböden sind so schlecht gemacht,
daß sich oft, wenn man durch die schönsten Zimmer geht,
ein loser Stein unter den Füßen erschüttert.

Die kostbarsten Zierrathen der Paläste sind die Gemälde, besonders von den berühmten Meistern, die diese
Stadt hervorgebracht hat. Raphael hat durchgängig
den Ruf, daß er alle Maler in der Erhabenheit der Vorstellung,

ſtellung, der Gruppirung der Figuren, der Schönheit
der Köpfe, der Zierlichkeit der Geſtalten, der Richtigkeit des Umriſſes übertroffen hat; doch hat er nach einiger Meynung öfterer die edeln Ideen der Schönheit, die
von den griechiſchen Bildhauern auf uns gekommen ſind,
als das, was er in der Natur ſah und beobachten konnte, nachgeahmt.   Diejenigen, welche dieſer Meinung
ſind, behaupten, daß die beſten Meiſter der lombardi-
ſchen Schule mit gleichem Fleiß die Eleganz der antiken
Bildſäulen und die Einfalt der Natur ſtudirten; und
durch dieſe vereinbarte Aufmerkſamkeit auf beydes haben
ſie bey einem weniger erhabnen und nicht ſo allgemeinen
Genie als der römiſche Maler hatte, Werke hervorgebracht, die den ſeinigen gleich, wo nicht in einigen Stücken vorzuziehen ſind.   Ich bitte, es bey dieſem allen
nie zu vergeſſen, daß ich hier keine eigene Meinung vor-
trage, ſondern blos andrer Gedanken wiederhole.

Nächſt Rom iſt vielleicht keine Stadt in der Welt
ſo reich an Gemälden als Bologna.   Kirchen und Paläſte ſind außer vielen bewunderten Stücken von andern
Künſtlern voll von den Werken der großen Meiſter, die
in dieſer Stadt geboren ſind.   Ich will Sie nicht unter
dieſen Meiſterſtücken umher führen.   Ein ſo ſchlechter
Kenner als ich kann über die beſondern Vortrefflichkeiten eines Caraccio, Dominichino, Albano nicht urtheilen, oder Guercin'os Energie mit Guido's Grazie vergleichen.   In Anſehung des letztern wage ichs zu
ſagen, daß die holdſelige Mine ſeiner jungen Leute, die
zierlichen Geſtalten, und die ſanfte überredende Andacht
ſeiner Madonnas, die Kunſt, mit welcher er mit aller
einladenden Liebenswürdigkeit weiblicher Geſichtszüge die
Sanftmuth und Sittſamkeit des weiblichen Charakters
verbindet, die beſondern Vortrefflichkeiten dieſes reizenden Malers ſind.

Man

Man gebraucht von der Malerkunſt nichts zu wiſſen, man darf kein Kenner ſeyn, um dieſe Schönheiten in Guido's Werken zu entdecken. Wer Augen und ein Herz hat, muß ſie ſehen und empfinden. Das Gemälde aber, das mehr als alles übrige bewundert und von Kennern als ſein Meiſterſtück angeſehen wird, hat ſeinen Vorzug einer verſchiedenen Art des Verdienſtes zu verdanken; aus keinem von oben erwähnten Umſtänden kann es ſich eines Werths anmaßen. Das Stück, das ich meyne, iſt in dem Palaſt Sampieri, und unterſcheidet ſich durch einen ſeidenen Vorhang. Es ſtellt Petrus Reue vor, und beſteht aus zwey Figuren, aus dem weinenden Heiligen, und aus einem jungen Apoſtel, der ihn zu tröſten ſucht. Das einzige Gemälde zu Bologna, was dieſem ſeinen Ruf ſtreitig machen kann, iſt eine H. Cäcilia in der Kirche St. Georg auf dem Berge; dieſes Gemälde wird von Addiſon ſehr gerühmt, und für eines von Raphaels vornehmſten Stücken gerechnet. Wenn ich nicht ohnehin überzeugt wäre, daß ich mich nicht auf Gemälde verſtünde, ſo würde ich's hier zur Gnüge lernen. Ich habe das Stück mit der größten Aufmerkſamkeit und mit einer wahren e, ſeinen vorzüglichen Werth zu entdecken, Zug für Zug unterſucht, und zu meiner Beſchämung muß ich's ſagen, ich kann ihn nicht gewahr werden. — Nach dieſem Bekenntniß werden Sie vermuthlich nichts weiter von Malereyen von mir zu hören verlangen.

XXIX. Brief.

XXIX. Brief.

Auf unſerm Wege von Bologna hieher giengen wir
durch Ravenna, eine unangenehme Stadt, ob
ſie gleich zu einer Zeit der Siß des Reichs war; denn
nachdem Attila Italien verlaſſen hatte, wählte Va-
lentinian Ravenna vorzüglich vor Rom zu ſeiner Re-
ſidenz, damit er immer bereit wäre, die Hunnen und
andre Barbaren, die von den Ufern der Donau herka-
men, zurückzutreiben, und ihnen das Vordringen in
Italien zu verwehren. Eine gleiche Urſache bewog
nachher den König der Oſtrogothen Theodorich, zu Ravenna Hof zu halten, nachdem er Odoacer geſchlagen
und getödtet, und den Titel eines römiſchen Königs angenommen hatte. Die Trümmer ſeines Palaſtes und ſein
Grab machen jeßt einen Theil der Alterthümer, von Ravenna aus, wo ich Sie keinen Augenblick länger aufhalten, ſondern mit Ihnen nach dem Fluß Piſatello,
dem berühmten Rubicon, gehen will, der zwiſchen dieſer Stadt und Rimini fließt, und die alte Gränze zwiſchen Italien und Gallien dieſſeits der Alpen war.
Kein nach Rom zurückkehrender Römer konnte bewaffnet über denſelben gehen, ohne für einen Feind des Vaterlandes angeſehen zu werden. Die kleine Stadt Ceſenate liegt nahe an dieſem Bach, und die Einwohner
derſelben thun ſich nicht wenig auf einen ſo berühmten
Nachbar zu gut. Aber die von Rimini ſind ſo boshaft
geweſen, und haben ihnen dieſes Vergnügen zu rauben
geſucht. Sie behaupten, daß der Bach Luſa, der weiter von Ceſenate und näher bey ihnen iſt, der wahre
Rubicon ſey. Ich habe dieſen Streit mit aller Aufmerkſamkeit, die er verdiente, unterſucht, und bin der
Meinung, daß die Anſprüche des Piſatello, der auch

Ʒ 4   Rugone

Rugone genennet wird, am besten gegründet sind. Damit Sie nicht denken, als ob andere Bewegungsgründe als die Gerechtigkeit auf mein Urtheil Einfluß hätten, so muß ich Ihnen sagen, daß es mir gleich gilt, welcher von beyden der wahre Rubicon sey: denn ich habe die Ehre gehabt auf dem Wege nach Rimini beyde zu passiren.

Was Sueton von Cäsars Bedenken bey seiner Ankunft an dem Ufer dieses Flusses erzählt, stimmt mit dem, was der Geschichtschreiber kurz vorher sagt, nicht überein: Quidam putant, captum Imperii consuetudine pensitatisque suis & inimicorum viribus, usum occasione rapiendae dominationis, quam aetate prima concupisset. Und dieses, setzt er hinzu, war Ciceros Meinung, wenn er meldet, daß Cäsar oft diesen Vers im Munde geführt habe:

Nam si violandum est ius, regnandi gratia
Violandum est, aliis rebus pietatem colas.

Es ist höchst wahrscheinlich, daß Cäsar die Entschließung faßte über den Rubicon zu gehen, sobald Anton und Curio im Lager anlangten, und ihm einen scheinbaren Vorwand dazu gaben, indem sie ihm und dem Heer ihre gewaltsame Vertreibung aus Rom durch den Consul Lentulus und Pompejens Anhänger erzählten. Das Gespenst, dessen Sueton erwähnt, welches den Dictator, da er noch schwankend gewesen, zu seiner Entschließung gebracht haben soll, können wir entweder gänzlich als eine Erdichtung oder als eine Scene ansehen, die von ihm selbst vorher veranstaltet worden, die Armee aufzumuntern, welche Bedenklichkeiten gehabt haben mag, einem Befehl des Senats ungehorsam zu seyn, der diejenigen, welche bewaffnet über diesen Fluß giengen, für Gotteslästerer und Vatermörder erklärte, und sie den Höllengöttern übergab. Cäsar war

der

der Mann nicht, der sich durch Religionsscrupel schrecken ließ; er stund nie von einer Unternehmung ab, wenn
auch die Vorbedeutungen ungünstig waren. Ne reli-
gione quidem ulla a quoquam incepto abſterritus un-
quam vel retardatus eſt. Quum immolanti aufugiſ-
ſet hoſtia, profectionem adverſus Scipionem & Iubam
non diſtulit &c.

Das Bedenken, deſſen Sueton und Plutarch erwähnen, iſt demnach dem ehrgeizigen und entſchloſſenen
Charakter Julius Cäſars nicht ähnlich. Das Gemälde, das Lucan von ihm entwirft, hat mehr Geiſt,
und nach aller Wahrſcheinlichkeit mehr Aehnlichkeit:

> Caeſar ut adverſam ſuperato gurgite ripam
> Attigit, Heſperiae vetitis & conſtitit arvis:
> Hic, ait, hic pacem temerataque iura relinquo;
> Te, fortuna, ſequor; procul hinc iam foedera ſunto;
> Credidimus fatis, utendum eſt iudice bello.
> Sic fatus noctis tenebris rapit agmina ductor
> Impiger, & torto Ballaris verbere fundae
> Ocyor, & miſſa Parthi poſt terga ſagitta,
> Vicinumque minax invadit Ariminum. —

Obgleich Rimini ſehr verfallen iſt, ſo hat es doch
einige Denkmäler des Alterthums, welche die Aufmerkſamkeit des wißbegierigen Reiſenden verdienen. Es iſt
das alte Ariminum, die erſte Stadt, welche Cäſar,
nachdem er über den Rubicon gegangen war, in Beſitz
nahm. Auf dem Marktplatz iſt ein ſteinernes Fußge-
ſtelle mit einer Inſchrift des Inhalts, daß Cäſar da-
ſelbſt geſtanden, und eine Rede an ſeine Armee gehalten habe. Aber von der Richtigkeit dieſer Nachricht
findet ſich zur Befriedigung der Antiquarier kein
Beweis.

Wir kamen hiernächſt durch Peſaro, eine ſehr angenehme Stadt, die beſſer gebauet und bepflaſtert iſt,
als die andern Städte, die wir am abriatiſchen Meer

L 5   geſehen.

gesehen haben. Auf dem Marktplaße ist ein schöner Brunnen, und eine Bildsäule des Papstes Urban des achten sißend. In den Kirchen dieser Stadt sind einige Gemälde von Baroccio, einem Maler, dessen Werke von einigen sehr hochgeachtet werden, und der Raphaels Manier und Correggio's Farben nicht unglücklich nachgeahmet haben soll. Er lebte um die Mitte des sechzehnten Jahrhunderts, und seine Farben scheinen sich durch die Zeit verbessert zu haben. Ich sage, sie scheinen: denn eigentlich verlieren alle Farben mit der Zeit; aber da die Sonne und Luft auf die Gemälde die Wirkung äußern, daß sie alle Farben in eine gewisse Vereinigung bringen, so verursacht dieses eine Uebereinstimmung, und wird bey einigen Gemälden für eine Verbesserung gehalten. Dieser Weg längst der adriatischen Küste ist außerordentlich anmuthig.

Von Pesaro kamen wir nach Fano, einer keinen Stadt, fast von gleicher Größe mit jener, aber volkreicher. Sie hat ihren Namen von einem Tempel des Glücks (Fanum Fortunae), der zu den Zeiten der Römer hier stand. Alle italiänische Städte, so religiös sie immer seyn mögen, sind stolz auf ihre Verbindungen mit jenen berühmten heidnischen Gottheiten. Auf dem Brunnen auf dem Markte steht ein Bild der Glücksgöttinn, und die Einwohner zeigen einige Trümmer, welche ihrem Vorgeben nach von dem alten Tempel des Glücks sind. Was aber nicht bestritten werden kann; sind die Ruinen eines Triumphbogens in weißem Marmor, der August zu Ehren errichtet, und von dem Geschüße des Papstes Paul des zweyten, als er 1463 die Stadt belagerte, sehr beschädigt worden ist. Die Kirchen dieser Stadt sind mit einigen vortrefflichen Gemälden geziert; besonders ist eines in der Stiftskirche von Guercino, das sehr bewundert wird. Der Inhalt ist Josephs fephs Heirath. Es besteht aus drey Hauptfiguren: dem Hoheuprlester, Joseph und der Jungfrau.

Einige Meilen diesseits Fano giengen wir über den Fluß Metro, wo der römische Consul, Claudius Nero, Asdrubal, Hannibals Bruder, schlug. Dies war vielleicht der wichtigste Sieg, den je ein römischer General erhalten hatte. Denn wenn Asdrubal gesiegt hätte, oder fähig gewesen wäre, eine Verbindung mit seinem Bruder zu bewirken, so würden die von Spanien mitgebrachten Truppen von dreyfachem Werthe gewesen seyn, so bald sie unter Hannibals Befehl gekommen wären; und es ist nicht unwahrscheinlich, daß dieser vollkommene General mit einer solchen Verstärkung dem römischen Staat ein Ende gemacht haben würde. Carthagens Ruhm würde angefangen haben, wo Roms seiner sich geendigt hätte, und die Weltgeschichte würde ganz anders als jetzt gelautet haben. Horaz scheint die unendliche Wichtigkeit dieses Siegs eingesehen zu haben, und schildert mit einem schönen dichterischen Enthusiasmus die Verbindlichkeiten, welche Rom der Familie des Helden, der ihn erhielt, schuldig war, und den Schrecken, den Hannibal vor dieser Zeit über Italien verbreitet hatte:

Quid debeas, o Roma, Neronibus,
Testis Metaurum flumen, et Asdrubal
　Devictus, et pulcher fugatis
　Ille dies Latio tenebris,
Qui primus alma risit adorea,
Dirus per urbes Afer ut Italas,
　Ceu flamma per tedas, vel Eurus
　Per Siculas equitavit undas.

Hiernächst kamen wir nach Senegaglia, einem andern Seehafen an der Küste. Nichts ist an dieser Stadt merkwürdig, als der Jahrmarkt, welcher dreymal im Jahr gehalten wird, auf welchem ein großer Zusammenfluß

fluß von Kaufleuten aus Venedig und allen Städten
an beyden Seiten des adriatischen Meers, wie auch
von Sicilien und dem Archipelagus ist. England
führt mit allen Städten in Romagna einen sehr vor-
theilhaften Handel, woher unsere Kaufleute große Quantitäten rohe Seide bekommen, und sie nachher, wenn sie
verarbeitet ist, den Einwohnern wieder verkaufen. Sie
versorgen sie auch mit allen Arten englischer baumwolle-
ner und leinener Zeuge.

Senegaglia und Ancona liegen etwa funfzehn
Meilen von einander. Wir reiseten den größten Theil
dieses Wegs, nachdem es dunkel war, so sehr uns auch
die italiänischen Bedienten davon abriethen, die uns ver-
sicherten, daß er oft von Räubern beunruhigt würde.
Diese kommen, wie sie uns erzählten, bisweilen von der
dalmatischen Küste, greifen die Reisenden auf dieser
Straße an, bringen die Beute, die sie machen können,
an Bord ihrer Boote, die niemals weit entfernt sind,
und segeln dann nach dem Ufer gegenüber, oder nach einem andern Theil der Küste. Da wir langsam auf
dem sandichten Wege reiseten, so wurden wir von einigen Männern in Matrosenkleidern eingeholt. Unsere
Italiäner waren überzeugt, daß sie zu den Räubern oder
Freybeutern gehörten, von denen sie uns gesagt hatten. Unsere Gesellschaft war aber zu zahlreich, als daß
sie es wagen durften, uns anzugreifen; doch versuchten
sie die Koffer heimlich von den Chaisen abzuschneiden,
allein vergebens.

XXX. Brief.

XXX. Brief.

Ancona soll von den Syracusern erbaut worden seyn,
die vor der Tyranney des Dionysius entflohen.
Die Stadt wurde eigentlich auf einem Hügel erbauet,
aber die Häuser haben sich allmählig von der Anhöhe an
bis an die See hinab ausgebreitet. Die Stiftskirche
steht an dem höchsten Theil derselben; von dannen die
vortheilhafteste Aussicht nach der Stadt, dem Lande und
der See ist. Die Kirche soll auf der Stelle stehen, wo
ehemals ein der Venus gewidmeter Tempel gestanden
hat; eben der, dessen Juvenal gedenkt, wenn er von
einem auf dieser Küste gefangenen und dem Kaiser Do-
mitian überreichten großen Steinbutt (turbot) redet:

Incidit Adriaci spatium admirabile rhombi
Ante domum Veneris, quam Dorica sustinet Ancon.

Die Auf- und Abgänge und die große Ungleichheit
des Bodens werden immer im Wege seyn, diesen Ort zu
einer schönen Stadt zu machen; aber eine reiche Stadt
zu werden, dazu hat er alles Ansehen. Einige von
Adel sind so gesetzt und verständig, daß sie ein altes Vorurtheil verachten, und offenbar Handlung treiben. Täglich werden neue Häuser gebauet, und die Straßen sind
von dem Geräusch des Handels belebt. Auf der Börse,
die voll von Seefahrern und Handelsleuten aus Dalmatien, Griechenland und vielen europäischen Gegenden
war, traf ich verschiedne englische Kaufleute an. Auch
haben sich hier eine große Menge Juden niedergelassen.
Ich weiß nicht, ob diese Menschen zu der Glückseligkeit
eines Landes sehr beytragen; überhaupt aber hat man angemerkt, daß die Oerter, wo sie sich hinziehen, in einem
blühenden Zustande sind. Sie haben hier eine Syna-
goge;

goge; und obgleich alle Religionen hier geduldet werden,
so ist die ihrige doch die einzige, welche eine freye Uebung derselben hat. Die Handlung zu Ancona hat in
den letzten Jahren sehr schnell zugenommen; und es ist
ausgemacht, daß die Päpste, welche zuerst darauf bedacht waren, einen freyen Hafen daraus zu machen, die
Manufacturen zu unterstützen, und, um den Hafen sicherer zu machen, einen Damm zu bauen, Venedig auf,
eine empfindlichere Weise beleidigt haben, als diejenigen,
welche mit Bullen wider die Republik donnerten: aber
es ist sehr die Frage, ob jene durch ihre Aufmunterung
der Handlung ihre geistliche Wichtigkeit in eben dem Verhältnisse als die zeitlichen Reichthümer ihrer Unterthanen
vermehrt haben.

Diejenigen, welche eine gute Erziehung erhalten,
und, ehe sie einen besondern Stand gewählt, gute Gesinnungen angenommen haben, werden diese Gesinnungen
ihr Leben lang behalten; und vielleicht ist kein Stand, in
welchem sie mit mehrerm Vortheil und Nutzen ausgeübt
werden können, als in dem Stande eines Kaufmanns.
In diesem Stande wird ein Mann von obbeschriebenem
Charakter, indem er sein eignes Privatvermögen vermehrt, der angenehmen Vorstellung genießen, daß er
zugleich die Reichthümer und Macht seines Vaterlandes
vergrößert, und Tausenden seiner betriebsamen Landesleute Brod giebt. Von allen Ständen ist der seinige
seiner Natur nach der unabhängigste. Der Kaufmann
empfängt keinen Sold von seinem Monarchen wie der
Soldat, noch von seinen Mitbürgern wie der Rechtsgelehrte und Arzt. Oft fließt sein Reichthum aus fremden Quellen, und er ist denen keine Verpflichtung schuldig, von welchen er ihn empfängt. Gewohnt Millionen im Umlauf zu haben, sieht er weniger auf einige
Guineen, als die Eigenthümer der größten Landgüter;
und wir sehen täglich, besonders in Ländern, wo dieser

Stand

Stand nicht für entehrend gehalten wird, daß der handelnde Theil der Einwohner die erhabensten Beweise von Großmuth und Patriotismus giebt. Aber in Ländern, wo niemand, der den geringsten Anspruch auf den Titel eines Edelmanns hat, sich in Handlung einlassen kann, ohne daß man glaubt, er habe sich erniedrigt, werden sich wenigere Exempel von dieser Art finden. Und man muß gestehen, daß in einem jeden Lande denen, welche den Vortheil einer guten Erziehung nicht gehabt haben; die von Kindheit an zum Handel erzogen sind; die gelehrt worden sind, Geld als das Kostbarste aller Dinge anzusehen, und sich und andre nach Maasgabe der Quantität, die sie besitzen, zu schätzen; die beständig mit Ausschließung aller andern Vorstellungen in ihrem Gemüth die verschiedenen Mittel, ihr Vermögen zu vergrößern, überdenken — daß diesen Leuten, sage ich, das Geld ein unmittelbarerer und eigentlicherer Gegenstand als irgend einer Klasse von Menschen ist. Es dehnt sich in ihrer Einbildungskraft aus, wird über seinen wahren Werth geschätzt, und endlich durch eine Umkehrung des Gebots Christi als das einzige Nothwendige angesehen, das mit unablaßigstem Eifer gesucht werden, und bey dem uns alles andere zufallen muß.

In Handelsstädten, wo jeder seine Arbeit findet, und von dem Geräusch der Geschäfte in Bewegung gesetzt wird, läßt man sich sehr oft von den Dingen dieser Welt so einnehmen, daß man beynahe der künftigen darüber vergißt; und weder die wahre noch falsche Religionen können dort das Gemüth so fesseln als in Ländern, wo mehr Armuth und weniger irdische Beschäftigung ist. Dort betrachten sie die Vorstellungen der Priester und Beichtväter als Unterbrechungen der Geschäfte; und ohne es zu wagen, die Religionsgebräuche wie der theoretische Zweifler oder Ungläubige zu verachten, eilt der geschäftige Händler so schnell als möglich drüber hin, um wieder

der zu Arbeiten zurückzukehren, die seiner Denkungsart
angemessen sind. Die Lehrer mögen laut rufen und
nicht schonen, sie mögen ihre Stimme wie eine Posaune
erheben, und die Eitelkeit dieser Welt, und alles, was
in derselben ist, verkündigen: umsonst! Wer von Kindheit auf angeführt worden ist, nach dem Gelde zu trach-
ten, wer unendliche Mühe angewendet hat, es zu erwerben, und wer seine ganze Wichtigkeit daraus herleitet,
der muß natürlich für diese Welt, wo Reichthümer so
viel schmeichelhafte Vorzüge verschaffen, eine Partheylichkeit und ein Vorurtheil gegen die hegen, wo sie nichts
ausrichten können: aber in Städten, wo wenig Handel
und die Anzahl der Dürftigen groß ist, wo die Einwohner viele Muße und wenig Freude in dieser Welt haben,
da wird es der Geistlichkeit leichter, wenn sie nur mittelmäßig fleißig ist, die Aufmerksamkeit der Menschen auf
die künftige zu lenken. In katholischen Städten, die so
beschaffen sind, sehen wir das Volk beständig mit Wachs-
kerzen in den Händen die Straßen auf und nieder wan-
deln. Sie merken mit vergnügter Aufmerksamkeit auf
alles, was der Priester von dem Unsichtbaren, von dem
Lande der Verheißung, auf welches sie hoffen, sagt. Sie
denken mit Wohlgefallen an die glückliche Zeit, da auch
sie ihr Gutes empfangen sollen. Sie tragen ihre gegenwärtige Lumpen mit Geduld in Erwartung der weißen
Kleider und der goldnen Kronen, die, wie ihnen gesagt
wird, ihrer warten. Sie sehnen sich nach der Glückseligkeit zu der Höhe zu gelangen, von der sie mit Verachtung auf diejenigen herabsehen können, zu denen sie nun
mit Neid hinaufschauen, und wo sie es ihren reichen
Nächsten vergelten werden, deren Reichthum gegenwärtig nach ihrem Dünken ihre Armuth beschimpfet.
Da diese Stadt durch ihren Handel mit der Türkey
gar oft den gefährlichen Krankheiten ausgesetzt ist, welche dort regieren, so errichtete Clemens der zwölfte,

sobald

sobald er die Stadt zu einem Freyhafen zu machen beschloß, ein Lazareth. Es ragt ein wenig in die See hervor, ist ein Fünfeck, und ein sehr ansehnliches so wohl als
nützliches Gebäude. Nachher begann er ein eben so nö-
thiges und noch kostbareres Werk, ich meine den in der
See gebaueten Damm, um die Schiffe in dem Hafen
vor den Winden zu schützen, die oft mit großer Heftigkeit von der andern Seite des adriatischen Ufers herkom-
men. Benedict der vierzehnte betrieb dieses Werk
nach seinem Streit mit Venedig mit gedoppeltem Mu-
the; die folgenden Päpste setzten es fort, und nun ist es
beynahe fertig. Von diesem Damm wurde der Grund
in den Ruinen des alten vom Kaiser Trajan veranstal-
teten Dammes gelegt. Im Anfange wurden Steine von
Istrien dazu gebraucht, bis Venedig, welches nicht
Ursache hatte, das Werk mit günstigen Augen anzusehen, die Ausfuhr verbot. Nachher aber fand man einen vortrefflichen Steinbruch nahe bey Ancona, der
eben so geschickt dazu war; und aus der Nachbarschaft
von Rom wird eine Art von Sand gebracht, die mit
Kalch vermischt eine Composition giebt, welche so hart
als ein Stein ist; und diese gebraucht man allein zu dem
Bau, der über zweytausend Fuß lang, hundert breit und
von der Oberfläche der See an sechszig tief ist: ein un-
geheueres Werk, der Macht und den Einkünften des alten Roms gleichförmiger als des neuen.

Nahe dabey steht der so genannte Triumphbogen
Trajans: ein Ehrendenkmal, das diesem Kaiser aus
Dankbarkeit für die in diesem Hafen auf seine eigne Kosten gemachten Verbesserungen errichtet worden. Nächst
dem viereckten Hause zu Nismes ist es das schönste und
vollständigste Denkmal des römischen Geschmacks und
Pracht, das ich je gesehen habe. Die gestreiften Säulen von korinthischer Ordnung an beyden Seiten sind von
den schönsten Verhältnissen, und von parischem Marmor,

I. Theil.　　　　　　　M　　　　　　welcher,

welcher, anstatt, wie der herzogliche Palast zu Venedig und andre Gebäude von Marmor, eine schwarze Farbe angenommen zu haben, durch die Seedünste so weiß und glänzend geblieben ist, als ob er erst gebrochen und polirt wäre. Ich sahe dieses reizende Stück des Alterthums mit Empfindungen des Vergnügens und der Verwunderung, die aus einer Betrachtung des zierlichen Geschmacks des Künstlers, der dies Werk verfertigte, der menschenfreundlichen liebenswürdigen Tugenden des großen Mannes, zu dessen Ehre es errichtet worden, und der Größe und Staatskunst des Volks entsprang, das durch solche Belohnungen ihre Fürsten zu weisen und wohlthätigen Unternehmungen anspornte.

XXXI. Brief.

Loretto.

Die Straße von Ancona auf hier läuft durch ein anmuthiges Land, das aus vielen schönen Hügeln und dazwischen liegenden Thälern besteht. Loretto selbst ist eine kleine Stadt, an einer Anhöhe drey Meilen von der See. Ich hatte mir eine prächtigere, wenigstens eine zur Bewirthung der Fremden bequemere Stadt vorgestellt. Die Gastwirthe stören die Andacht der Pilgrime weder durch weiche Betten, noch leckre Speisen. Seit ich in Italien bin, habe ich keine schlechtere Bewirthung gefunden, als hier in dem Gasthofe. Das kömmt uns fremde vor, wenn man den großen Zufluß von Fremden erwägt. Wenn eine Stadt in England so stark besucht würde, so würde gewiß jedes dritte oder vierte Haus ein niedlicher Gasthof seyn.

Es ist weltkundig, daß die heilige Kapelle von Loretto ursprünglich ein kleines Haus in Nazareth gewe-

sen,

sen, in welchem die Jungfrau Maria gewohnt, den Gruß des Engels erhalten, und den Heiland empfangen hat. Nach ihrem Tode wurde es von allen Jüngern Jesu sehr in Ehren gehalten, endlich zu einer Kapelle gemacht, und der H. Jungfrau gewidmet, bey welcher Gelegenheit der H. Lucas das Bild gemalt hat, das hier noch aufgehoben, und mit dem Namen Unsere Frau von Loretto bezeichnet wird. So lange Galiläa von Christen bewohnt wurde, blieb dies heilige Haus daselbst; als aber die Ungläubigen, zum Besitz des Landes gelangten, so nahm eine Schaar Engel das Haus auf ihre Arme, und trugen es, um es vor aller Verunreinigung zu bewahren, von Nazareth nach einem Schloß in Dalmatien. Ungläubige könnten die Sache in Zweifel ziehen, wenn sie auf eine geheime Art geschehen wäre; aber damit sie auch dem kurzsichtigsten Zuschauer offenbar, und alle, die nicht völlig blind und taub waren, davon überzeugt werden möchten, so wurde das Haus auf der ganzen Reise von einem himmlischen Lichtstrahl, und von einem göttlichen Concert begleitet. Wie überdem die Engel, um sich auszuruhen, es neben der Landstraße in einem kleinen Gehölz niedersetzten, so bückten sich alle Bäume mit ihrem Wipfel bis an die Erde, und blieben in dieser ehrerbietigen Stellung so lange, als die heilige Kapelle bey ihnen verweilte. Da sie aber in erwähntem Schlosse nicht mit gehöriger Ehrfurcht aufgenommen wurde, so trugen die unermüdeten Engel sie über die See, und setzten sie auf einem Felde nieder, das einer adelichen Dame Lauretta gehörte, von welcher die Kapelle ihren Namen hat. Unglücklicher Weise hielten sich auf diesem Felde viele Mörder und Straßenräuber auf, welchen Umstand die Engel ohne Zweifel nicht wußten, als sie das Haus da niedersetzten. Nachdem sie aber besser davon unterrichtet wurden, so trugen sie es von dannen auf die Spitze eines Berges, der zwey Brüdern

gehörte,

gehörte, wo sie glaubten, daß es vor allen Gefahren von Raub und Mord sicher seyn würde; aber die Eigenthümer des Platzes, welche ihren neuen Besuch gleich lieb hatten, wurden auf einander eifersüchtig, zankten sich, fochten, und wurden beyde tödtlich verwundet. Nach diesem traurigen Ereignisse brachten endlich die Engel, die die Aufwartung hatten, die H. Kapelle nach der Anhöhe, wo sie nun steht, und seit vierhundert Jahren gestanden hat, weil ihr die Lust zum Reisen vergangen ist.

Um die Tadler mit ihren spöttischen Einwürfen zum Stillschweigen zu bringen, und den unpartheyischen Untersucher völlig zu beruhigen, wurde eine Gesandtschaft von ehrwürdigen Personen von Loretto nach Nazareth gesandt, welche vor ihrer Abreise das H. Haus mit der sorgfältigsten Genauigkeit ausmaßen. Bey ihrer Ankunft zu Nazareth fanden sie die Bürger kaum von ihrem Erstaunen zu sich selbst gekommen; denn es ist leicht zu vermuthen, daß die plötzliche Verschwindung eines Hauses mitten aus der Stadt natürlich sehr viele Verwunderung, selbst bey noch so philosophischen Köpfen, verursachen mußte. Die Eigenthümer der Häuser waren besonders in Unruhe gesetzt worden, und hatten in ganz Galiläa Untersuchungen angestellt, und Belohnungen ausgeboten, ohne von dem Flüchtlinge hinreichende Nachricht zu erhalten. Ihr Vortheil litt sehr darunter; denn der Werth der Häuser fiel in dem Augenblick, weil sie vorhin nie als bewegliche Güter angesehen worden waren. Theils war es auch wohl freylich übelgesinnten Gemüthern zuzuschreiben, die sich aus eigennützigen Absichten die öffentliche Unruhe zu Nutz machten, ein Gerücht zu verbreiten, daß noch verschiedene Häuser auf dem Sprunge stünden, und höchst wahrscheinlich in wenig Tagen unsichtbar werden würden. Da diese Begebenheit so viel Aufsehen zu Nazareth machte, und die Baumeister daselbst erklärten, daß sie eben so gut auf

Trieb-

Triebsand als auf den leeren Raum bauen könnten, den
die Kapelle bey ihrer Abreise gelassen hatte, so fanden die
Abgeordneten von Loretto keine Schwierigkeit, den
Grund des Gebäudes zu entdecken, welchen sie auf das
sorgfältigste mit dem mitgebrachten Maas verglichen,
und die genaueste Uebereinstimmung fanden. Sie legten davon bey ihrer Zurückkunft eidliche Aussage ab, und
kein vernünftiger Mensch ist länger im Zweifel, ob es
das wirkliche Haus ist, welches die Jungfrau Maria
bewohnt hat, oder nicht. Vieles von dieser Begebenheit
wird mit nach andern Umständen in Büchern, die hier
verkauft werden, erzählt: aber mir ist ein Umstand zu
Ohren gekommen, der noch in keinem Buche steht, von
dem Sie aber gewiß urtheilen werden, daß er zum Besten
künftiger Reisenden bekannt gemacht zu werden verdiene.
Diesen Morgen, ehe wir aus dem Gasthofe weggiengen,
die heilige Kapelle zu besuchen, zog mich ein italiänischer
Bedienter, den der Herzog von Hamilton zu Venedig
angenommen hatte, bey Seite, und sagte mir mit einer
ernsthaften Mine, Fremde pflegten oft keine Stücke von
den Steinen des H. Hauses abzubrechen, in der Hoffnung, daß solche kostbare Reliquien ihnen Glück bringen
würden, er bäte mich aber ernstlich, es nicht zu thun;
denn er kenne einen Mann zu Venedig, der eine kleine
Ecke von einem Stein abgebrochen, und unvermerkt in
die Hosentasche gesteckt hätte. Aber anstatt ihm Glück
zu bringen, sey der Stein, noch ehe er die Kapelle verlassen, wie Scheidewasser durch die Tasche gebrannt, und
habe ihm die Lenden so jämmerlich verbrannt, daß er
in vier Wochen nicht zu Pferde sitzen können. Ich dank-
te Johann für seine freundschaftliche Warnung, und
versicherte ihm, daß ich keinen Diebstahl von der Art begehen würde.

M 3   XXXII. Brief.

XXXII. Brief.

Loretto:

Die heilige Kapelle steht gerade in Osten und Westen
am äußersten Ende einer großen Kirche von dem
dauerhaftesten Stein von Istrien, welche rund um dieselbe gebauet worden. Man kann solche als die äußere
Bedeckung, oder als einen weiten Ueberrock der Casa
santa (des heiligen Hauses) betrachten, welche noch ein
engeres Kleid von kostbarern Materialien und Arbeit hat,
das näher an den Körper schließt. Diese innere Bedeckung oder Einfassung ist von dem besten Marmor,
nach San Savino's Plan, und mit halb erhobner Arbeit von den besten Meistern, welche Italien unter Leo
dem zehnten aufweisen konnte, geziert. Der Inhalt
der Stücke von halberhabner Arbeit ist die Geschichte
der H. Jungfrau, und andre Begebenheiten aus der Bi-
bel. Diese ganze Einfassung ist auf funfzig Fuß lang,
dreyßig breit, und eben so hoch; aber das eigentliche
Haus ist nur zwey und dreyßig Fuß lang, vierzehn breit,
und an den Seiten achtzehn Fuß hoch. Der Mittelpunkt der Decke aber ist wohl vier bis fünf Fuß höher.
Die Mauern dieser kleinen H. Kapelle bestehen aus Stücken von einer röthlichen Substanz, und länglicht viereckten Gestalt, welche als Ziegelsteine auf einander liegen.
Bey dem ersten flüchtigen Anblick dünken mich diese roth-
farbigte länglichte Substanzen nichts anders als gemeine
italiänische Backsteine zu seyn; und was noch außerordentlicher ist, so behalten sie in meinen Augen bey der
zweyten und dritten Beobachtung noch immer dasselbige
Ansehen. Und doch versichert man, daß in dem ganzen Gebäude nicht ein einziger Backstein, sondern alles
aus einem Stein sey, der zwar jetzt nicht mehr in Palä-
stina gefunden wird, ehemals aber sehr gemein war, be-

sonders

sonders in der Nähe von Nazareth. Zwischen den
Mauern des alten Hauses und der neuen Einfassung ist
ein schmaler Zwischenraum. Anfänglich wollten die Arbeiter, daß sie dicht an einander schließen sollten, in der
Meinung, die entweder aus grober Unwissenheit oder aus
Unglauben entstund, daß jene diese zu ihrer Unterstü-
ßung bedürfe. Aber der Marmor fuhr entweder vor solcher gottlosen Vertraulichkeit aus Bewußtseyn seiner Un-
würdigkeit von selbst zurück, oder er wurde auch von den
züchtigen Steinen der Jungfrau zurückgestoßen. Es
wird nicht gesagt, welches von beyden die rechte Ursache
sey. Aber das ist gewiß, daß er sich seitdem in gehöriger Entfernung gehalten hat. Indem wir die Bilder
von halberhabner Arbeit an der marmornen Einfassung
betrachteten, wurden wir nicht wenig von der Menge der
Pilgrime beschweret, die beständig auf den Knieen
rund herum krochen, den Boden küßten, und mit großer Inbrunst ihre Gebeter hersagten. Ich bemerkte,
daß sie, so wie sie fortrutschten, immer mit vieler Begierde zum nächsten an die Mauer zu kommen suchten; und
ich bin überzeugt, daß solches nicht geschah, um durch
Verkürzung des Umfangs ihres Weges sich ihre Mühe
zu erleichtern, sondern aus der Vorstellung, daß ihre Uebungen desto mehr zum Wohl ihrer Seele dienten, je
näher sie dem H. Hause wären. Diese Uebung wird
nach Maasgabe des Eifers und der Stärke des Patienten fortgesetzt.

Ueber der Thür ist eine Inschrift des Inhalts, daß,
wer bewaffnet hinein geht, ipso facto im Banne ist:

INGREDIENTES CUM ARMIS SUNT
EXCOMMUNICATI.

Es werden ebenfalls alle diejenigen auf das schärfste
bedrohet, welche das Geringste von dem Stein oder Mörtel dieser Kapelle mitnehmen. Die Begebenheit von

der

der verbrannten Hofe und andre ähnliche, die ſorgfältig verbreitet werden, haben mehr als alle Drohungen beygetragen, ſolche Verſuche zu verhüten. Denn wenn dieſe keinen Eindruck gemacht hätten, ſo würde die Begierde des großen Haufens, ein wenig von dieſem keinen Gebäude zu beſitzen, ſo groß geweſen ſeyn, daß alles Gefahr gelaufen hätte, weggetragen zu werden, nicht von den Engeln, ſondern brockenweiſe in den Taſchen der Pilgrime.

Das heilige Haus iſt inwendig durch eine Art von Gitterwerk in Silber in zwey ungleiche Theile abgetheilt. Der weſtliche Theil macht drey Viertheile vom Ganzen aus; der öſtliche wird das Heiligthum genennet. In der größern Abtheilung, welche als das Hauptgebäude angeſehen werden kann, ſind die Wände bloß, um die wahre eigentliche Geſtalt der Steine von Nazareth zu zeigen. Dieſe, die den Backſteinen ſo ſehr gleichen, ſind an vielen Stellen los. Ich zeigte dieſes einem Pilgrim, der mit uns hinein gieng; er lächelte und ſagte: Ch' ella non habbia paura, Padron mio, queſti muri ſono più ſolidi degli Appenini *). An der niedrigern oder weſtlichen Wand iſt das Fenſter, durch welches der Engel Gabriel bey der Verkündigung hereinkam. Die Geſimſe deſſelben ſind mit Silber überzogen. In dieſer Kapelle brennen viele goldne und ſilberne Lampen. Ich zählte ſie nicht; man ſagte mir aber, ihrer wären über ſechszig. Eine derſelben iſt ein Geſchenk von der Republik Venedig; ſie iſt von Gold, und wiegt ſieben und dreyßig Pfund; einige ſilberne Lampen wägen hundert zwanzig bis hundert dreyßig Pfund. An dem obern Ende des größten Raums iſt ein Altar, der aber ſo niedrig iſt, daß man von demſelben das berühmte Bild ſehen

---

*) Fürchten Sie ſich nicht, mein Herr, dieſe Mauern ſind feſter als die Apenninen.

hen kann, das über dem Camin in dem kleinen Raum
oder dem Heiligthum steht.   Goldene und silberne Engel von ansehnlicher Größe knieen umher; einige bieten
goldene mit Diamanten eingefaßte Herzen, und einer ein
Kind von gediegenem Golde an.   Die Wand des Hei-
ligthums ist mit Silber überzogen, und mit Crucifixen,
köstlichen Steinen und Gelübden von allerley Arten geziert.   Die Figur der Jungfrau selbst stimmt keineswegs mit dem schönen Geräth des Hauses überein. Sie
ist eine keine Gestalt von vier Fuß hoch, mit der Farbe
und den Gesichtszügen einer Mohrinn. Von allen Bildhauern, die je gelebt haben, hat gewiß St. Lucas, der
dieses Bild gemacht haben soll, am wenigsten geschmei-
chelt; und nichts beweiset es mehr, daß die gebenedeyte
Jungfrau die äußerliche Schönheit verachtet habe, als
ihre Zufriedenheit mit dieser Abbildung von ihr; besonders wenn ihr Gesicht und Person, wie ich gern glauben
möchte, den schönen Ideen von ihr ähnlich ist, welche
uns die Pinsel eines Raphael, Corregio und Guido
entworfen haben.   Die Figur des Kindes Jesus von
St. Lucas ist mit der Jungfrau aus einem Stück: es
hält eine große goldne Weltkugel in der einen Hand, und
die andre ist zum Segnen ausgestreckt. Beyde Bilder
haben Kronen auf dem Haupte, mit Diamanten geziert.
Sie sind ein Geschenk der Königinn von Frankreich,
Anna von Oesterreich.   Die beyden Arme der Jungfrau sind von ihrem Mantel bedeckt, und es ist nichts
weiter von ihr zu sehen, als das Gesicht; ihre Kleidung
ist sehr prächtig, aber von einem elenden schlechten Geschmack.   Das ist kein Wunder, denn sie hat keine Kam-
merfrau.   Sie hat besondere Kleider für die ihr zu Ehren gefeyerten Feste, und wird, welches wider den Wohlstand läuft, allemal von den Priestern der Kapelle aus-
und angekleidet.   Ihre Kleider sind mit Edelgesteinen
bis auf den Saum des Gewandes geziert.

M 5   Hinter

Hinter dem Heiligthum ist ein kleiner Platz, wohin wir auch gelassen wurden: eine Gunst, welche selten Fremden von seinem Ansehen versagt wird. Hier zeigt man den Camin und einiges anderes Geräthe, welches nach ihrem Vorgeben der Jungfrau, wie sie zu Nazareth lebte, gehört haben soll; besonders eine kleine irdene Schale, aus welcher das Kind zu essen pflegte. Die Pilgrime bringen Rosenkränze, kleine Crucifixe und Agnus Dei, welche der höfliche Priester eine halbe Minute in diesem Napf herumreibt; dadurch erlangen sie, wie man glaubt, die Kraft, verschiedene Krankheiten zu curiren, und werden ein vortreffliches Verwahrungsmittel wider alle Versuchungen Satans. Das Kleid, welches das Bildniß bey der Ankunft der Kapelle aus Nazareth trug, ist von rothem Kamelot, und wird sorgfältig in einem gläsernen Kästchen aufgehoben.

Täglich werden in der Kapelle, und in der Kirche, in welcher sie stehet, über hundert Messen gelesen. Die Musik, die wir in der Kapelle hörten, war ungemein schön. Eine gewisse Anzahl Kapellane sind Verschnittene, welche das doppelte Geschäft auf sich haben, im Chor zu singen, und am Altar Messe zu lesen. Dem kanonischen Gesetze, welches Personen in ihrem Zustande von dem Priesterthum ausschließt, wird durch ein außerordentliches Mittel, das ich Ihnen zu rathen überlasse, ausgewichen *).

Die Juwelen und Reichthümer, welche in der heiligen Kapelle zu sehen sind, sind von wenigem Werth in Vergleichung mit denen, die in dem Schatze sich befinden, der in einem Zimmer neben der Sacristey der grossen Kirche ist. In den Schränken dieses Zimmers werden die Geschenke aufbewahrt, welche königliche, adeliche und reiche Andächtler aus allen Ständen, mit Unter

drückung

*) Keisler führt es an in seinen neuesten Reisen, p. m. 901.

druckung und Benachtheiligung ihrer Familien hieher ge=
sendet haben. Alle einzele Stücke anzuführen, würde
mehr als einen Band füllen. Sie bestehen aus verschie=
denem Geräthe und andern Dingen von Gold und Sil=
ber: als, Lampen, Leuchtern, Bechern, Kronen und Cru=
cifixen, Lämmern, Adlern, Heiligen, Aposteln, Engeln,
Jungfrauen und Kindern. Ferner sind hier Cameen,
Gemmen, Perlen, Edelgesteine aller Arten in großer
Anzahl. Vor allen andern Juwelen aber wird die wun=
derbare Perle vorzüglich geschätzt, in welcher die Natur
eine getreue Zeichnung der Jungfrau auf den Wolken
sitzend, mit dem Jesuskinde in ihren Armen, abgedruckt
hat. Ich muß offenherzig gestehen, daß ich etwas wie
eine Frau mit einem Kinde auf den Armen darin sah;
ob aber die Natur ein Portrait der Jungfrau Maria
machen wollen oder nicht, will ich nicht entscheiden; doch
muß ich aufrichtig sagen, (wenn auch einige meiner
Freunde in Norden deuken, ich sage zu viel zu Unterstü=
tzung der päpstlichen Meinung,) daß die Figur in dieser
Perle eben so viel Aehnlichkeit mit einigen Gemälden, die
ich von der Jungfrau gesehen habe, als mit jedem Frauen=
zimmer von meiner Bekanntschaft habe.

In den Schränken der Schatzkammer war nicht
Raum genug, alle der Jungfrau geschenkte Silberstücke
zu fassen. Man sagte uns, daß noch verschiedne Schrän=
ke in der Sacristey ganz voll sind, und erbot sich, sie uns
zu zeigen; aber unsere Neugier war schon gestillt.

Es heißt, daß diese Stücke gelegentlich zum Dienst
des Staats von Seiner Heiligkeit eingeschmolzen, auch
die kostbarsten Juwelen ausgebrochen und verkauft, und
falsche Steine an ihre Stelle gesetzt werden. Dies ist
eine Sache, die die Jungfrau Maria und der Papst
allein unter sich ausmachen mögen. Beschwert sie sich
nicht darüber, so weiß ich nicht, wer dazu berechtigt wäre.

XXXIII. Brief.

XXXIII. Brief.

Loretto.

Fremde, oder Italiäner von Stande und Vermögen,
wallfahrten nicht mehr so häufig nach Loretto als
vor diesem. Unter zwanzigen, die jetzt diese Reise thun,
sind neunzehn arme Leute, welche in Ansehung ihres Un-
terhalts auf die Almosen sehen, die sie unterwegs empfangen. Denen, welche von solchem Stande sind, daß sie
an den milden Stiftungen zum Unterhalt der Pilgrime
keinen Theil nehmen können, verursachen solche Reisen
Kosten und Unbequemlichkeiten; und mir ist erzählt worden, daß Hausväter und Ehemänner von mittelmäßigen
und eingeschränkten Glücksumständen sehr oft durch die
übereilten Gelübde ihrer Weiber oder Töchter, bey einer
vermeinten Errettung aus Gefahr nach Loretto zu gehen, in unangenehme Verlegenheit gerathen. Eine Wei-
gerung wird von der ganzen Nachbarschaft für grausam
und sogar für gottlos gehalten, und die Einwilligung
bringt oft in große Verlegenheit, besonders wenn die Ehemänner aus Liebe oder andern Bewegungsgründen ihre
Weiber nicht gerne lange aus ihren Augen lassen. Den
Armen aber, die auf ihrer ganzen Reise unterhalten werden, und von ihrer Arbeit zu Hause nichts als ein küm-
merliches Auskommen zu erwarten haben, ist eine Reise
nach Loretto eben so gut eine Parthie zum Vergnügen,
als sie solche aus Andacht verrichten, und der angenehmste Weg, den sie zum Himmel gehen können. Da dieses Jahr ein Jubeljahr ist, so ist hier ein weit größerer
Zulauf von Pilgrimen aus allen Ständen, als gewöhnlich. Wir haben einige in Wagen, mehrere zu Pferde
oder auf Maulthieren, und was noch gewöhnlicher ist,
auf Eseln gesehen. Eine große Anzahl Frauenzimmer
kommen auf diese Art an, mit einer Mannsperson, die

als ihr Führer und Beschützer neben ihr geht; aber der
größte Theil von beyden Geschlechtern ist zu Fuß. Wie
wir Loretto näher kamen, fanden wir den Weg ge-
drängt voll von ihnen. Gemeiniglich brechen sie vor
Sonnenaufgang auf; und wenn sie sich in der Tagshitze
ausgeruhet haben, so setzen sie ihren Weg gegen Abend
wieder fort. Sie singen ihre Frühmetten und Abendlie-
der laut. Da viele schöne Stimmen und ein feines Gehör haben, so thut diese Vocalmusik in einer kleinen Entfernung eine sehr reizende Wirkung. In der Morgen-
und Abendstille wurden wir mit diesem feyerlichen geistlichen Concert einen beträchtlichen Theil des Weges unterhalten. So bald die Pilger zu Fuß in den Vorstädten anlangen, stimmen sie der Jungfrau zu Ehren einen
Lobgesang an, und fahren damit fort, bis sie die Kirche
erreichen. Die Aermern werden in einem Hospital aufgenommen, wo sie drey Tage Beköstigung und Betten
erhalten.

Die Handlung von Loretto besteht einzig und allein
in Rosenkränzen, Crucifixen, kleinen Madonnas, Agnus
Dei und Münzen, die hier verfertigt und den Pilgern
verkauft werden. Es giebt eine große Anzahl Läden,
wo diese Waaren im Ueberfluß, einige zu hohen Prei-
sen zu haben sind; aber der unendlich größere Theil derselben ist dem Beutel der Fremden angemessen, und wird
für eine wahre Kleinigkeit verkauft. Die augenschein-
liche Armuth der Manufacturisten und Krämer, und der
Einwohner dieser Stadt überhaupt, beweiset zur Gnüge,
daß der Ruf unserer Frau von Loretto sehr in Abnahme gerathen ist.

In der großen Kirche, welche die heilige Kapelle in
sich fasset, sind Beichtstühle, wo die Bußfertigen aus
allen europäischen Ländern in ihrer Sprache beichten
können, zu welchem Zwecke beständig Priester da sind.
Ein jeder von denselben hat einen langen weißen Stecken

in

in der Hand, mit welchem er das Haupt deſſen berührt, dem er die Abſolution zu ertheilen für gut findet. Sie werfen ſich haufenweiſe um den Beichtſtuhl herum auf die Knie, und wenn der H. Vater ihre Köpfe mit dem losſprechenden Stecken berührt hat, ſo entfernen ſie ſich von der Laſt ihrer Sünden befreyt und mit erneuertem Muth eine neue Rechnung anzufangen.

Anf dem geräumigen Platz vor der Kirche iſt ein zierlicher marmorner Brunnen, der durch eine Waſſerlei= tung von einem benachbarten Hügel mit Waſſer verſehen wird. Sehr wenige, auch der unbeträchtlichſten, Städte von Italien ſind ohne die gewöhnliche Zierde eines öf= ſentlichen Brunnes. Die Verſchönerungen der Bau= und Bildhauerkunſt ſind bey ſolchen Wercken, die den Augen des Publicums beſtändig ausgeſetzt ſind, ſehr an= ſtändig. Durch die Waſſerſtröme, die ſie von ſich wer= fen, wird die Luft erfriſcht, und das Auge ergötzt. In einem warmen Klima iſt das ein beſonders angenehmer Anblick. Auf dieſem Platz iſt auch eine Statue Sixtus des fünften in Erz. Ueber dem Portal der Kirche ſelbſt iſt eine Bildſäule der Jungfrau, und über der mitt= lern Thür eine lateiniſche Inſchrift, des Inhalts: daß in dem Hauſe die Mutter Gottes ſey, in welcher das Wort Fleiſch geworden. Die Kirchenthüren ſind eben= falls von Erz, mit Basreliefs von unvergleichlicher Ar= beit geziert. Die Vorſtellungen derſelben ſind theils aus dem alten, theils aus dem neuen Teſtament genommen, und in verſchiedene Felder abgetheilt. Da die Thüren dieſer Kirche um den Mittag geſchloſſen werden, ſo kön= nen die ſpäter anlangenden Pilger dem heiligen Hauſe nicht näher als bis an dieſe Thüren kommen, welche da= her bisweilen der erſten Heftigkeit des heiligen Feuers, die für die Kapelle beſtimmt war, ausgeſetzt ſind. Alle Sculpturarbeit auf den Thüren, welche der Mund die= ſer Andächtigen erreichen kann, wird gewiſſermaßen von

ihren

ihren Küssen ausgelöscht. Der Todschlag Abels von
seinem Bruder ist in einer Gleichheit mit den Lippen einer knieenden Person von mittelmäßiger Größe. Der
arme Abel ist immer unglücklich gewesen. Hätte ihm
doch der Künstler einen Fuß höher oder niedriger seinen
Platz angewiesen, so möchte er Jahrhunderte ungestört
da geblieben seyn: aber in der unglücklichen Stelle, wohin ihn der Werkmeister versetzt hat, ist sein ganzer Körper beynahe von den Pilgern weggeküßt worden; da hingegen Cain unberührt in seiner ersten Höhe so mürrisch
und trotzig als in dem ersten Augenblick da steht.

Von den Gemälden habe ich nichts gesagt; obgleich
einige sehr hoch geschätzt werden, besonders zwey, die in
der Schatzkammer sich befinden. Eines derselben ist die
Geburt der Jungfrau von Annibal Carracci, und das
andre eine heilige Familie von Raphael. Es sind noch
einige von beträchtlichem Werthe da; welche die Altäre
der großen Kirche zieren. Diese Altäre oder keine Kapellen, von denen dieses Gebäude eine große Anzahl enthält, sind in Marmor eingefaßt, und durch Bildhauerarbeit verschönert; nichts aber nahm mich in dieser Kirche so sehr ein als die eisernen Gegitter vor diesen Kapellen, nachdem mir berichtet war, daß sie aus den Fesseln
und Ketten der Christensklaven, die in dem glorreichen
Siege bey Lepanto ihre Freyheit erhalten hätten, verfertigt worden. Von diesem Augenblick an zogen diese
eiserne Gegitter meine Aufmerksamkeit mehr auf sich als
alle goldne Lampen, und Leuchter, und Engel, und Juwelen der heiligen Kapelle.

Die Gedanken, die bey der Nachricht von einem solchen Umstande in uns aufsteigen, müssen unaussprechlich
rührend seyn. Man gedenke sich viertausend unserer
Nebenmenschen dem Dienst ihres Vaterlandes, den Armen der Freundschaft entrissen, an die Ruder geschmie-
det, beständig den Schmähungen ihrer Feinde und allen

Arten

Arten schimpflicher Behandlung ausgesetzt, — auf einmal, als ihre Seele unter der Last so gehäufter Drangsale versank, und auf dem Gipfel der Verzweiflung war, — in einem seligen Augenblick von der Sklaverey befreyet, den Umarmungen ihrer Freunde wiedergegeben, mit ihnen alles Entzücken des Siegs genießen! Großer Gott! welch eine Scene! welch eine Zahl von Scenen! Denn wenn die Einbildungskraft einen Blick auf das Ganze geworfen hat, so unterscheidet und trennet sie die Gegenstände, und schildert sich tausend rührende Gruppen: die zärtliche Erkennung alter Gefährten, Brüder einander in die Arme laufend, entzückte Väter bey der Wiedererhaltung verlorner Söhne. Viele solcher Bilder schilderten sich meiner Einbildungskraft, indem ich diese Gegitter betrachtete, die eine wahre Zierde einer christlichen Kirche und einer Religion so vollkommen angemessen sind, die den Menschen befiehlt, die Gebundenen los zu machen, und die Gefangenen zu befreyen.

Glücklich, wenn die Bekenner dieser Religion eine so göttliche Ermahnung allezeit beobachtet hätten! Ich rede nicht von solchen, welche den Namen der Christen aus Eigennutz oder Ehrgeiz annehmen, sondern von einer noch thörichtern Klasse der Menschen: von denen, welche sich zum Christenthum bekennen, aber dasselbe mit einem Wandel und mit Lehrsätzen, welche der Natur desselben gänzlich zuwiderlaufen, vereinigen wollen. Diese Ungereimtheit hat sich in dem menschlichen Charakter von den frühesten Zeiten des Christenthums an gezeigt. Menschen haben einen unverstellten Eifer bezeugt, und die wohlthätigste und vernunftmäßigste unter allen Religionen durch Handlungen, die der bösen Geister würdig, und durch Gründe, die dem schlichten Menschenverstande anstößig sind, zu unterstützen und fortzupflanzen gesucht.

Eben

Eben die, welche die himmlische Güte des Ausspruchs: Selig sind die Barmherzigen, denn sie sollen Barmherzigkeit erlangen! priesen und bewunderten, hielten es für Pflicht, ihre Mitgeschöpfe wegen theoretischer Meinungen zu einem grausamen Tode zu verdammen. Eben die, welche den Stifter des Christenthums bewunderten, daß er beständig umherzog und wohlthat, hielten es für Pflicht, ihr ganzes Leben in Zellen zuzubringen und nichts zu thun.

Und kann etwas diesen düstern unerklärbaren Lehrsätzen, auf deren Annahme nach der Ueberzeugung vieler die Seligkeit beruhen soll, mehr widersprechen, als die deutliche Regel: Was ihr wollet, daß euch die Leute thun sollen, das thut ihr ihnen? eine so deutliche Regel, daß sie der Einfältigste und Unwissendste verstehen kann; und so gerecht, vollständig und umfassend, daß sie der Weiseste und Gelehrteste bewundert.

Wenn dieser billige Lehrsatz das Gesetz und die Propheten ist, — und daß er das sey, lernen wir von dem höchsten Gesetzgeber — was wird denn aus allem dem geheimnißvollen Gewebe, welches seit dem Anfange des Christenthums Päpste, Priester und Sectenstifter um ihn herum gesponnen haben?

XXXIV. Brief.

Spoleto.

Nach dem Mittagsessen verließen wir Loretto und giengen durch ein schönes Land nach Macerata, einer keinen Stadt an einem Hügel, nach der gewöhnlichen Lage der italiänischen Städte. Wir verweilten uns hier nur so lange, bis die Pferde gewechselt waren, und setzten unsern Weg nach Tolentino fort; und da

wir es nicht für rathsam hielten, im Dunkeln die Apenninen hinan zu klettern, so nahmen wir hier unser
Nachtlager in dem besten Gasthof des Orts, aber bey
weitem dem ärmsten, den wir in Itälien gesehen hatten.
Inzwischen da wir nicht um guten Essens oder bequemer
Schlafkammern willen dieses Land besuchten, so machten
wir uns sehr wenig aus diesem Umstande. Die Quantität der Speisen, die zur Abendmahlzeit aufgesetzt wurden, würde einem Menschen von Sancho Pansa's
Denkungsart in Ansehung des Essens eben so misfällig
gewesen seyn, als die Art ihrer Zubereitung einer feinern
Zunge. Der letzte Umstand machte, daß wir den erstern nicht bedauerten; und ob wir gleich einigermaßen
unruhig waren, als wir hörten, wie wenig Vorrath im
Hause sey, so wurden wir doch gleich, so bald aufgetra-
gen wurde, überzeugt, daß mehr als genug da sey.

Inzwischen äußerten die armen Leute in dem Gasthofe die größte Begierde uns zu befriedigen. Wir müßten in der That eine recht unglückliche Gemüthsart gehabt haben, wenn wir, dieses beobachtend, sie durch ein
mürrisches Wesen, oder durch eine unzufriedene Mine
hätten beleidigen wollen. Selbst Reisende, die der besten Leckerbissen gewohnt sind, würden eine Nacht in Geduld so vorlieb genommen haben, wenn auch die Bewirthung noch schlechter gewesen wäre, im Fall sie bedacht
hätten, daß die Leute in dem Orte, die doch von Natur
eben so viel Recht als sie auf das, was zum Ueberfluß
des Lebens gehört, haben, genöthigt sind, es immer zu
ertragen. Nichts erregt leichter Unwillen, als wenn
Menschen wegen einiger kleinen Unbequemlichkeiten im
Angesicht derer, welche täglich weit größere mit heiterm
Gemüth ausstehen, mürrisch und verdrüßlich sind. Ein
solches Betragen zeigt sowohl Mangel am Verstande als
an gutem Naturel an. Wir müssen uns aus keiner andern Absicht über unsere Leiden gegen die, welche ihnen
nicht

nicht abhelfen können, beklagen, als um Beyleid zu er=
regen. Wenn aber die, gegen welche wir uns beklagen,
ähnliche Leiden in einem noch größern Grade erdulden,
was können wir für Beyleid erwarten? Gewiß wir fin=
den keines.

Des andern Morgens stiegen wir die Apenninen
hinan. Die Beschwerden von dieser Tagereise wurden
uns durch die Schönheit und Abwechselung der Aussich=
ten zwischen diesen Gebirgen ersetzt. Auf einem der
höchsten Berge bemerkte ich eine kleine Hütte mit einem
Garten daneben. Ich hörte, daß sie von einem alten
schwachen Einsiedler bewohnt wurde. Ich konnte nicht
begreifen, wie eine Person in diesem Zustande einen sol=
chen Berg auf= und abklettern könnte, sich die Noth=
wendigkeit des Lebens zu verschaffen. Mir wurde ge=
sagt, daß er seine Einsiedeley in einigen Jahren nicht
verlassen hätte, und die benachbarten Bauern ihn im Ue=
berfluß mit allem, was er begehrte, versorgten. Der
Ruf der Heiligkeit dieses Mannes ist sehr groß, und die,
welche ihm Lebensmittel bringen, halten sich durch sein
Gebet sehr gut bezahlt.

Ich kenne meines Dünkens ein Land, wo die Lebens=
mittel in größerm Ueberfluß als in den Apenninen
sind, und dennoch würde der größte Heilige der Nation,
der seine Wohnung auf einem seiner Berge aufschlüge,
in großer Gefahr seyn zu verhungern, wenn er seinen
Unterhalt von Lebensmitteln zu haben gedächte, die er
gegen seine Fürbitte eintauschen könnte.

Es giebt unter den Apenninen Berge und Abgrün=
de, welche selbst den Augen derer, die auf den Alpen ge=
reiset sind, nicht verächtlich scheinen; da hingegen die
angenehmen Ebnen, welche jene in sich fassen, an Schön=
heit und Fruchtbarkeit den Thälern von diesen weit vor=
zuziehen sind. Nun kamen wir in die reiche Provinz
Umbria, und bald darauf nach Foligno, einer blühen=

den

den Stadt, in welcher mehr Anschein der Betriebsamkeit
ist, als wir in einer Stadt, seit wir aus Ancona sind,
bemerkt haben. Hier sind beträchtliche Papier-, Tuch-
und Seidenmanufacturen. In einem Nonnenkloster
ist ein berühmtes Gemälde von Raphael, das gemeiniglich von Reisenden besucht und von Kennern sehr bewundert wird.

Diese Stadt hat eine besonders glückliche Lage. Sie
liegt in einem reizenden Thal, das mit Kornfeldern und
Weingärten angebauet ist, von Maulbeer- und Mandel-
bäumen durchschnitten, und von dem Fluß Clitumnus
gewässert wird. An der einen Seite endigt sich die Aussicht durch mit Städten bekrönte Hügel, und an der andern durch die höchsten Berge der Apenninen. Nie er-
fuhr ich eine so plötzliche und angenehme Veränderung
des Klima, als da ich von diesen an vielen Stellen in
gegenwärtiger Jahrszeit mit Schnee bedeckten Bergen
nach dem angenehmen Thal von Umbria herabstieg:

Wo westliche Winde ewig wohnen, und alle Jahrszeiten allen ihren Stolz verschwenden.

Die Straße von Foligno nach Vene geht durch
diese schöne Ebne. Ein wenig vorher, ehe man nach
dem Posthause zu Vene kommt, ist rechter Hand ein
schönes Gebäude. Die Fronte, welche nach dem Thal
hinsieht, ist mit sechs korinthischen Säulen geziert; die
beyden mittelsten mit Lorbeerlaub verschönert. An einer
Seite ist ein Crucifix von halberhobner Arbeit, um welches sich Weinreben schlängeln. An diesem Gebäude
sind einige Inschriften, welche der Auferstehung erwähnen. Einige, welche die Baukunst für die ersten Jahrhunderte der Christenheit zu schön und den Tempel zu alt
halten, als daß er seit der Wiederherstellung dieser Kunst
erbauet seyn sollte, haben gemuthmaßt, daß dies keine
Gebäude alt, und eigentlich von den alten Bewohnern

Umbri-

Umbriens als ein Tempel dem Flußgott Clitumnus
zu Ehren errichtet sey, daß aber in den nachfolgenden
Zeiten derselbe in eine christliche Kapelle verwandelt,
und Crucifix und Inschriften nach seiner Einweihung
hinzugethan worden. Andere sehr achtungswürdige
Richter halten den Styl der Baukunst keineswegs für
rein, sondern durch unächte Zierrathen verfälscht, und
der ersten Jahrhunderte des Christenthums würdig
genug.

Herr Addison hat viele Stellen aus den lateinischen
Dichtern zu Ehren dieses Flusses angeführt, welche alle
die Volksmeinung die Eigenschaft dieses Wassers betreffend bestätigen. Die Zucht des weißen Schlachtviehes
(white cattle), das dem Fluß einen solchen Ruhm erwarb, bleibt noch in diesem Lande. Wir sahen vieles
im Vorbeyfahren, das milchweiß war; das mehreste
aber war weißgrau. Das gemeine Volk behält noch die
alte Meinung in Ansehung der Wirkung dieses Wassers
bey. Spoleto, die Hauptstadt von Umbrien, liegt auf
einem hohen Felsen, dessen Aufgang an allen Seiten sehr
steil ist. Dieser Stadt sieht man ihre alte Wichtigkeit
wenig an. Keysler schreibt, sie habe es mit andern
schlechten Orten von Italien gemein, daß sie von ihrem
Alterthum und vielen kleinen Umständen, die sich bey ihnen zugetragen, schwülstige Inschriften aufstelle. Inzwischen führt er nur eine an, und es ist die einzige, die
ich auch nur sahe; sie ist über dem Thore Porta di Fuga, durch welches die karthaginensische Armee zurückge-
trieben worden seyn soll:

ANNIBAL
CAESIS AD THRASYMENUM ROMANIS
URBEM ROMAM INFENSO AGMINE PETENS
SPOLETO MAGNA SUORUM CLADE REPULSUS
INSIGNI FUGA PORTAE NOMEN FECIT.

N 3   Ich

Ich kann darin nichts schwülstiges (bombastic) finden *). Livius giebt davon im 22 Buch folgende Nachricht:

Annibal recto itinere per Umbriam usque ad Spoletum venit, inde quum perpopulato agro urbem oppugnare adortus esset, cum magna caede suorum repulsus, coniectans ex unius coloniae haud nimis prospere tentatae viribus, quanta moles Romanae urbis esset.

Wenn die Einwohner der größten Hauptstadt in der Welt eben so starken Beweis hätten, daß ihre Vorfahren einen solchen General als Hannibal zurückgeschlagen, würden sie es nicht gern als Wahrheit aufnehmen, und der spätesten Nachkommenschaft überliefern?

Diese Stadt wird noch vermittelst einer alten Wasserleitung, die eine der vollständigsten und höchsten in Europa ist, mit Wasser versehen. Im Mittelpunkt, wo die größte Höhe ist, ist eine gedoppelte Arcade. Die andern Bogen vermindern sich in der Höhe, so wie sie sich

---

*) Keysler schreibt eigentlich so: „Spoleto ist eine bergichte „und unansehnliche Stadt, welche dieses mit andern „schlechten Orten von Italien gemein hat, daß sie in Inscriptionen viel Wesens aus sich und manchen schlechten „Kleinigkeiten, die sich bey ihnen zugetragen, machen. „Eine deutliche Probe von solchem pedantischen Hochmuthe giebt folgende bey einem elenden Thore zu Spoleto „in Marmor gehauene Nachricht u. s. w." Und nun wird eine Inschrift angeführt, die einem, der die Aufsicht über die Pflasterung der Gasse gehabt hat, zum Andenken gesetzt worden ist. Und nachdem er darüber eine Anmerkung gemacht hat, folgt erst obige Aufschrift. Der Verfasser muß also den Keysler im Deutschen gelesen, und nicht recht verstanden haben, oder die englische Uebersetzung, die ich nicht kenne, muß fehlerhaft seyn, sonst würde er keine Inschrift vertheidigt haben, die von Keysler keines Schwulstes beschuldigt wird. Ueb.

sich von dem Mittelpunkt nach den abhängenden Seiten der beyden Berge entfernen, welche dieses prächtige Werk vereinigt.

In der Domkirche ist ein Gemälde der Jungfrau von dem H. Lucas; aber wir hatten schon so viele Proben seiner Geschicklichkeit als Maler und Bildschnitzer gesehen, daß wir nicht neugierig waren mehrere zu beschauen.

XXXV. Brief.

Rom.

Von Spoleto giengen wir über den höchsten der Apenninen, und kamen sodann durch einen Wald von Oelbäumen in das fruchtbare Thal herab, in welchem Terni an dem Fluß Nera liegt. In alten Zeiten hieß es Interamna, weil es zwischen zweyen Armen dieses Flusses liegt. Das Thal, welches sich von dieser Stadt bis nach Terni erstreckt, ist außerordentlich fruchtbar, weil es eine schöne Lage gegen die Mittagssonne hat, und von dem Nera gewässert wird, der die Ebne durch seine schöne Krümmungen in Halbinseln von verschiedener Größe theilt. Der Kaiser Tacitus und sein Bruder Florianus waren aus Terni gebürtig; aber am meisten kann diese Stadt stolz darauf seyn, daß der Geschichtschreiber Tacitus in ihr geboren worden.

Fast schäme ich mich Ihnen zu sagen, daß wir den berühmten Wasserfall nahe bey dieser Stadt nicht gesehen haben, der gewöhnlich von Reisenden besucht wird, und nach allen Nachrichten ihrer Neugier so würdig ist. Unzählige Ströme von den höchsten Apenninen sammlen sich in einem Canal, aus welchem der Fluß Velino wird, der einige Zeit durch eine fast wasserrechte Ebne sanft

N 4

sanft fortfließt; nachher aber, wo der Strom durch die Verengerung und den Abhang des Canals schneller läuft, endigt sich die Ebne plötzlich mit einem Abgrunde von dreyhundert Fuß hoch, in welchen der Fluß herabfällt, und mit solcher Heftigkeit wider den felsigten Boden schlägt, daß sich eine große Wolke von wässerichtem Ranch rund umher erhebt. Der Velino überlebt den Fall nicht lange, sondern endigt, gebrochen, seufzend und schäumend, seinen Lauf bald in dem Nera. Addison glaubt, daß Virgil diesen Ort in Gedanken gehabt, wenn er den Platz in dem mittlern Italien beschreibt, durch welchen die Furie Alekto in den Tartarus hinabsteigt *).

Ein während unsers Aufenthalts zu Terni einfallender heftiger Regen, die Mühe und Beschwerde den Berg di Marmore, von welchem sein Fall auf das vortheilhafteste ins Auge fällt, hinauf zu klettern, und unsere Ungeduld nach Rom zu kommen, hielten uns ab, diesen berühmten Wasserfall zu besehen, welches wir um desto weniger bedauerten, da wir in Scotland zwölf Meilen von Hamilton, zu Corace, einen ähnlichen gesehen hätten, wo der von einer großen Höhe senkrecht herabfallende Fluß Clyde in allen Stücken dieselbigen Wirkungen hervorbringt, außer daß er den Zufall überlebt, und seinen Lauf noch funfzig Meilen weit fortsetzt, ehe er ins atlantische Meer fällt.

Von Terni bis Narni sind sieben Meilen. Der Weg ist ungemein gut, und das Land auf jeder Seite anmuthig. Wie wir uns Narni näherten, ließ ich die Chaisen voraus nach der Stadt fahren, und gieng zu Fuß hin, die Brücke des August zu besehen. Dieses große Werk ist ganz von Marmor, ohne Mörtel, wie viele andre alte Gebäude, zusammengefügt.

Nur

*) S. Keyßlers Reisen p. m. 580 f.

Nur ein einziger Bogen ist noch unversehrt: es ist der erste an der Seite des Flusses, wo ich war. Er ist hundert funfzig Fuß breit; es war kein Wasser unter demselben. Der nächste Bogen, unter welchem der Fluß durchfließt, ist zwanzig Fuß breiter, und hat eine merkliche Biegung; denn an der Seite des ersten Bogens ist er weit höher als an der andern. Die folgenden noch vorhandenen zwey Bogen sind in jeder Rücksicht kleiner als die beyden ersten. Die Ursache dieser so unangenehmen Unregelmäßigkeit eines Werks, das in andern Stücken so prächtig ist, und auf welches so viele Arbeit und Kosten verwendet worden seyn müssen, kann ich nicht errathen. Es ist zweifelhaft, ob im Anfange vier oder nur drey Bogen gewesen sind. Denn was einige für den Grund der beyden keinen Bogen halten, wird von andern für das Ueberbleibsel eines viereckten Pfeilers angesehen, der einige Zeit nach der Erbauung der Brücke zur Unterstützung der Mitte des dritten Bogens aufgeführt worden; der, wenn man nur drey annimmt, außerordentlich breit gewesen seyn muß.

Gemeiniglich führt dieses Werk den Namen der Brücke des August; und Addison ist der Meinung, daß Martial im zwey und neunzigsten Epigramm des siebenten Buchs darauf anspiele. Einige sehr verständige Reisende aber halten es für das Ueberbleibsel einer Wasserleitung, weil diese Bogen zwey Berge verbinden, und weit höher sind, als zu einer Brücke über den kleinen unten durchfließenden Fluß nöthig war. Auch vermuthen andere nicht ohne große Wahrscheinlichkeit, daß dieses Werk eigentlich zu beyden Zwecken bestimmt gewesen sey.

Da der Regen noch anhielt, so wurde ich über meiner Neugier, diese schönen Ruinen zu sehen, durch und durch naß. Mit schuldiger Gelassenheit nahm ich dieses als eine Strafe an, daß ich mich durch den Regen ab-

N 5 schrecken

schrecken lassen, den schönen Wasserfall von Terni zu be=
suchen. Mit großer Schwierigkeit kam ich auf einen
Fußsteig, den ich für kürzer und bequemer als die Land=
straße hielt, den Berg hinauf. Unglücklicher Weise führ=
te derselbe zu keinem Thor. Endlich aber fand ich ein
eingefallenes Stück der Mauer, über welches ich in die
Stadt kletterte. Martial gedenkt des beschwerlichen Zu=
gangs zu der Stadt:

> Narnia, sulphureo quam gurgite candidus amnis
> Circuit, ancipiti vix adeunda iugo.

- Die Stadt selbst ist sehr arm und schlecht bewohnt.
Inzwischen rühmt sie sich, der Geburtsort des Kaisers
Nerva und einiger andern berühmten Männer zu seyn.

Der Weg von Narni nach dem Posthause zu Otri=
coli ist ungemein rauh und bergicht. Das Dorf ist un=
gemein armselig, aber die Lage auf einem erhabenen
Grunde sehr angenehm. Zwischen diesem Ort und der
Tiber ist nicht weit von der Landstraße ein ziemlich gros=
ser Platz mit vielen losliegenden alten Trümmern und
Wölbungen, welche man gemeiniglich für Ruinen des
alten Ocriculum hält. Wir passirten diesen Weg des
Morgens sehr frühe, und wurden einen großen Theil des=
selben mit der Vocalmusik der Pilger unterhalten, von
denen wir verschiedene Schaaren, die von Rom zurück
kamen, wo sie des Jubiläi wegen gewesen waren, nahe
bey diesem Platze antrafen.

Der einzige Ort von Bedeutung zwischen Otricoli
und Rom ist Civita Castellana. Terni ist die letzte
Stadt in der Provinz Umbrien, und Castellana die
erste in dem alten Latium, wenn man über den flami=
nischen Weg nach Rom kommt. Viele Alterthums=
kundige halten Castellana für das Fescennium der Al=
ten; aus welcher Stadt ein Schulmeister, nach Livius
Erzäh=

Erzählung, aus einer Bosheit, von der man kein Beyspiel findet, eine Anzahl von den Söhnen der vornehmsten Einwohner dem Dictator Camillus, der damals
die Stadt belagerte, in die Hände lieferte. Der groß-
müthige Römer, der die Verrätherey eben so sehr als
den Verrath verabscheuete, befahl diesen Niederträchti-
gen auszuziehen, ihm die Hände auf den Rücken zu
binden, und den Knaben zu überliefern, die ihn mit
Ruthen bewaffnet nach Fescennium zurückpeitschten,
und ihren Aeltern überlieferten, um ihn nach Verdienst
zu behandeln.

Civita Castellana liegt auf einem hohen Felsen,
und muß ehemals ungemein fest gewesen seyn; jetzt aber
befindet es sich in keinem sehr blühenden Zustande. Viele von den angeführten Städten, die an der Landstraße
nach Rom liegen, welche der flaminische Weg heißt,
haben zu verschiedenen Zeiten durch die Einfälle der Vi-
sigothen und Hunnen, wie auch durch spätere Kriegszü-
ge, weit mehr als diejenigen gelitten, welche in einem andern Theil Italiens sich befinden.

Dies ist gewiß das einzige Land in der Welt, wo
die Felder desto wüster werden, je näher man der Hauptstadt kommt. Wenn man durch die bebaueten und
fruchtbaren Thäler Umbriens gekommen ist, so empfindet man eine gedoppelte Rührung bey dem Anblick
des kläglichen Zustandes des armen vernachläßigten
Latiums. Verschiedene Poststationen lang, ehe man
nach Rom kommt, sieht man wenig Landbau, und
kaum einige Einwohner: in Campania di Roma,
der vormals am besten bebaueten und bevölkerten Gegend von der Welt, keine Häuser, keine Bäume, keine Einzäunungen; nichts als zerstreuete Ruinen von
Tempeln und Grabmälern, welche eine Vorstellung eines

nes durch die Peſt entvölkerten Landes geben können. Alles iſt ohne Bewegung, ſtill, und verlaſſen.'

Mitten unter dieſen öden Feldern hebt die alte Königinn der Welt ihr Haupt in melancholiſcher Majeſtät hervor.

XXXVI. Brief.

Rom.

Wundern Sie ſich nicht über mein Stillſchweigen ſeit einigen Wochen. Bey der Ankunft an einem Orte, wo ſo viele intereſſante Gegenſtände ſind als in Rom, ſind wir gemeiniglich ſo ſehr Selbſtler, daß wir erſt unſere Neugier reichlich befriedigen, ehe wir die von unſern Freunden einigermaßen ſtillen. Meine erſte Sorge war, dem Prinzen Giuſtiniani aufzuwarten, an welchen wir Briefe von dem ſpaniſchen Geſandten zu Wien, dem Grafen Mahoni, hatten, mit deſſen Nichte der Prinz verheirathet iſt. Nichts übertrifft die uns von dem Prinzen und der Prinzeſſinn erwieſene Höflichkeit und Achtung. Er machte dem Herzog von Hamilton gleich die Aufwartung, und beſtand darauf, uns in ſeinem eignen Wagen in alle vornehme Häuſer eluzuführen. Täglich wurden mit dieſer Ceremonie zwey bis drey Stunden zugebracht. Wenn man einmal vorgeſtellet iſt, ſo bedarf es keiner weitern Einladung.

Gewöhnlich bringen wir unſere Morgenſtunden mit Beſichtigung der Alterthümer und Gemälde in den Paläſſen zu. Bey der Gelegenheit werden wir von Herrn Byres, einem rechtſchaffnen, einſichtsvollen Mann, der einen richtigen Geſchmack hat, begleitet. Alle Abend ſind wir gemeiniglich zwey bis drey Stunden bey den **Converſazioni.** Ich rede in der mehrern Zahl: denn

oft

oft besuchen wir verschiedene an einem Abend. Es trifft sich oft, daß drey, vier oder mehrere vom Adel diese Versammlungen zu gleicher Zeit haben; und beynahe die ganze Gesellschaft von einem gewissen Range in Rom macht es sich zum Gesetz, wenn sie eine besuchen, alle zu besuchen. Ob nun gleich dieses sehr viel Geräusch ist, und der Ort beständig verändert wird, so findet man doch selten eine Veränderung der Gesellschaft, oder Abwechselung des Zeitvertreibes, ohne was der Wechsel des Orts verursacht. Doch dieser Umstand allein thut oft gute Dienste, einen langweiligen Abend hinzubringen. Denn wenn die Gesellschaft an einem Orte keinen großen Zeitvertreib findet, so eilt sie nach einem andern, in Hoffnung besser unterhalten zu werden. Gemeiniglich schlägt solches fehl; das hält sie aber nicht ab, es an einem dritten und vierten Orte zu versuchen; und ob sich gleich der Versuch, so weit er auch getrieben wird, immer in neuen Täuschungen endigt, so ist doch endlich der Abend hin, und ich habe Leute gesehen, die ohne dieses Hülfsmittel Gefahr liefen, sich selbst vom Leben zu helfen. Dieses Geräusch und Umherlaufen nach Dingen, die keine bleibende Zufriedenheit geben, und wo man nicht einmal recht weiß, von wannen man kommt, und wohin man geht, werden Sie gewiß für eine sehr einfältige Beschäftigung halten. Und so ist es. — Und was ist das menschliche Leben bey aller aufgeblasenen Wichtigkeit, die einige annehmen?

Nachdem ich Ihnen gesagt habe, was fünf bis sechs Conversazioni sind, will ich Ihnen auch einen Begriff zu machen suchen, was eine ist. Diese Versammlungen oder Gesellschaften werden immer in dem vornehmsten Saale des Palastes gehalten, der gemeiniglich im zweyten, bisweilen auch im dritten Stock ist. Nicht allemal ist es leicht, dies Gemach zu finden, weil die Treppe bisweilen schlecht erleuchtet ist. Wenn Sie in die

Halle

Halle kommen, wo sich die Lakeyen der Gesellschaft aufhalten, so wird Ihr Name von einigen Bedienten des Hauses laut ausgerufen, und, so wie Sie durch die Zimmer gehen, wiederholet. Diejenigen, deren Namen man nicht kennet, werden unter der allgemeinen Benennung der Fremden oder englischen Cavaliere angekündigt. Wenn Sie in das Zimmer kommen, werden Sie von dem Herrn oder der Frau vom Hause, die zu dem Ende dicht an der Thür sitzt, empfangen. Nach einem kurzen Compliment mischen Sie sich unter die Gesellschaft, die oft so groß ist, daß nur die Damen die Bequemlichkeit haben können, sich zu setzen. Ungeachtet der Größe und Anzahl der Gemächer in den italiänischen Palästen, trifft es sich doch oft, daß die Gesellschaft so gepreßt ist, daß man Mühe hat, aus einem Zimmer in das andre zu kommen. Es sind immer mehr Männer als Frauenzimmer da; keine Dame kommt ohne eine Mannsperson, von der sie hereingeführt wird. Dieser, der die Stelle eines Cavaliero Servante hat, kann ihr Verwandter, oder Liebhaber, oder beydes seyn. Er kann auf alle Arten mit ihr in Verbindung stehen, eine einzige ausgenommen — er darf nicht ihr Ehemann seyn. Zwar wird noch in diesem Lande zu den Vertraulichkeiten zwischen Mann und Weib durch die Finger gesehen, wenn sie nur ins Geheim geschehen; aber daß ein Mann sich öffentlich mit seiner Frau Hand an Hand sehen läßt, wird nicht gelitten.

Auf des Cardinal Bernis Assemblee, welche gewöhnlich voller als irgend eine in Rom ist, wird die Gesellschaft mit Kaffee, Limonade und verschiedenen Arten Eisconfituren bedient; aber dieses ist nicht durchgehends gebräuchlich. Mit einem Wort, auf einer Conversazione haben Sie Gelegenheit eine Anzahl wohlgekleideter Leute zu sehen; Sie reden einige Worte mit denen, die Sie kennen, grüssen die übrigen, und genießen das Vergnü-

Vergnügen, von der besten Gesellschaft in Rom gedruckt
und gepreßt zu werden. Ich weiß nicht, was weiter von
diesen Versammlungen zu sagen wäre, es möchte denn
nöthig seyn, um allem Irrthum vorzubeugen, hinzuzuse-
tzen, daß eine Conversazione ein Ort ist, wo keine Con-
versation ist. Um neun Uhr brechen alle auf, außer einer kleinen ausgesuchten Gesellschaft, die zum Abendessen eingeladen wird. Doch ist das gegenwärtige Geschlecht der Römer kein so großer Liebhaber von Gast-
mahlen als ihre Vorfahren. Die Pracht des römischen
Adels zeigt sich nun in andern Stücken als in dem Wohlleben der Tafel: gemeiniglich ißt er des Mittags in der
Stille zu Hause. Selten werden Fremde, außer bey den
auswärtigen Gesandten, zum Mittagsessen geladen. Die
Gastfreyheit des Cardinal Bernis ersetzt allein alles,
was darin abgeht. Der großbritannische Hof hat keinen Gesandten zu Rom, aber die Engländer empfinden
diesen Mangel nicht. Wenn dem französischen Cardinal von seinem Hofe vorgeschrieben wäre, ihnen besondere Achtung zu beweisen, so könnte er nicht mehr thun,
als er thut. Nichts kann die zierliche Pracht seiner Tafel, nichts die glänzende Gastfreyheit, die er ausübt,
übertreffen. Der Witz und die Lebhaftigkeit, welche
ihn in seiner Jugend berühmt machten, ist durch seine
Jahre nicht geschwächt; niemand würde die Ansprüche
der französischen Nation auf eine vorzüglich feine Le-
bensart besser unterstützen können, als ihr Gesandter
zu Rom. *

Auf den Gassen brennen des Nachts keine Lampen,
und ganz Rom würde in der äußersten Finsterniß seyn,
wenn nicht die Andacht einzeler Personen bisweilen vor
gewisse Bildsäulen der Jungfrau Lichter stelleten. Diese schimmern schwach in großen Zwischenräumen, wie
Sterne in einer wolkichten Nacht. Die Lakeyen der Personen vom ersten Range tragen Blendlaternen hinten auf

dem

dem Wagen bey sich. Cardinäle und andre Geistliche
lassen ihre Kutschen nicht gern vor allen Thüren, wo sie
Besuche abstatten, sehen. Sie können leicht erachten,
daß in einer solchen Dunkelheit verliebte Zusammenkünfte
auf den Gassen unter den niedrigen Klassen des Volks
etwas häufiges sind. Kommt ein Wagen mit einer
Leuchte zufälligerweise einem Paar zu nahe, das nicht erkannt seyn will, so ruft eines von beyden aus: Volti la
lanterna (die Laterne umgedreht)! und wird gehorcht.
Der Wagen fährt vorbey, ohne sie weiter zu bemerken.
Sie wissen, daß Venus immer zu Rom wegen ihres
Liebeshandels mit Anchises vorzüglich geehrt worden:

> Genus unde latinum
> Albanique patres, atque alta moenia Romae.

Die Italiäner haben überhaupt eine besonders ernsthafte Mine, die sie sogar dann beybehalten, wenn sie sich
von lustigen Dingen unterreden. Ich habe zu Venedig
etwas davon bemerkt, aber zu Rom dünkt es mich noch
weit stärker zu seyn. Die römischen Damen haben etwas schmachtendes in ihren Gesichtszügen, das eben so
viel Empfindsamkeit als der muntere Blick der Franzö-
sinnen verspricht; und ohne der letztern Geschwätzigkeit
oder der Venetianerinnen Freymüthigkeit zu besitzen, scheinen sie keineswegs abgeneigt, Verbindungen mit Fremden einzugehen. Der Herzog von Hamilton wurde auf
einer Assemblee einer schönen jungen Dame vorgestellt.
Gesprächsweise sagte er: er hätte vernommen, sie sey
kürzlich verheirathet worden. Sie antwortete hurtig:
Signor sì — mà mio marito è un Vecchio (Ja, mein
Herr; aber mein Manu ist alt). Und mit Kopfschüt-
teln, und in dem rührendsten Ton setzte sie hinzu: O san-
tissima Virgine, quanto è vecchio (O heiligste Jungfrau, wie alt ist er)!

XXXVII. Brief.

XXXVII. Brief.

Rom.

Die Schriftsteller sind in ihrer Meinung von der Anzahl der Einwohner in Rom, als es am volkreichsten war, nicht einig. Einige setzen sie auf sieben Millionen, andre nehmen noch mehrere an. Das scheinen mir alle unglaubliche Uebertreibungen zu seyn. Es ist nicht wahrscheinlich, daß die eigentlich so genannte Stadt Rom sich je über die Mauer hinaus erstreckt habe, welche Belisar nach der Niederlage der Gothen bauen ließ. Diese Mauer ist seitdem oft ausgebessert worden, und steht noch. Sie hat dreyzehn bis vierzehn Meilen im Umfange, welches beynahe die Größe ist, welche Rom nach dem Plinius zur Zeit Vespasians hatte. Man hält dafür, daß diejenigen, welche behaupten, die Anzahl der Einwohner in dem alten Rom, wie es am volkreichsten war, sey mit Ausschließung der Sklaven nicht über eine Million gewesen, sehr mäßig gerechnet haben; wenn wir aber erwägen, daß ein Umfang von dreyzehn bis vierzehn Meilen dem von Paris oder London nicht gleich kommt, daß der Campus Martius, der am besten bebauete Platz des neuen Roms, in alten Zeiten ein Feld war, auf welchem kein Haus stand, und daß die Höhe, auf welcher St. Peterskirche und der Vatican stehen, nicht zu dem alten Rom gehörte, so fällt es schwer zu begreifen, wie Rom jemals sich einer Million Einwohner habe rühmen können. Ich für meine Person kann nicht glauben, wenn die Mauer des Belisarius als die Grenze der alten Stadt angenommen wird, wie sie jemals mehr als fünf bis sechs hundert tausend Mann habe enthalten können, ohne vorauszusetzen, daß die Herren der Welt am schlechtsten gewohnt haben.

Wenn aber in der vorigen Berechnung die Vorstädte mit eingeschlossen sind; wenn diejenigen, die außerhalb den Mauern lebten, mit als Einwohner angesehen werden: so ist Raum genug, welche Zahl man auch annimmt, da die Grenzen der Vorstädte noch nicht bestimmt sind.

Die Gebäude, welche unmittelbar außer den Mauern von Rom, aber so genau damit verbunden waren, daß sie den Namen der Vorstädte verdienten, waren gewiß von einem großen Umfange, und müssen mit denen in der Stadt selbst eine erstaunende Menge Volks enthalten haben. Nach einer Berechnung des Herrn Byres war der Circus Maximus groß genug, drey hundert achtzig tausend Zuschauer zu fassen, und wir finden in den lateinischen Dichtern, daß er gewöhnlich voll gewesen sey. Wenn nun noch die Greise, die Schwachen und Kranken, die Kinder, die in ihren eignen Angelegenheiten Beschäftigten, und die Sklaven, welche während der Spiele nicht in den Circus kommen durften, in einer gehörigen Proportion hinzugethan werden, so muß nach Byres Meinung die ganze Anzahl der Einwohner in der Stadt und den Vorstädten nicht viel unter drey Millionen gewesen seyn.

Wie groß aber auch der Umfang der Vorstädte von Rom gewesen, so ist es doch wahrscheinlich, daß sie nur aus gemeinen Häusern bestanden haben, und von geringen Leuten bewohnt worden sind. Es ist keine Spur von Palästen oder prächtigen Gebäuden nahe an den Mauern, oder auch nur über die ganze Campania zu sehen. Und doch behaupten einige Schriftsteller, daß diese weite Fläche zu einer Zeit wie ein aneinanderhängendes Dorf bevölkert gewesen sey; und es wird uns gemeldet, daß Fremde, wenn sie diese mit Häusern bedeckte ungeheure Ebne gesehen, sich eingebildet haben schon in Rom zu seyn,

seyn, da sie doch noch dreyßig Meilen von den Mauern der Stadt gewesen sind.

Einige von den sieben Hügeln, auf denen Rom erbauet war, scheinen jetzt nur keine Erhöhungen, weil die Zwischenräume durch den Schutt der verfallenen Häuser sehr erhöhet worden. Auf einigen derselben findet man kaum einige Häuser, indem sie völlig zu Gärten und Weingärten eingerichtet sind. Gemeiniglich hält man dafür, daß zwey Drittheile der Oberfläche innerhalb den Mauern sich in dieser Verfassung befinden, oder mit Ruinen bedeckt sind; und Nachrichten zufolge, denen ich am meisten traue, ist die Zahl der Einwohner gegenwärtig auf hundert siebzig tausend Mann, welche Zahl zwar weit geringer ist, als was Rom in den Tagen seiner alten Macht enthielt, aber doch mehr, als sie meistentheils seit dem Fall des Reichs gewesen. Man hat guten Grund zu glauben, daß diese Stadt seitdem in besondern Zeitpunkten, deren einige nicht weit entfernt sind, auf dreyßig bis vierzig tausend Einwohner herabgekommen ist. In diesem Jahrhunderte hat sich die Anzahl allmählig vermehrt. Da es nicht so kostbar war, neuen Grund zum Bauen anzukaufen, als Plätze vom Schutt zu reinigen, der durch Länge der Zeit so fest wie ein Fels geworden war, so ist ein großer Theil der neuen Stadt auf dem alten Campus Martius erbauet worden.

Einige der Hauptstraßen sind von ansehnlicher Länge und vollkommen gerade. Die, welche der Corso heißt, wird am meisten besucht. Sie geht von dem Thor del Populo, längst der Seite des Campus Martius, nach der alten Stadt. Hier zeigt der Adel während des Carnevais seine Equipagen, und schöpft bey schönem Wetter des Abends frische Luft. Hier ist in der That der große Schauplatz der römischen Pracht und Zeitvertreibes.

Die

Die Läden an den beyden Seiten sind drey bis vier
Fuß höher als die Gasse; und zur Bequemlichkeit der
Fußgänger ist ein Fußsteig in einer Gleichheit mit den
Läden. Die Paläste, deren verschiedene in dieser Gasse
sind, stehen in einer Linie mit den Häusern, haben keine
Vorhöfe wie die Hotels zu Paris, und werden dem Anblick der Bürger nicht durch hohe düstre Mauern entzogen, wie Devonshire= und Burlington= Haus in London. Solche traurige Verschanzungen schicken sich bes-
fer für den ungeselligen Charakter eines stolzen Barons
in den Tagen einer aristokratischen Tyranney, als zu
der gastfreyen gutthätigen Gesinnung ihres jetzigen
Eigners.

Ich habe gesagt, daß der Corso bey dem schönen
Platz unmittelbar an dem Thor del Populo anfängt.
Dies ist das Thor, durch welches wir in Rom kamen.
Es ist in einem edeln Styl zierlicher Einfalt nach dem
Riß Michael Angelo's von Bernini erbauet.

Die Straße Felice in dem höhern Theil der Stadt
ist von der Trinita del Monte bis an die Kirche St.
Johann vom Lateran, auf dem pinceanischen Hügel,
anderthalb Meilen lang. Diese Straße geht in einer
geraden Linie fort, es wird aber das Gesicht durch eine
schöne Kirche, Sta. Maria Maggiore, unterbrochen.
Die Strada Felice wird von einer andern geraden
Straße durchschnitten, welche Strada di Porta Pia
heißt, und sich an der einen Seite bey dem Thor, von
dem sie den Namen hat, an der andern Seite aber bey
vier kolossischen Statuen von weißem Marmor endigt, die
zwey von zween Männern geleitete Pferde vorstellen.
Einige glauben, daß sie Alexander, der den Bucc-
phalus zähmt, bedeuten sollen; andere aber erklären
sie für Castor und Pollux. Sie stehen vor des Papstes Palast auf dem quirinalischen Hügel, und haben eine
edle Wirkung.

Es

Es würde schwerer werden, von den kleinern nicht so regelmäßigen Straßen Ihnen einen Begriff zu geben. Ich will daher nur überhaupt anmerken, daß Rom gegenwärtig ein seltsames Gemisch von prächtigen und interessanten, gemeinen und armseligen Gegenständen darstellt. Jene bestehen aus Palästen, Kirchen, Springbrunnen, und vor allem aus den Ueberbleibseln des Alterthums. Zu diesen rechne ich alles übrige in der Stadt. Die Peterskirche übertrifft nach der Meinung vieler an Größe und Pracht die schönsten Denkmäler der alten Baukunst. Die griechischen und römischen Tempel waren wegen der Zierlichkeit ihrer Form berühmter als wegen ihrer Größe. Das Pantheon, das allen Göttern errichtet war, ist der unversehrteste alte Tempel in Rom. Man sagt, Michael Angelo habe, um den Sieg der neuen Baukunst über die alte zu bestätigen, die St. Peterskuppel von einem Durchmesser mit dem Pantheon gemacht, und das unermeßliche Gebäude auf vier Pfeiler gegründet, da hingegen die ganze Rundung der Rotunda auf dem Grunde ruhet. Vielleicht ergötzte sich dieser große Künstler an der Vorstellung, für größer als die alten Baumeister gehalten zu werden, da ihm bewußt war, daß er einigen Bildhauern des Alterthums nachstehen müßte.

Wer die St. Paulskirche in London gesehen hat, kann durch eine Vergrößerung des Maaßes sich von dem äußern Ansehen der St. Peterskirche einen Begriff machen. Aber bey der Vergleichung von innen fehlt die Aehnlichkeit ganz, da diese an vielen Stellen mit dem kostbarsten und schönsten Marmor überzogen, und mit schätzbaren Gemälden, und allem, was die Bildhauerkunst zu liefern vermag, bedeckt ist.

Der Zugang zu St. Peters übertrifft den zu St. Pauls in einem noch größern Verhältnisse, als jene Kirche diese in der Größe oder in dem Reichthum und der

Schönheit

ben die Werke Raphaels und andrer großen Maler auf
eine spätere Nachwelt, als sie selbst erwarteten, gelangen;
und obgleich alle Schönheit der Originale in der Copie
nicht beybehalten werden kann, so würde es doch eine
grobe Verstellung seyn, wenn man die Erhaltung eines
großen Theils derselben leugnen wollte. Wie glücklich
würden sich die wahren Liebhaber der Kunst in diesem
Zeitalter schätzen, wenn sie solche Proben von dem
Genie eines Zeuxis, Apelles und anderer alten Maler hätten!

Man hat oft angemerkt, daß die Verhältnisse dieser
Kirche so schön, und die Symmetrie aller ihrer Theile
so vortrefflich ist, daß das Ganze merklich kleiner scheint,
als es wirklich ist. Inzwischen war doch gewiß die Absicht, daß es ein großes und erhabnes Werk scheinen,
und durch seine ungeheure Größe Bewunderung erregen
sollte. Ich kann daher unmöglich der Meinung seyn,
daß etwas, das diese Wirkung vereitelt, mit Recht eine
Vortrefflichkeit genannt werden mag. Vielmehr sollte
ich denken, daß es einen weit wünschenswürdigern Eindruck gemacht haben würde, wenn der Baumeister der
Kirche das Ansehen hätte geben können, als sey sie grösser, als sie wirklich ist; doch müßte dieses haben geschehen können, ohne unsre Bewunderung in irgend einem
wesentlichen Punkte zu schwächen. Wenn dieses aber
nicht erreicht werden konnte, wenn es ausgemacht ist,
daß die Verhältnisse in der Baukunst, welche die schönste Wirkung auf das Ganze hervorbringen, einem Gebäude allemal ein kleineres Ansehen geben, als es wirklich ist: so muß man solches mehr einen unglücklichen
als glücklichen Zufall nennen. Je mehr ich dieses über-
lege, desto gewisser scheint es mir, daß kein System der
Verhältnisse, welches die Wirkung hat, einem großen
Gebäude das Ansehen zu geben, als ob es klein sey, deswegen vortrefflich ist. Wenn die Eigenschaft, große
Dinge

Dinge verkleinert darzustellen, allen harmonischen Verhältnissen eigen ist, so ist solches nach meinem Dünken
eine sehr zu bedauernde Unvollkommenheit. In keinen
Gebäuden, wo wir aus Anmuth und Zierlichkeit Vergnügen schöpfen, ist das Uebel zu ertragen; aber in grossen, denen ihr Körper eine gewisse Erhabenheit zu verschaffen vermag, kann der Fehler der Verkleinerung
durch die Uebereinstimmung der Theile nicht ersetzt werden. Den Werth des Erhabenen ersetzt nichts.

XXXVIII. Brief.

Rom.

Vor einigen Tagen wurde die große Procession des
Possesso (Besitznehmung) gehalten. Dies ist
eine Ceremonie, welche ein jeder Papst, so bald es sich
schicken will, verrichtet, nachdem sich das Conclave für
ihn erklärt hat. Es ist eben das, was die Krönung in
England, oder die Salbung zu Rheims ist. Bey dieser Gelegenheit geht der Papst nach der Hauptkirche St.
Johann vom Lateran, und (wie der Ausdruck lautet) nimmt Besitz von ihr. Diese Kirche soll die älteste
aller Kirchen in Rom, und die Mutter aller Kirchen in
der Christenheit seyn. Wenn er sie solchemnach in Besitz genommen hat, so muß er das wahre Haupt der
christlichen Kirche und Christi Statthalter auf Erden
seyn. Von St. Johann vom Lateran geht er nach
dem Capitol, und empfängt die Schlüssel dieser Festung;
und wenn dieses geschehen, so ist es eben so deutlich, daß
er, gleich den alten Besitzern des Capitols, eine Gewalt
über alle Könige haben muß.

Der Prinz Giustiniani verschaffte uns einen Platz
in dem Hause eines Senators im Capitol, von dannen

wir

den die Werke Raphaels und andrer großen Maler auf
eine spätere Nachwelt, als sie selbst erwarteten, gelangen;
und obgleich alle Schönheit der Originale in der Copie
nicht beybehalten werden kann, so würde es doch eine
grobe Verstellung seyn, wenn man die Erhaltung eines
großen Theils derselben leugnen wollte. Wie glücklich
würden sich die wahren Liebhaber der Kunst in diesem
Zeitalter schätzen, wenn sie solche Proben von dem
Genie eines Zeuxis, Apelles und anderer alten Maler hätten!

Man hat oft angemerkt, daß die Verhältnisse dieser
Kirche so schön, und die Symmetrie aller ihrer Theile
so vortrefflich ist, daß das Ganze merklich keiner scheint,
als es wirklich ist. Inzwischen war doch gewiß die Absicht, daß es ein großes und erhabnes Werk scheinen,
und durch seine ungeheure Größe Bewunderung erregen
sollte. Ich kann daher unmöglich der Meinung seyn,
daß etwas, das diese Wirkung vereitelt, mit Recht eine
Vortrefflichkeit genannt werden mag. Vielmehr sollte
ich denken, daß es einen weit wünschenswürdigern Eindruck gemacht haben würde, wenn der Baumeister der
Kirche das Ansehen hätte geben können, als sey sie größer, als sie wirklich ist; doch müßte dieses haben geschehen können, ohne unsre Bewunderung in irgend einem
wesentlichen Punkte zu schwächen. Wenn dieses aber
nicht erreicht werden konnte, wenn es ausgemacht ist,
daß die Verhältnisse in der Baukunst, welche die schönste Wirkung auf das Ganze hervorbringen, einem Gebäude allemal ein kleineres Ansehen geben, als es wirklich ist: so muß man solches mehr einen unglücklichen
als glücklichen Zufall nennen. Je mehr ich dieses über-
lege, desto gewisser scheint es mir, daß kein System der
Verhältnisse, welches die Wirkung hat, einem großen
Gebäude das Ansehen zu geben, als ob es klein sey, deswegen vortrefflich ist. Wenn die Eigenschaft, große
Dinge

Dinge verkleinert darzustellen, allen harmonischen Verhältnissen eigen ist, so ist solches nach meinem Dünken eine sehr zu bedauernde Unvollkommenheit. In keinen Gebäuden, wo wir aus Anmuth und Zierlichkeit Vergnügen schöpfen, ist das Uebel zu ertragen; aber in grossen, denen ihr Körper eine gewisse Erhabenheit zu verschaffen vermag, kann der Fehler der Verkleinerung durch die Uebereinstimmung der Theile nicht ersetzt werden. Den Werth des Erhabenen ersetzt nichts.

XXXVIII. Brief.

Rom.

Vor einigen Tagen wurde die große Procession des Possesso (Besitznehmung) gehalten. Dies ist eine Ceremonie, welche ein jeder Papst, so bald es sich schicken will, verrichtet, nachdem sich das Conclave für ihn erklärt hat. Es ist eben das, was die Krönung in England, oder die Salbung zu Rheims ist. Bey dieser Gelegenheit geht der Papst nach der Hauptkirche St. Johann vom Lateran, und (wie der Ausdruck lautet) nimmt Besitz von ihr. Diese Kirche soll die älteste aller Kirchen in Rom, und die Mutter aller Kirchen in der Christenheit seyn. Wenn er sie solchemnach in Besitz genommen hat, so muß er das wahre Haupt der christlichen Kirche und Christi Statthalter auf Erden seyn. Von St. Johann vom Lateran geht er nach dem Capitol, und empfängt die Schlüssel dieser Festung; und wenn dieses geschehen, so ist es eben so deutlich, daß er, gleich den alten Besitzern des Capitols, eine Gewalt über alle Könige haben muß.

Der Prinz Giustiniani verschaffte uns einen Platz in dem Hause eines Senators im Capitol, von dannen

O 5

wir

wir die Proceſſion auf das beſte ſehen konnten... Bey unſerer Ankunft wunderten wir uns, das Hauptgebäude des Palaſtes ſowohl als den Palazzo de Conſervatori und das Muſeum, welches die beyden Flügel ausmachen, ganz mit rother Seide mit goldenen Borten behangen zu ſehen. Die Baſen und Capitäler der Säulen und Pfeiler, wo die Seide ſich nicht genau anſchlieſſen kounte, waren vergoldet. Stellen Sie ſich nur die Figur des farneſiſchen Hercules vor, wenn er in einem ſeidenen Kleide, wie ein franzöſiſcher Stußer erſchiene. Eine eben ſo ſehr zu rühmende Verſchönerung iſt es meines Erachtens, wenn die edle Einfalt von Michael Angelo's Baukunſt mit ſolchem Flitterſtaat als einer Zierde bedeckt wird.

Indem ich ein Auge auf das Pantheon richtete, und es mit dem Capitol in ſeiner jetzigen Kleidung verglich, fiel mir die Schönheit und Richtigkeit folgender Zeilen mehr wie jemals auf:

Schau, wie das furchtbare Pantheon, unter den Kuppeln von neuern Händen, unter dem Puppenwerk eines eiteln Staats da ſteht. Wie einfach, wie ernſthaft groß!

Wir wurden zu einem Erker geführt, wo viele Damen vom erſten Range in Rom verſammlet waren. Männer waren nicht da, außer einige wenige Fremde; der mehreſte Theil des römiſchen Adels hat bey der Proceſſion eine Bedienung. Der Augenblick, da Seine Heiligkeit aus dem Vatican gieng, wurde durch Abfeuerung der Kanonen von der Engelsburg bekannt gemacht, auf deren Spitze die Fahne der Kirche vom Morgen an geweßet hatte. Wir konnten den Zug bey ſeiner Zurückkunft aus der Kirche, als er nach dem Capitol heraufgieng, vollkommen gut ſehen. Die Officiere von der päpſtlichen Wache zu Pferde waren ſo reich als

anſtändig

anständig gekleidet. Es war ein Mittelding zwischen
der ungarischen und spanischen Tracht. Ob der König
von Preussen die große Menge Federn gut heißen würde, welche sie auf ihren Hüten trugen, weiß ich nicht:
aber sie hatten ein sehr malerisches Ansehen; und was ins
Auge fällt, schickt sich am besten für Seiner Heiligkeit
Wache. Die Schweizergarden waren nicht so schicklich
gekleidet. Sie trugen wirkliche Panzerhemden, mit
Helmen auf den Häuptern, als ob sie das Capitol mit
Sturm einnehmen wollten, und tapfern Widerstand vermutheten. Ihr Ansehen contrastirte sehr mit den römischen Baronen, die ohne Stiefeln in voller Staatsklei-
dung zu Pferde saßen. Vor jedem giengen vier Pagen
her, deren Haar in regelmäßigen Locken bis auf die Mitte des Rückens herabhiengen. Ihnen folgte eine Menge
Bedienten in reichen Livreyen. Bischöfe und andere
Geistlichen kamen nach den Baronen, und hinter ihnen
die Cardinäle zu Pferde in ihrer Purpurkleidung, die
das ganze Pferd bedeckte, außer den Kopf. Sie können glauben, daß die sanftesten Pferde, die nur zu finden sind, zu dieser Ceremonie gewählt werden; denn
wenn sie nur im Geringsten unbändig wären, so würden
sie nicht nur die den Zug umgebenden Schaaren Volks be-
schädigen, sondern auch Ihre Eminenzen, die in keinem
Ruf stehen geschickte Reiter zu seyn, herabwerfen. Endlich nach allen kam der Papst selbst, auf einem mild weis-
sen Maulthiere, mit milder Hand den Segen unter die
Menge austheilend, die ihm mit dem Zuruf: Viva il
Santo Padre (es lebe der heilige Vater)! folgte, und sich
vor dem Maulthiere mit einem: Benedizione santo Padre
(den Segen H. Vater)! niederwarf. Er bewegte
beständig die Hand in Form eines Kreuzes, um dem
Segen, den er aussprach, mehr Nachdruck zu ertheilen.
Da er die ganze Procession über auf diese Weise beschäftigt ist, so läßt es sich nicht vermuthen, daß er auf sein
Maul-

Maulthier im Geringsten Acht geben kann; deswegen
wird der Zaum von zwey Personen gehalten, welche neben ihm nebst einigen andern gehen, den unfehlbaren
Vater der Kirche zu halten, und zu verhüten, daß er
nicht herabgeworfen wird, wenn etwa das Maulthier
stolpert.

Bey dem Eintritt in das Capitol gieng ihm der Senator von Rom entgegen, und überreichte Seiner Heiligkeit knieend die Schlüssel, der ihm den Segen ertheilte, und sie ihm wieder zustellte. Wie der Papst vom
Capitol weiter gieng, kam ihm eine Gesandtschaft der
Juden entgegen, bald nachdem er durch den Bogen des
Titus gegangen war. Sie wurde von dem obersten
Rabiner angeführt, welcher ihm eine Rolle Pergament
überreichte, worauf das ganze Gesetz Mosis in hebräi-
scher Sprache geschrieben war. Seine Heiligkeit
nahm das Pergament sehr freundlich an, und sagte zugleich zu dem Rabbi, er nähme das Geschenk aus Ehrerbietung für das Gesetz selbst an, ob er gleich die Ausle-
gung völlig verwürfe: denn das alte Gesetz sey durch
die Ankunft des Messias erfüllt worden, und gölte nun
nicht mehr. Da hier weder Zeit noch Ort dem Rabbi
bequem war, sich in einen Streit über diese Materie ein-
zulassen; so beugte er stillschweigend sein Haupt, und
gieng mit seinen Landesleuten wieder fort, in völliger
Ueberzeugung, daß die Unrichtigkeit des päpstlichen Vorgebens der ganzen Welt zu rechter Zeit bekannt werden
würde. Mittlerweile zog Seine Heiligkeit durch die vornehmsten Straßen nach dem Vatican.

Ich höre, daß diese Procession eine der prächtigsten
und glänzendsten seyn soll, die hier gehalten werden, wo
es freylich weit mehr dergleichen feyerliche Aufzüge als
in andern Ländern giebt; im Ganzen aber muß ich gestehen, hat sie mich nicht befriedigt, und aller Pomp und
Schimmer konnten es nicht verhindern, daß nicht eine
mit

mit Empfindungen des Unwillens vermischte unangeneh=
me Betrachtung in mir aufgestiegen wäre. Wer eine
reine Bewunderung empfinden will, wenn er den Papst
und die Cardinäle im Triumph nach dem Capitol ziehen
sieht, muß diejenigen vergessen, welche sich ehemals im
Triumph dahin begaben; muß gänzlich vergessen, daß
ein Camill, Scipio, Paul Aemil und Pompeius in
der Welt gewesen; muß einen Cato vergessen, dessen
Feldzug nach Africa Lucan so sehr bewundert, daß
er sich erklärt, er wollte den Ruhm von diesem einzigen
Feldzuge lieber gehabt haben, als die drey Triumphe
Pompejens, und alle Ehre, die derselbe durch Endi=
gung des jugurthinischen Kriegs erwarb:

Hunc ego per Syrtes Libyaeque extrema triumphum
Ducere maluerim, quam ter Capitolia curru
Scandere Pompeii, quam frangere colla Iugurthae;

wir müssen Caius Cassius, Marcus Brutus und
alle große tugendhafte Männer des alten Roms
vergessen, die wir von unserer Kindheit an bewundert
haben, und deren große Eigenschaften unsere Bewunde=
rung vergrößern, je nachdem unsere Erfahrung und
Kenntniß des jetzigen Menschengeschlechts zunimmt. Im
Capitol seyn, und nicht an die berühmten Männer der
alten Republik denken, nicht von ihnen reden, ist fast
unmöglich:

Quis te, magne Cato, tacitum, aut te, Cassi, relinquat?
Quis Gracchi genus? aut geminos, duo fulmina belli,
Scipiadas?

XXXIX. Brief.

XXXIX. Brief.

Nachdem ich so viel von der St. Peterskirche gesagt habe, welche ohnstreitig das schönste Stück der neuern Baukunst in Rom ist, so erlauben Sie mir, einige der besten Muster der Alten zu berühren.

Mit dem Pantheon will ich den Anfang machen, der zwar nicht der größte, aber doch der unversehrteste von den noch übrigen römischen Tempeln ist. Der Tempel des Jupiter Capitolinus und der Tempel des Friedens waren beyde, wenn den Nachrichten, die wir von jenem haben, und den Ruinen, die wir von diesem auf dem Campo Vaccino sehen, zu trauen ist, weit grösser als das Pantheon. Ungeachtet dieses von den Gothen, Vandalen und Päpsten sehr beraubt worden, bleibt es doch ein schönes Denkmal des römischen Geschmacks. Der Himmel über dem großen Altar in St. Peters, welcher unter der Kuppel steht, und die vier gewundenen Säulen von korinthischem Erz, auf welchen er ruhet, wurden von der Beute aus dem Pantheon gemacht, welches bey dem allen, und ob es gleich achtzehnhundert Jahre auf dem Rücken hat, dennoch seinen stolzen raubsüchtigen Nebenbuhler aller Wahrscheinlichkeit nach überleben wird. Dieser Tempel hat von seiner runden Form den Namen Rotunda erhalten. Er ist hundert funfzig Fuß hoch, und hält fast eben so viel im Durchmesser. Inwendig ist er in ächt Theile abgetheilt. Die Thür, durch welche man hineingeht, macht den einen aus; die andern sieben Abtheilungen sind jede durch zwey gestreifte korinthische Säulen und eben so viele eckige Pfeiler von Giallo antico getrennet, deren Capitäler und Basen von weißem Marmor sind. Auf ihnen ruhet ein kreisförmiges Gebälke. Die Mauer geht bis auf die

halbe

hälbe Höhe des Tempels senkrecht; dann krümmt sie sich allmählig einwärts, so daß der Umkreis immer keiner wird, bis er sich mit einer Oeffnung von fünf und zwanzig Fuß im Durchmesser endigt. Die Kirche hat keine Fenster; die runde Oeffnung in dem Gewölbe, durch welche Licht genug hineinfällt, hat eine weit schönere Wirkung, als die Fenster gehabt haben würden. Diese Oeffnung kann auch keine große Beschwerde verursachen. Die konische Form des Tempels verhindert, daß der Regen nicht an der Mauer herablaufen kann, wo nun die Altäre sind, und vorhin die Bilder der Götter standen. Der in die Mitte fallende Regen zieht durch Löcher ab, welche in einem großen Stück von Porphyr gebohrt sind, das den Mittelpunkt des Pflasters ausmacht. Dieses besteht aus verschiedenen Stücken von Marmor, Agath und andern Materialien, die aus den Trümmern zusammengetragen worden, und nun eine besondre Art von mosaischer Arbeit vorstellen.

Der Portico wurde von Marcus Agrippa, dem Stiefsohn August's, hinzugefügt. Er ruhet auf sechszehn Säulen, jede von einem einzigen Stück Granit, fünf Fuß im Durchmesser. Auf der Frise an der Fronte ist folgende Inschrift in großen Buchstaben:

M. AGRIPPA L. F. CONSUL TERTIUM FECIT.

Einige sind der Meinung, daß das Pantheon noch weit älter als aus August's Zeiten, und der Portico der einzige Theil, den diese Antiquarier für ein Werk Agrippens halten, zwar an sich schön sey, doch mit der Simplicität des Tempels nicht übereinstimme.

So wie das Pantheon das vollständigste, so ist das Amphitheater Vespasians das ungeheuerste Denkmal des Alterthums in Rom. Es wurde von seinem Sohn Titus vollendet, und erhielt den Namen Colosseum,

aus

aus welchem nachher durch eine verderbte Aussprache Co-
liseum geworden, von einer vor demselben errichteten
kolossischen Säule Apollo's. Dies große Gebäude
wurde von Tiburtinersteinen, die besonders dauerhaft
sind, aufgeführt. Wenn die öffentlichen Gebäude der
Römer keinen ärgern Feind als die Zeit angetroffen hätten, so möchten wir noch auf diesen Tag die größere Anzahl derselben in aller ihrer ursprünglichen Vollkommenheit sehen können; sie waren zur Bewunderung späterer
Jahrhunderte als des gegenwärtigen erbauet worden.
Besonders hätte dieses Amphitheater noch zwey tausend
Jahre stehen können. Denn was macht der langsam
nagende Zahn der Zeit in Vergleich mit der schnellen
Verstörung durch die Wut der Barbaren, den Eifer der
Andächtler und den Geiz der Päpste und Cardinäle. Die
erste Beraubung dieses ungeheuern Gebäudes wurde von
den Einwohnern Roms selber verübt, die damals grös-
sere Gothen als ihre Sieger waren. Wir lesen, daß sie
Theodorich, der zu der Zeit zu Ravenna Hof hielt, um
die Freyheit ersuchten, die Steine dieses Amphitheaters
zu einigen öffentlichen Werken, die sie verfertigen wollten, zu gebrauchen. Die marmornen Karniese, Frie-
se und andre Zierrathen des Gebäudes sind zu verschiedenen Zeiten weggenommen, Paläste damit zu zieren;
und die Steine sind zum Kirchenbau, und bisweilen zu
der Ausbesserung der Mauern Roms, dem unnützlich-
sten Werk unter allen, gebraucht. Denn was nützen einer Stadt Mauern ohne Besatzung, und wenn ihre
stärkste Artillerie nicht den Leib, sondern nur die Seele
des Menschen trifft? Ungefähr die Hälfte des äußern
Kreises ist noch vorhanden, aus welchem, und den Ruinen der andern Theile, man sich eine ziemlich genaue
Vorstellung von dem eigentlichen Gebäude machen kann.
Nach der Berechnung des Herrn Byres konnte es fünf
und achtzigtausend Zuschauer enthalten, deren jedem er

einen

einen bequemen Raum giebt. Jetzt sind innerhalb desselben vierzehn Kapellen errichtet, welche die Oerter der
Leiden des Heilandes vorstellen. Dieses Mittel, sie in
christliche Kapellen und Kirchen zu verwandeln, hat einige der schönsten Ueberbleibsel der heidnischen Pracht von
der gänzlichen Zerstörung errettet.

Unsere Bewunderung der Römer wird durch den Abscheu gemäßigt, wenn wir bedenken, zu welchem Gebrauch dies unermeßliche Gebäude vormals verfertigt,
und welche schreckliche Schauspiele auf dem Platze aufgeführt worden. Hier mußten nicht nur zum Tode verdammte Missethäter, sondern auch Kriegsgefangene zur
Belustigung eines unmenschlichen Pöbels mit einander
kämpfen. Die Fechtspiele wurden anfänglich in Rom
nur bey Leichenbegängnissen gebraucht, wo Gefangene
die Profession der Fechter treiben, und bey den Gräbern
verstorbener Generale oder Magistratspersonen kämpfen
mußten: eine Nachahmung des barbarischen Gebrauchs
der Griechen, Gefangene bey den Gräbern ihrer Helden
aufzuopfern.

Diese schreckliche Art der Pracht, welche im Anfange
nur bey dem Tode der Consuln und Männer vom höchsten Ansehen gebraucht wurde, riß allmählig so weit ein,
daß jeder Bürger sie verlangte, der nur reich genug war,
die Kosten zu bestreiten. Und da des Volks Neigung
zu diesen Spielen mit jedem Tage zunahm, so wurden
sie nicht länger auf Leichenfeyerlichkeiten eingeschränkt,
sondern sie wurden an öffentlichen Freudentagen etwas
gewöhnliches, und von einigen Generalen nach den Sie-
gen mit erstaunenden Kosten gegeben. Wie Reichthum,
Wohlleben und Laster zunahmen, so wurde es ein Gewerbe in Rom, mit Fechtern zu handeln. Leute, welche Lanistae genennet wurden, machten es zu ihrem Geschäft, Gefangne und Sklaven zu kaufen, und sie in dem
Gebrauche der Waffen unterrichten zu lassen; und wenn

I. Theil.   P   ein

ein Römer das Volk mit dessen Lieblingsschauspiel belustigen, oder eine ausgewählte Gesellschaft seiner Freunde
bey einer besondern Gelegenheit unterhalten wollte, so
wendete er sich an die Lanistas, die ihm um einen fest-
gesetzten Preis so viele Paare dieser unglücklichen Strei-
ter lieferten als er verlangte. Sie hatten verschiedene
Namen nach der verschiedenen Art ihrer Waffen. Gegen das Ende der Republik hatten einige reiche und mächtige Bürger eine große Menge eigner Fechter, die von
den Lanisten täglich geübt, und stets zum Fechten bereit
gehalten wurden, wenn es ihr Eigner begehrte. Die,
welche oft siegten, oder das Glück hatten, ihren Herren
zu gefallen, erhielten ihre Freyheit, und verließen insgemein ihre Profession; doch traf es sich auch bisweilen,
daß solche, die besonders geschickt waren, sie aus Eitelkeit oder Armuth auch nach erhaltener Freyheit fortsetz-
ten; und der Beyfall, den diese Fechter erhielten, ver-
leitete oft freygeborne Leute, dieses Gewerbe zu erwählen
und ums Geld zu treiben, bis das Alter ihre Stärke
und Geschicklichkeit schwächte. Dann hiengen sie ihre
Waffen in Herkules Tempel auf, und erschienen nicht
mehr auf dem Kampfplatz:

— Veianius armis
Herculis ad postem fixis latet abditus agro,
Ne populum extrema toties exoret arena.

In Rom, in andern Städten Italiens und in
vielen Provinzen des Reichs waren viele Amphitheater;
aber das von Vespasian war das größte, das je erbauet worden. Nächst demselben folgt der Größe nach
des zu Verona in Italien; und die Ueberbleibsel des
zu Nimes im mittäglichen Frankreich beweisen, daß
es das prächtigste Gebäude in allen römischen Provinzen
gewesen sey. Die Römer liebten diese Spiele so sehr,
daß man es allenthalben, wo Colonien errichtet wurden,
nöthig

nöthig fand, öffentliche Schauspiele dieser Art zu geben, um die Ausgewanderten zu bewegen, in dem neuen Lande zu bleiben. Auch in den Provinzen, wo ein beträchtliches Heer von Truppen beständig bleiben sollte, wurden Gebäude von dieser Art mit schwerer Mühe und Kosten errichtet, und dieses als das beste Mittel angesehen, die jungen Officiere zu bewegen, sich einer langen Abwesenheit von der Hauptstadt zu unterwerfen, und die gemeinen Soldaten vom Ausreißen abzuhalten. Das häufige Menschenblut, welches auf dem Kampfplatze, durch eine grausame Verschwendung der Kaiser und durch die zu Vermehrung des barbarischen Vergnügens der Zuschauer erfundenen Verfeinerungen, vergossen wurde, ist ein Beweis von dem schrecklichen Grad der Verdorbenheit, den die menschliche Natur selbst unter einem gelehrten und erleuchteten Volke zu erreichen vermag, wenn sie nicht durch die sanften Gesetze einer wohlthätigen Religion im Zaum gehalten wird. Man erzählt, daß die zum Gebrauch besonderer Patricier geübten Fechter sowohl, als die von den Laniſten zur Miethe unterhaltenen, einige Wochen vorher, ehe sie auf dem Kampfplatze erschienen, solche saftreiche Speisen erhielten, die das Blut in ihren Adern am geschwindesten vermehrten, damit sie bey einer jeden Wunde stark bluten möchten. Sie wurden von den Laniſten nicht nur in der Kunst zu fechten, sondern auch auf die anmuthigste Art zu sterben, unterwiesen; und wenn diese Elenden fühlten, daß sie tödlich verwundet waren, so nahmen sie solche Stellungen an, von denen sie wußten, daß sie den Zuschauern gefielen, und schienen ein Vergnügen an dem Beyfall zu haben, den ihnen das Volk in ihren letzten Augenblicken ertheilte.

Wenn ein Fechter von seinem Gegner niedergeworfen wurde, und seine Arme gleich ausstreckte, so war es ein Zeichen, daß er nicht länger widerstehen konnte, und

sich

sich für überwunden erklärte; doch hieng sein Leben noch
von den Zuschauern ab. Wenn sie mit ihm zufrieden,
oder von einer barmherzigen Gesinnung waren, so hielten sie die Hände mit niedergebognem Daumen in die
Höhe, und ihm wurde das Leben geschenkt; wenn sie
aber Lust hatten ihn sterben zu sehen, so hielten sie die
Hand geschlossen und nur den Daumen ausgestreckt in
die Höhe. Wenn das auf der Erde liegende Schlachtopfer dies unglückliche Zeichen sahe, so wußte er, daß
alle Hoffnung zum Leben verloren sey, und bot gleich seine Brust dem Schwerdte seines Gegners dar, welcher
ihn gleich tödten mußte, wenn er auch keine Neigung dazu hatte.

Da diese Kämpfe den Einwohnern **Roms** das größte Vergnügen machten, so waren oft die grausamsten
Kaiser bey dem Volke am beliebtesten, blos weil sie das
Volk ohne Einschränkung in seinem Lieblingszeitvertrei-
be zufrieden stellten. Als **Marcus Aurelius** es nöthig
erachtete, zum Dienst des gemeinen Wesens seine Armee
aus den Fechtern zu **Rom** zu ergänzen, so erregte solches bey dem Pöbel mehr Misvergnügen, als viele von
Caligula's wildesten Streichen. Zu den Zeiten einiger
Kaiser war die niedrigste Klasse der römischen Bürger
gewiß ein so nichtswürdiger Haufe, als je gelebt hatte;
er war mit allen aus Müssiggang und Abhängigkeit entstehenden Lastern befleckt, lebte von der Freygebigkeit der
Großen, brachte seine ganze Zeit in dem Circus und
den Amphitheatern zu, wo alle Empfindungen der
Menschlichkeit in seiner Brust erstickt wurden, und die
Martern und Todesangst seiner Mitgeschöpfe sein Haupt-
vergnügen ausmachten. Um keine Gelegenheit zu verlieren, diesem wilden Geschmack des Pöbels zu Gefallen
zu leben, wurden die Missethäter verurtheilt, auf dem
Kampfplatze mit wilden Thieren zu fechten, oder wurden
unbewaffnet ihnen hingestellt, von ihnen zerrissen zu werden;

ben; zur andern Zeit wurden ihnen die Augen verbunden, und in diesem Zustande mußten sie einander umzubringen suchen: so daß anstatt der Opfer, welche der
öffentlichen Gerechtigkeit auf eine ernsthafte Art gebracht
werden sollten, es das Ansehen hatte, als würden sie wie
Possenspieler hingeführt, die Zuschauer lustig zu machen.

Die Gewohnheit der häuslichen Sklaverey hatte
ebenfalls einen großen Einfluß auf die Römer, sie grausam und hochmüthig zu machen. Die Herren konnten ihre
Sklaven strafen, wie und in welchem Grad sie es für
gut fanden. Nicht eher als zu den Zeiten des Kaisers
Adrian wurde ein Gesetz gemacht, daß ein Herr, der
seinem Sklaven ohne hinlängliche Ursache das Leben nähme, deswegen vor Gericht gezogen werden sollte. Der
gewöhnliche Thürhüter an der Hausthür eines Großen
in dem alten Rom war ein Sklave in Ketten. Das
Getöse der Geißeln und Schläge erschallte von einem Hause zu dem andern, zu der Zeit, da es gebräuchlich war,
daß die Hausväter von der Aufführung ihrer Knechte Erkundigung einzogen. Diese grausame Gesinnung, die
allenthalben herrscht, wo die häusliche Sklaverey im
Gange ist, verbreitete sich auch auf das weichere Geschlecht, und verhärtete das sanfte Naturel der Weiber.
Welche Schilderung macht Juvenal von dem Nacht-
tisch einer römischen Dame:

Nam si constituit, solitoque decentius optat
Ornari —
Componit crinem laceratis ipsa capillis
Nuda humeros Psecas infelix, nudisque mamillis.
Altior hic quare cincinnus? Taurea punit
Continuo flexi crimen facinusque capilli.

Geizige Herren hatten den Gebrauch, ihre schwache
und kranke Sklaven nach einem Eiland in der Tiber zu
senden, wo ein Tempel des Aeskulap war. Wenn es

dem

dem Gott gefiel, sie gesund zu machen, so nahm der Herr sie wieder zu sich; starben sie aber, so wurde nicht weiter nach ihnen gefragt. Dieser Unmenschlichkeit that der Kaiser Claudius Einhalt, indem er verordnete, daß ein jeder dergestalt von seinem Herrn verlaßne Sklave für frey erklärt werden sollte, wenn er seine Gesundheit wieder erhielte.

Aber können wir aus diesen Bemerkungen den Schluß ziehen, daß die alten Römer von Natur von einer grausamern Denkungsart waren, als die gegenwärtigen Einwohner Europens? oder hat man nicht Ursache zu glauben, daß die neuern Nationen unter eben den Umständen eben so handeln würden? Und bemerken wir nicht, daß die häusliche Sklaverey bis auf diesen Tag vieles beyträgt, Menschen hochmüthig, eigensinnig und grausam zu machen. So ist leider die menschliche Natur beschaffen, daß, wenn der Mensch eine uneingeschränkte Gewalt hat, er sich derselben ohne Gerechtigkeit gebraucht. Eine uneingeschränkte Macht trägt vieles bey, gute Menschen böse zu machen; und nie schlägt es fehl, daß sie die Bösen nicht noch ärger macht.

Der Marschall von Sachsen macht die Aumerkung, daß bey dem Streit der Fuhrleute mit ihren Pferden bey den Kriegsfuhren die Fuhrleute immer Unrecht hätten, und er schreibt dieses der unumschränkten Gewalt zu, die sie über die Pferde haben. Er hält dafür, daß bey Menschen und Pferden in Ansehung des Kopfes und Herzens, und in den meisten andern Beziehungen eine gewisse Gleichheit sey. Eigensinn ist ein Temperamentslaster, welches durch Nachsicht immer mehr zunimmt; oft verderbt es die besten Eigenschaften des Herzens, und artet in besondern Situationen in die unerträglichste Tyranney aus. Man sollte sich seinem ersten Aufkeimen in jugendlichen Gemüthern standhaft widersetzen, und

den

den Fortschritten desselben vorbeugen, sonst können leicht
unsere künftige Unternehmungen ihm Einhalt zu thun
fruchtlos seyn; denn

Mobilitate viget, viresque acquirit eundo.

Die Kämpfe in den Amphitheatern wurden, wie ich
schon gesagt habe, stusenweise in Rom eingeführt. Der
Gebrauch, daß Gefangene um den Scheiterhaufen, auf
dem die Leiche verstorbener Helden lag, fechten mußten,
war eine Verfeinerung eines barbarischern Gebrauchs.
Und zweifelsohne thaten sich die Römer auf ihre Menschlichkeit etwas zugute, daß sie ihren Gefangenen nicht
mit kaltem Blute das Leben nahmen, wie in den frühesten Zeiten in Griechenland der Gebrauch war. Die
Anordnung, Missethäter auf dem Kampfplatze fechten zu
lassen, und ihnen dadurch Hoffuung zu geben, ihr Leben
davon zu bringen, wird ihnen ebenfalls eine sehr huldrei-
che Verbesserung der gemeinen Art der Hinrichtung geschienen seyn. Der menschliche Verstand erlaubt sich die
gröbsten Sophistereyen, wenn sie zu Unterstützung der
Maasregeln dienen, zu denen er ohnehin schon geneigt
ist. Und wenn wir bedenken, wie begierig der Pöbel in
einem jeden Lande den zufälligen Schlägereyen auf den
Gassen zusieht, so dürfen wir uns nicht wundern, wenn
wir finden, daß, sobald einmal die Fechterkämpfe dem römischen Pöbel unter einem oder anderm Vorwand erlaubt
waren, der Geschmack an denselben täglich zunahm, bis
er alle Begriffe der Rührung aus ihrer Brust vertilgte,
und ihre herrschende Leidenschaft wurde. Die mit der
Beute von Königreichen bereicherten Patricier, die es
wußten, daß ihre Gewalt zu Rom, und folglich über die
ganze Welt, auf der Gunst und dem Beyfall des Volks
beruhete, suchten sich natürlicherweise bey demselben durch
Befriedigung seines Lieblingsgeschmacks beliebt zu machen. In der Folge glaubten die Kaiser vielleicht, daß

solche

solche Schauspiele die Bürger abhalten würden, an ihre
verlorne Freyheiten zurückzudenken, oder die Schärfe der
neuen Regierung zu betrachten; und mit Ausschließung
aller Staatsursachen fanden viele aus eigner grausamen
Gemüthsart eben so viel Vergnügen an diesen Schau-
spielen, als der Wildeste aus dem Pöbel.

Wenn wir an der Neigung der Römer zu den blutigen Kämpfen in den Amphitheatern Abscheu und Unwillen zu erkennen geben, so haben wir zu untersuchen, ob
solche aus einer besondern grausamen Gesinnung bey diesem Volke herrührte, oder ob sie dem Menschen überhaupt eigen ist. Laßen Sie uns erwägen, ob es nicht
wahrscheinlich ist, daß jede andre Nation eben so stufen-
weise allmählig zu einer gleichen Liebe zu diesen abscheulichen Lustbarkeiten gebracht werden würde. Laßen Sie
uns erwägen, ob man nicht Ursache hat zu vermuthen,
daß Menschen, die Hähne mit Stahl bewaffnen, und mit
Vergnügen zusehen, wie die kleinen erhitzten Thiere einander umbringen, ein eben so großes, wo nicht noch
mehr Ergötzen daran haben würden, Menschen zu nöthigen, einander niederzumetzeln, wenn sie nur die Macht
dazu hätten. — Und was hält sie zurück? Hat man
nicht Ursache zu glauben, daß der Einfluß einer reinern
Religion und glänzendern Musters, als die die heidni-
sche Welt kannte, die Menschen jetzt von Grausamkeiten
abhält, die ehemals erlaubt und begünstigt wurden? Sobald die wohlthätigen Gesetze des Christenthums von den
Römern als Gesetze der Gottheit angenommen wurden,
begegneten sie ihren Gefangenen und Sklaven menschlich,
und die blutigen Schauspiele in den Amphitheatern wurden abgeschafft.

XL. Brief.

XL. Brief.

Rom.

Sie wundern sich, daß ich bisher noch nichts von dem
Capitol und dem Forum romanum gesagt habe,
welches bey weitem die interessantesten Scenen von Alter-
thümern in Rom sind. Die der Aufmerksamkeit wür-
digen Gegenstände sind so zahlreich, und erscheinen so
verwirrt, daß es lange währte, ehe ich mir einen mittelmäßig deutlichen Begriff von ihrer Lage in Rücksicht auf
einander machen konnte, ob ich gleich diese Gegend, seitdem ich hier gewesen, weit mehr als eine andre besucht
habe. Ehe wir nach einer Kirche oder Palast giengen,
liefen wir mit so vieler Ungeduld hieher, als ob das Capitolium Gefahr gelaufen hätte, vor unserer Ankunft ein-
znfallen. Der Zugang zu dem neuen Campidoglio ist
sehr edel, und des Geistes eines Michael Angelo würdig. Das Gebäude selbst ist ebenfalls das Werk dieses
großen Künstlers; es ist auf einen Theil der Ruinen des
alten Copitols errichtet; die Vorderseite sieht gegen die
Peterskirche, und die hintere nach dem Forum und dem
alten Rom hin. Indem man diesen berühmten Hügel
hinansteigt, klopft das Herz schnell, und der Verstand
wird von tausend interessanten Ideen erwärmet. Man
gedenkt auf einmal an den berühmten Räuber zurück, der
den ersten Grund dazu legte. Ohne an die Länge der
Zeit zu gedenken, die das, wornach man sich umsieht,
verlöscht haben muß, sucht man mit den Augen den
Pfad, auf welchem die Gallier herankletterten, und
Manlius sich ihnen widersetzte und sie zurücktrieb.
Mit Verachtung wendet man seine Blicke von jedem
neuern Gegenstande ab, empfindet sogar ein Misfallen
an dem zierlichen Gebäude, das man vor sich sieht, und

P 5 betrach-

betrachtet mit mehrerer Ehrfurcht die Trümmer, auf die es gegründet ist, weil sie ächter römisch sind.

Die zwey Sphinxe von Basalt, welche unten an der Treppe, die man hinaufgeht, stehen, erregen unsre Aufmerksamkeit nur wenig, ob sie gleich vortreffliche Proben der ägyptischen Bildhäuerkunst sind. Von Roms Ruhm warm, kann man nicht auf Aegyptens Hieroglyphen denken. Bey dem Anblick der zu Ehren des C. Marius errichteten Trophäen erinnert man sich aller blutigen Auftritte der Wut des Partheygeistes, und des Dämons der Rache in dem trübseligsten Zeitpunkte der Republik; und man bedauert es, daß die Zeit, die der Denkmäler dieses trotzigen Kriegers verschont hat, die zahlreichen Siegeszeichen, welche den Fabiern, den Scipionen und andern Helden, die sich durch die Tugenden der Menschlichkeit eben so viel Ruhm als durch ihre Talente als Generale erwarben, errichtet wurden, zerstöret hat. Man erstaunt über die kolossischen Statuen des Castor und Pollux, vermischt in der Hitze des Enthusiasmus poetische Erdichtungen mit historischer Wahrheit, giebt ihrer brüderlichen Liebe von Herzen Beyfall, und dankt ihnen für ihren den Römern in einer Schlacht mit den Volscern zu rechter Zeit geleisteten Beystand. Man freuet sich ihres Glücks, das ihnen auf Erden einen Platz im Capitol, und im Himmel einen Sitz bey Herkules verschafft hat. Horaz meldet, daß August zwischen ihnen und diesem Halbgott sich lehnend seinen Nectar trinkt:

Quos inter Augustus recumbens
Purpureo bibit ore nectar.

Von hier geht man weiter fort, und die Aufmerksamkeit wird durch die gleichsam lebende Statue des Marcus Aurelius zu Pferde gefesselt. Man erinnert sich dabey des glücklichen Zeitpunkts, als das römische Reich
von

von einem Prinzen beherrscht wurde, der in seiner langen Regierung das Wohl seiner Unterthanen zu seinem
Hauptzweck machte.   Man kommt an das Oberende des
Platzes, und das Auge fällt auf eine majestätische weibliche sitzende Figur.   Man vernimmt, daß es eine Ro-
má triumphans sey.   Man betrachtet sie mit allem
Feuer verliebter Schwärmerey; aber man erinnert sich,
daß sie nicht länger triumphans ist.   Man wirft ein un-
williges Auge auf die St. Peterskirche, auf die sie gleich-
falls mit Unwillen zu sehen scheint.   Giebt es wohl ein
andres Beyspiel von der Art von der Veränderlichkeit
der irdischen Dinge?   die stolze Königinn der Welt
unter der Herrschaft eines Priesters?   Horaz wurde
vermuthlich der Eitelkeit beschuldigt, als er schrieb:

> — Usque ego postera
> Crescam laude recens, dum Capitolium
> Scandet cum tacita virgine Pontifex.

Doch die Worte des Dichters haben diese Periode
schon vierzehnhundert Jahr überlebt; und Virgil hat das
Andenken der Freundschaft und des Rufs des Nisus
und Euryalis auf eben so viele Jahre über jenen Zeit-
raum gebracht, welchen er in der Hitze dichterischer Hoffnung zu ihren Gränzen bestimmte:

> Fortunati ambo! si quid mea carmina possunt,
> Nulla dies unquam memori vos eximet aevo,
> Dum domus Aeneae Capitoli immobile saxum
> Accolet, imperiumque Pater Romanus habebit.

In den beyden Flügeln des neuen Palastes, Campidoglio genannt, haben die Conservatores der Stadt ihre Gemächer.   Ihr Amt kommt mit den alten Aedilen
überein.   In dem Hauptgebäude hat ein von dem Papst
ernannter italiänischer Edelmann seine Wohnung mit
dem Titel Senator von Rom.   Elende Vorstellung
jenes Senats, der der Welt Gesetze gab!   Die entstell-
testen

testen Ruinen, der unförmlichste Haufe alten Schutts in
ganz Rom, können keinen schwächern Begriff von dem
Gebäude, zu welchem sie gehörten, abgeben, als dieser
Abgeordnete des Papstes von jener ansehnlichen Versammlung giebt. Der schöne Zugang zu diesem Palaste, und alle Zierrathen, welche den Platz vor demselben
verschönern, können nicht lange von dem hintern Prospect zurückhalten, welchem das Capitol gegenüber steht.
Hier sehen Sie das Forum romanum, nun einen traurigen, aber einnehmenden Abriß der Verheerung, welche
die vereinbarte Macht der Zeit, des Geizes und des Aberglaubens anrichten können. Die ersten Gegenstände,
die Ihnen von dieser Seite des Hügels ins Auge fallen,
sind drey schöne Pfeiler, von denen drey Viertheile in die
Ruinen des alten Capitols vergraben sind. Sie sollen
Ueberbleibsel von dem Tempel des Jupiter Tonans
seyn, den August aus Dankbarkeit erbauete, da er dem
Tode durch einen Wetterstral nur eben entgangen war.
Nahe dabey sind die Trümmer des Jupiter Stator,
die aus dreyen sehr zierlichen kleinen korinthischen Säulen mit ihrem Gebälke bestehen; der Tempel der Ein-
tracht, in welchem Cicero bey Entdeckung der Catilini-
schen Verschwörung den Senat versammlete; der Tempel des Romulus und Remus, und Antonins und
Faustinens dicht dabey, welche beyde in Kirchen verwandelt sind; die Ruinen des prächtigen Tempels des
Friedens, der unmittelbar nach der Eroberung Jerusa-
lems erbauet worden, weil damals das römische Reich
eines völligen Friedens genoß. Dies soll der schönste
Tempel in dem alten Rom gewesen seyn. Ein Theil der
Materialien von Neros goldnem Hause, welches Vespasian niederriß, soll bey der Aufführung dieses grossen Gebäudes gebraucht seyn. Der einzige unversehrte
Pfeiler, der von diesem Tempel übrig war, wurde von
Paul dem fünften vor der Kirche Sta. Maria Mag-

giore

giore hingestellt. Es ist eine ungemein schöne gestreifte
korinthische Säule, die einen sehr hohen Begriff von
dem Tempel giebt, zu welchem sie eigentlich gehörte.
Seine Heiligkeit hat sie mit einem Bilde der Jungfrau
Maria gekrönt; und die Inschrift des Fußgestelles zeigt
die Ursache an, warum er eine zu dem Tempel des Friedens gehörige Säule zur Zierde einer der Jungfrau gewidmeten Kirche gewählt habe:

Ex cuius visceribus Princeps verae Pacis genitus est.

Aus den vielen vormals in Rom gewesenen Triumphbogen sind nur noch drey vorhanden, die alle nahe bey
dem Capitol sich befinden, und Zugänge zu dem Forum
ausmachen, die des Titus, Septimius Severus und
Constantins. Der letzte ist bey weitem der schönste von
den dreyen; aber seine Schönheiten sind nicht ächt, eigentlich zu reden, nicht sein eigen. Sie bestehen aus
einigen unvergleichlichen Basreliefs, die von Trajans
Forum geraubt sind, und dieses Kaisers Siege über
die Dacier vorstellen. Dieser Diebstahl möchte der
Nachwelt nicht so auffallend gewesen seyn, wenn nicht
die Künstler zu Constantins Zeit einige Figuren hinzugethan hätten, durch welche der Betrug sichtbar wird,
und die, weil sie so viel schlechter sind, von der Ausar-
tung der Künste in dem Zwischenraum zwischen den Regierungen dieser beyden Kaiser zeugen.

Die Reliefs an dem Bogen des Titus stellen den
Tisch der Schaubrodte, die Posaunen, den goldnen Leuchter mit sieben Armen, und andres aus dem Tempel zu
Jerusalem gebrachtes Geräthe vor. Das den Juden
zu ihrer Wohnung angewiesene Quartier ist nicht weit
von diesem Bogen. Gegenwärtig sind auf neuntausend
von dieser unglücklichen Nation in Rom, die in gerader
Linie von den Gefangenen abstammen, die Titus von
Jerusa-

Jerusalem mitbrachte. Man versicherte mich, daß sie sich sorgfältig hüteten durch diesen Bogen zu gehen, ob er gleich auf ihrem Wege nach dem Campo Vaccino ist; lieber nehmen sie einen Umschweif, und gehen von einer andern Seite auf das Forum. Mich rührte dieser Umstand von der Empfindsamkeit eines Volks, das bey allen seinen andern Fehlern gewiß nicht ohne Vaterlandsliebe, und Anhänglichkeit an die Religion und Gebräuche seiner Vorältern war. Eben diese seine Empfindungen werden von ihrem Dichter im 137 Psalm geschildert, welche **Buchanan** sehr geschickt übersetzt hat:

> Dum procul a Patria moesti Babylonis in oris
> Fluminis ad liquidás forte sedemus aquas,
> Illa animum subiit species miseranda Sionis,
> Et numquam patrii tecta videnda soli.
>
> O Solymae! o adyta et sacri penetralia templi,
> Ullane vos animo deleat hora meo?

Lesen Sie ihn ganz, vielleicht finden Sie einige poetische Schönheiten, die Ihrer Beobachtung entgiengen, wenn Sie ihn in der Kirche singen hörten; aber des Dichters Feuer scheint zu Ende des Psalms zu heftig zu glühen.

XLI. Brief.

Rom.

Außer den bereits erwähnten giebt es viele andere denkwürdige Ruinen in und um den Campo Vaccino. Aber es ist keine Spur mehr von einigen Gebäuden zu sehen, die, wie wir wissen, ehemals hier gestanden haben. So verhält es sich mit dem den Fabiern errichteten Bogen. Man hat die stärkste Ursache zu glauben, daß das alte Forum ganz mit Tempeln, Basilicis

licis *) und öffentlichen Gebäuden von allerley Arten umgeben, und mit Porticos und Colonnaden geziert gewesen sey. In den Zeiten der Republik wurden hier Volksversammlungen gehalten, Gesetze vorgeschlagen, und die Gerechtigkeit gehandhabet. Auf demselben war das Rostrum, von welchem die Redner das Volk anredeten. Alle die nach Ehrenstellen strebten, kamen hieher, sich um Stimmen zu bewerben. Die Wechsler sowohl als die Einnehmer der Einkünfte des gemeinen Wesens hatten ihre Plätze nahe bey dem Forum, und alle Arten von Geschäften wurden auf diesem Platze abgehandelt. Wenn ich nach dem Campo Vaccino gehe, so mache ich mir die Einrichtung des alten Forum so gut ich kann, und gedenke mir jeden Platz, wo dieses oder jenes Gebäude stand. Oft bin ich hier ein wenig um Raum verlegen; denn der Platz zwischen dem palatinischen Berge und dem Capitol ist so kein, und ich bin von Bogen und Tempeln, deren Trümmer noch vorhanden sind, so umgeben, daß es mir unmöglich wird, das Forum romanum größer als Coventgarden **) zu machen. Ich sahe mich nach dem heiligen Wege um, wo Horaz seinem überlästigen Gefährten begegnete. Einige glauben, derselbe sey kein anderer als das Forum selbst gewesen; ich aber bin der gewissen Meinung, daß es eine zu dem Forum führende, und auf demselben sich endigende Gasse gewesen sey. Endlich habe ich den genauen Fleck gefunden, wo er auf das Forum gegangen sey, nämlich nahe bey der Meta Sudans. Sollten wir uns hier je einander antreffen, so wollte ich Sie durch locale Gründe überführen, daß

ich

*) Basilicä waren ehemals zu Rom große viereckige, noch einmal so lang als breite Gebäude, in welchen der Rath zusammenkam, Gericht gehalten wurde, auch die Wechsler und Kaufleute ihr Wesen hatten. Ueb.

**) Ein Marktplatz in London von mittelmäßiger Größe.

ich Recht habe; aber ich fürchte, es würde langweilig und gar nicht überzeugend seyn, wenn ich sie Ihnen schriftlich mittheilen wollte.

Wie Rom an Größe und Volksmenge zunahm, so würde ein Forum zu kein gefunden, und mit der Zeit viele andre angelegt; wenn aber von dem Forum ohne unterscheidenden Zusatz geredet wird, so ist das alte zu verstehen.

Der tarpejische Felsen ist ein Theil dessen, auf dem das Capitolium erbauet war. Ich gieng nach der Seite, von welcher die zum Tode verurtheilten Missethäter herabgestürzt wurden. Herr Byres hat die Höhe gemessen; sie ist genau acht und funfzig Fuß senkrecht; und er hält aus augenscheinlichen Kennzeichen dafür, daß der Grund unten zwanzig Fuß höher ist, als er eigentlich gewesen, so daß die Anhöhe vor dieser Anhäufung des Schutts auf achtzig Fuß senkrecht gewesen seyn muß. Wenn wir die Geschichte der Römer lesen, so erstreckt sich der große Begriff, den wir uns von diesem Volke machen, natürlicher Weise auch auf die Stadt Rom, auf die Hügel, auf welche es gebauet war, und auf alles, was dazu gehört. Wir stellen uns den tarpejischen Felsen als einen entsetzlichen Abgrund vor; und wenn wir nachher Gelegenheit haben, ihn wirklich zu sehen, so gleicht seine Höhe unserer Erwartung so wenig, daß wir sie leicht für noch weit geringer halten, als sie wirklich ist. Ein solcher Irrthum, mit einer nachläßigen Beschauung des Orts, der an sich nicht interessant ist, verbunden, hat den Bischof Burnet zu der seltsamen Behauptung verleitet, daß der tarpejische Felsen so sehr klein sey, daß man es für keine große Sache halten würde, ihn zum Zeitvertreibe hinabzuspringen. Die von dieser Anhöhe herabgestürzten Missethäter wurden in eigentlichem Verstande aus dem alten Rom auf den Campus Martius geworfen, welches eine große dreyeckige Ebne war.

Zwey

Zwey Seiten des Dreyecks machte die Tiber aus, und
die Basis war das Capitol und die Gebäude, die sich in
einer geraden Linie mit demselben auf beynahe drey Meilen
erstrecken. Der Campus Martius hatte seinen Namen
entweder von einem in sehr frühen Zeiten auf demselben
gebaueten dem Mars gewidmeten kleinen Tempel, oder
auch von den dort gehaltenen Kriegsübungen. Auf diesem Felde wurde die große Volksversammlung, Cenſus
oder Luſtrum genannt, alle fünf Jahre gehalten, die
Conſuln, Cenſoren und Tribunen erwählt, und die Truppen ausgehoben. Hier übte sich die römische Jugend
im Reiten, einen Wagen zu fahren, mit der Armbruſt
zu schießen, zu schleudern, mit dem Wurfspieß zu zielen,
nach der Scheibe zu werfen, im Ringen, im Laufen;
und wenn sie von diesen Uebungen mit Schweiß und
Staub bedeckt waren, so wuschen sie ihren Körper durch
Schwimmen in der Tiber rein. Horaz beschuldigt Ly-
dia, daß sie einen jungen Menschen zu Grunde richtete,
indem sie ihn von diesen männlichen Uebungen, in denen
er ehemals vortrefflich war, abhielt:

> — Cur apricum
>   Oderit campum patiens pulveris atque folis,
> Cur neque militaris
>   Inter aequales equitet, Gallica nec lupatis
> Temporet ora frenis,
>   Cur timet flavum Tiberim tangere.

Die todten Körper der angesehensten Bürger wurden
ebenfalls auf diesem Felde verbrannt, welches nach und
nach mit Statuen und Trophäen, die man zum Andenken berühmter Männer errichtete, geziert wurde. Aber
jeder Zug seines alten Ansehens ist nun durch die Straßen und Gebäude des neuen Roms versteckt.

Die Einwohner Roms sind zu entschuldigen, daß
sie diese Lage für ihre Häuser gewählt, ob sie uns gleich

I. Theil.   Q   dadurch

dadurch der Uebersicht des **Campus Martius** beraubt
haben. Nur sollten sie oder ihre Regenten billig mehr
Sorgfalt für die Erhaltung der Alterthümer äußern, als
sie thun; und gewiß konnten sie ohne Unbequemlichkeit
einen Platz von geringerer Wichtigkeit als das alte Forum zum Kuhmarkt finden. Es steht zwar nicht in ihrer Macht, seinen vorigen Glanz wieder herzustellen; wenigstens aber könnten sie es verhindert haben, daß es
nicht in den Zustand zurückgefallen wäre, in welchem es
Aeneas fand, wie er den armen **Evander** zu besuchen kam:

Talibus inter se dictis, ad tecta subibant
Pauperis Evandri: passimque armenta videbant
Romanoque Foro et lautis mugire carinis.

Ich habe schon gesagt, daß es außer diesem noch verschiedene Forums in **Rom** gab, wo Basilicä erbauet
waren, wo die Gerechtigkeit verwaltet und Geschäfte getrieben wurden. Die Kaiser hatten gern, daß solche öffentliche Plätze nach ihnen genannt wurden. Die Nachrichten, welche wir von dem Forum des **Nerva** und
des **Trajan** haben, geben uns von ihrer Größe und
Zierlichkeit den höchsten Begriff. Drey korinthische
Pfeiler mit ihrem Gebälke sind alles, was uns noch von
dem erstern übrig ist; und die prächtige Säule in der
Mitte des letztern hat noch alle ihre ursprüngliche
Schönheit. Sie besteht aus drey und zwanzig runden
Stücken weißen Marmors, die wagerecht auf einander
liegen. Ihr Durchmesser ist zwölf Fuß im Grunde,
und zehn in der Spitze. Der Fuß der Basis ist ein
Stück Marmor von ein und zwanzig Fuß ins Gevierte.
Eine Treppe von hundert drey und achtzig Stufen, die
breit genug ist, daß einer hinaufsteigen kann, ist in den
Marmor gehauen, und windet sich um einen in der Mit-
te nur übrig gebliebenen dünnen Pfeiler schlangenweise

von

von unten bis oben. Ich bemerkte im Hinaufsteigen
ein zerbrochnes Stück, und erkannte daraus, daß diese
große Marmormassen auf den flachen Seiten, mit denen
sie einander berühren, ungemein polirt sind, um die An-
ziehung und Stärke des Pfeilers dadurch zu vergrößern.
Die Stufen werden durch ein und vierzig Fenster erleuchtet, die an der äußern Seite ungemein klein sind, um
die Verbindung der Basreliefs nicht zu unterbrechen, inwendig aber immer weiter werden, und dadurch Licht genug ertheilen. Die Basis der Säule ist mit Basreliefs
geziert, welche Trophäen der dacischen Rüstung vorstellen. Die merkwürdigsten Begebenheiten des Feldzugs
Trajans wider die Dacier sind vortrefflich in einer an-
einanderhängenden Spirallinie von dem Grunde an bis
zu der Spitze der Säule vorgestellt. Die Figuren der
Spitze sind von dem Auge zu weit entfernt, als daß sie
genau gesehen werden könnten. Hätten sie eben so gut
ins Auge fallen sollen als die untersten, so würde es nöthig gewesen seyn, sie, so wie sie aufsteigen, verhältniß-
mäßig größer zu machen. Von einer merklichen Entfernung betrachtet, geht alle Bildhauerarbeit verloren,
und ein schlichter gestreifter Pfeiler von gleichem Eben-
maaße würde eben so gut gestanden haben. Aber ein so
sparsamer Plan würde dem Prinzen, dessen Siege hier
eingehauen sind, nicht so rühmlich, oder den Soldaten
der Legionen, welche ohne Zweifel hier persönlich abgebildet sind, nicht so interessant gewesen seyn. Ueberdem
würde es jetzt kein so schätzbares Denkmal in den Augen
der Antiquarier, noch ein so nützliches Studium für Bild-
hauer und Maler seyn, welche die römische Kriegsklei-
dung oder das Costume des Morgenlandes in jenem Zeitalter abbilden müssen. Diese schöne Säule ist mit Aus-
schluß der Statue hundert zwanzig Fuß hoch. Trajans
Asche wurde im Grunde in einer Urne beygesetzt, und
seine Bildsäule auf der Spitze aufgerichtet. Papst

Sixtus

Sixtus der fünfte hat an die Stelle des Kaisers eine Statue St. Peters auf diese Säule hingestellt. Ich machte gegen einen Herrn, mit dem ich die Säule besah, die Anmerkung, daß es sich nicht gut schickte, die Figur des H. Peters auf ein Denkmal zu setzen, das die Siege des Kaisers Trajan vorstellt, und ihm zu Ehren errichtet ist. „Einigermaßen schickt es sich „doch,“ antwortete er kalt, „da die Statue von „Erz ist.“

XLII. Brief.

Rom.

Ich bin von der Seligsprechung eines Heiligen Zeuge gewesen. Er war aus dem Franciscanerorden, und sehr viele Brüder dieses Ordens waren dabey zugegen und ungemein stolz darauf. Es sind weit mehrere aus dem geistlichen als aus andern Ständen selig gesprochen und für heilig erklärt: zuvörderst, weil sie es ohnstreitig besser verdienen; nächstdem, weil sie begieriger als Leute in andern Ständen darnach sind, Personen von ihrem Stande und aus ihrem Orden zu Heiligen gemacht zu haben. Ein jeder Mönch bildet sich ein, daß es ihm selbst Ehre mache, wenn einer von seinem Orden kanonisirt ist. Soldaten, Rechtsgelehrte und Aerzte würden sich vermuthlich glücklich schätzen, wenn einige ihrer Brüder zu dieser Ehre gelangten. Daß sie in vielen Jahren dieses Vergnügen nicht genossen haben, kann der Schwierigkeit, taugliche Charaktere unter ihnen zu finden, zugeschrieben werden. Die alte Geschichte erwähnt freylich einiger Befehlshaber, welche große Heilige gewesen sind: aber ich habe von keinem Arzt gehört, der seit den Tagen des H. Lucas diese Würde erhalten hätte;

und

und aus der Zahl der Rechtsgelehrten weiß ich keinen
einzigen.

Ein Gemälde des gegenwärtigen Expectanten, weit
über Lebensgröße, war einige Tage vor der Seligsprechung an der Vorderseite der St. Peterskirche aufgehangen. Auch wurde diese Ceremonie durch gedruckte Zettel bekannt gemacht, welche von den glücklichen Brüdern
St. Franciscus ausgetheilt wurden. Am Tage der
Feyerlichkeit waren Seine Heiligkeit, eine beträchtliche
Anzahl Cardinäle, viele andre Geistliche, alle Capuzi-
nermönche in Rom zugegen, und der Zulauf der Zuschauer war sehr groß. Die Ceremonie geschah in der St.
Peterskirche. Ein Geistlicher von meiner Bekanntschaft
verschaffte mir einen sehr bequemen Platz, alles zu sehen.
Die Ceremonie des Seligsprechens geht vor dem Heilig-
sprechen vorher. Wenn der Heilige selig gesprochen
worden ist, so ist er zu einem größern Ansehen im Himmel berechtigt als vorhin; aber ehe er nicht heilig gesprochen worden, hat er keine Macht, Seelen aus dem
Fegefeuer zu befreyen, und daher richtet man auch keine
Gebete zu ihm, ehe er diese zweyte Ehre erlangt hat.
Bey gegenwärtiger Gelegenheit hielt ein Franciscaner
eine lange Predigt, schilderte darin das heilige Leben, das
der Expectant auf Erden geführt hätte, seine Andacht,
seine freywillige Bußübungen, und seine Liebeswerke; besonders rechnete er gewisse Wunder her, die er in seinem
Leben gethan hatte, und andre, die nach seinem Tode
durch seine Gebeine verrichtet worden waren. Das von
ihm in Person verrichtete merkwürdigste Wunder war,
daß er einer Dame Brodschrank wiederum mit Brod an-
gefüllet, nachdem ihre Wirthschafterinn auf des Heiligen Antrieb alles Brod im Hause den Armen gegeben hatte.

Die Sache wird als ein gerichtlicher Proceß verhandelt. Es wird angenommen, daß es dem Interesse des

Q 3   Teufels-

Teufels zuwider ſey, wenn Menſchen zu Heiligen gemacht werden. Um allen Gerechtigkeit widerfahren zu
laſſen, und auch dem Teufel ſein Recht zu geben, wird
ein Anwald ernennet, der die Anſprüche des h. Expectanten beſtreitet, und die Perſon, welche dazu gebraucht
wird, führt den Namen des Anwalds des Teufels. Er
zieht die Wunder in Zweifel, welche der Heilige und ſeine Knochen gethan haben ſollen, und macht ſo viel Einwürfe als möglich wider die Beweiſe der Reinigkeit ſeines Lebens und Umgangs. Dieſe Schicanen muß der
gegenſeitige Advocat beantworten und widerlegen. Der
Streit wurde in lateiniſcher Sprache geführt. Er währte ſehr lange, und war keineswegs beluſtigend. Ihr
Freund, Herr R — y, der bey mir ſaß, und bey der
Länge der Ceremonie und einigen Anfällen vom Podagra,
welche er in dieſem Augenblicke empfand, alle Geduld
verlor, flüſterte mir zu: „Ich wünſchte von Herzen,
„daß des Teufels Advocat bey ſeinem Clienten, und die-
„ſer ewige Heilige glücklich im Himmel wäre, damit
„wir weggehen könnten!“ Die ganze Geſellſchaft, zu
der ich gehörte, wurde mit einem öftern und anhaltenden
Gähnen befallen, welches vermuthlich einige Cardinäle,
die gegen uns über ſaßen, bemerkten. Sie wurden mit
angeſteckt, und ob ſie gleich ihr Mundaufſperren unter
ihren Purpurröcken zu verſtecken ſuchten, ſo ſchien es ſich
doch nach und nach über die ganze Geſellſchaft zu verbreiten, die Franciſcanermönche ausgenommen: denn denen
war an dem Ausgang des Streits zu viel gelegen, als-
daß er ihnen langweilig hätte ſcheinen ſollen. So oft
des Teufels Anwald einen Einwurf machte, ſo bemerkte
man ſichtliche Zeichen der Ungeduld, der Verachtung,
der Beſtürzung, des Unwillens und der Empfindlichkeit
auf den Geſichtern dieſer ehrwürdigen Brüderſchaft nach
ihren verſchiedenen Charakteren und Gemüthsarten. Einer ſchüttelte den Kopf und flüſterte mit ſeinem Nachbar;
ein

ein anderer zog das Kinn ein, und warf die Unterlippe
mit verächtlichem Lächeln auf; ein dritter riß die Augen
so weit als möglich auf, und hielt beyde Hände mit aus-
gestreckten Fiugern in die Höhe; ein vierter führte den
Daumen zum Munde, käuete mit höhnischer Miene die
Nägel ab, und warf sie aus den Zähnen nach dem Gegner;
ein fünfter starrete auf die ausdrucksvolleste Art den Papst
an, und richtete dann mit finstrer Stirn die Augen auf
den Advocaten. Alle waren in Bewegung, bis der Anwald des Heiligen zu reden anfieng, da ein tiefes Stillschweigen erfolgte. Und sobald er geantwortet hatte,
heiterten sich ihre Gesichter auf; ein zufriedenes Lächeln
verbreitete sich; sie nickten mit dem Kopfe und strichen
ihre Bärte unter wechselseitigen Glückwünschen. Inzwischen fuhren die Cardinäle und die andern Zuhörer,
die nicht schliefen, fort zu gähnen. Mich für meine
Person hielt nur das Zwischenspiel der Grimassen der Ca-
puciner zwischen den Gründen munter. Dieses ausgenommen ist das Seligsprechen eines Capuciners die aller-
schläfrigste Handlung, der ich je beygewohnet habe. Ich
hoffe, der gute Mann wird seit dieser Ceremonie einer
großen Glückseligkeit genießen, in welchem Falle kein
gutherziger Mensch über die Langeweile und den Ueber-
druß, welche er bey der Gelegenheit erlitt, murren wird.
Ich muß nicht vergessen zu erinnern, daß alle Vorstellungen des Advocaten umsonst waren. Der Teufel verlor seine Sache, ohne Möglichkeit zu appelliren. Die
Foderung des Heiligen wurde bestätigt, und er zu allen
Privilegien der Seligsprechung zugelassen. Das Kloster zahlte die Proceßkosten.

Wie wir zu Hause giengen, fragte mich Hr. R—y,
ob ich nicht den Namen des Heiligen wüßte. Ich antwortete Nein. „Wir müssen uns darnach erkundigen,"
sprach er; „denn wenn ich ihn oben antreffe, so werde

Q 4   „ich

„ich mir gewiß ein Verdienſt bey ihm daraus machen,
„daß ich bey ſeiner Seligſprechung Buße gethan
„habe." — Nachher habe ich erfahren, daß er
Buonaventura hieß, und ein Neapolitáner von Geburt war.

XLIII. Brief.

Rom.

Reiſende faſſen nur gar zu leicht voreilige und mehrentheils ungünſtige Meinungen von National-
charakteren. Wenn ſie die Gebräuche und Geſinnungen
der Einwohner fremder Länder, durch welche ſie reiſen,
von den ihrigen ſehr unterſchieden finden, ſo ſind ſie gleich
bereit, ſolche als fehlerhaft anzuſehen, und den Schluß
zu machen, daß diejenigen, welche auf eine der ihrigen
ſo entgegenſtehende Art handeln oder denken, Betrüger,
oder Thoren, oder beydes ſeyn müſſen. In ſolchen übereilten Urtheilen werden ſie oft durch die partheyiſchen
Schilderungen einiger ihrer Landesleute oder anderer
Fremden beſtärkt, welche in dieſen Ländern eine Profeſſion treiben, und deren Intereſſe es mit ſich bringt, von
dem Volk, unter dem ſie wohnen, einen ſchlechten Eindruck zu geben.

Es wird den Italiänern durchgängig eingeräumt,
daß ſie ungemein viele natürliche Scharfſinnigkeit und
Verſchlagenheit beſitzen; ſie werden aber beſchuldigt, daß
ſie betrügeriſch, treulos und rachſüchtig ſind, und man
führt die häufigen Meuchelmorde und Todſchläge auf den
Gaſſen in den großen Städten in Italien zu Beweiſen
an. Ich bin nicht lange genug in Italien geblieben, um
über den Charakter der Einwohner ein Urtheil fällen zu
können, wenn ich auch in aller andern Rückſicht die nöthigen

thigen Eigenschaften dazu besäße. Aber nach den Gelegenheiten, die ich gehabt habe, sie kennen zu lernen, halte ich die Italiäner für ein sinnreiches ehrbares Volk
von schnellen Empfindungen, und daher reizbar; wenn
sie aber nicht aufgebracht werden, für sanft und gefällig,
nicht so geizig, oder neidisch, oder mürrisch bey ihren eingeschränkten Umständen in Vergleichung mit dem Reichthum andrer, als die meisten andern Nationen sind.
Die Mordthaten, die dann und wann geschehen, rühren
aus einem beklagenswürdigen Mangel einer guten Policey, und aus einigen sehr unbedachtsamen Gebräuchen
her, die sich aus verschiedenen Ursachen eingeschlichen
haben, und, wenn sie in einigen andern Ländern in eben
dem Grade herrschten, daselbst häufigere Beyspiele von
ähnlicher Art hervorbringen würden. Merken Sie sich
beliebigst, daß die Mordthaten, die Italien entehren,
sich gegenwärtig (wie auch sonst der Fall gewesen seyn
mag) gänzlich auf die zufälligen Streitigkeiten, die unter dem niedrigsten Pöbel vorfallen, beschränken. In
vielen Jahren hat man unter Leuten von Stande, oder
bey der mittlern Klasse der Bürger nichts davon gehört;
und die Mordthaten, die der Pöbel verübt, entstehen fast
allemal aus einer auffahrenden Hitze des Zorns, und sind
selten die Wirkung einer vorbedachten Bosheit oder eines
überlegten Plans der Rache. Ich weiß nicht, ob die
Erzählungen von gemietheten Bravos, oder Leuten, die
vor diesem ein Gewerbe daraus gemacht haben sollen, andre umzubringen, und von dem Lohn ihrer Mordthaten
gelebt haben, in der Wahrheit gegründet sind; aber das
weiß ich gewiß, daß gegenwärtig dieses Gewerbe in diesem Lande nicht mehr getrieben wird. Daß die abscheuliche Gewohnheit, die Messer zu ziehen und einander in
den Leib zu stoßen, unter dem italiänischen Pöbel noch im
Gange ist, hat man sicherlich nur dem schändlichen Verfahren zuzuschreiben, daß solches nicht gestraft wird.

Q 5 Die

Die Freystätte, welche Kirchen und Klöster einem Missethäter anbieten, schadet der Ruhe der Gesellschaft, und
unterstützt diesen erschrecklichen Gebrauch auf eine gedoppelte Art. Zuvörderst verstärkt sie die Hoffnung des
Verbrechers zu entwischen. Demnächst vermindert sie
in pöbelhaften Gemüthern den Begriff von der Grausamkeit des Verbrechens. Wenn der Pöbel sieht, daß
ein Mörder in den geheiligten Mauern einer Kirche aufgenommen, und von Männern, die wegen ihres Stan-
des und der vermeinten Heiligkeit ihres Lebens verehrt
werden, beschützt und unterhalten wird: muß das nicht
den Abscheu, den Menschen von Natur für ein solches Laster haben, schwächen, da doch jede Regierung dahin sehen sollte, denselben zu vermehren?

Diejenigen, welche es einräumen, daß dieser letzte
Grund die Wirkung, die ich ihm zugeschrieben habe,
auf das Gemüth des Pöbels haben mag, behaupten dennoch, daß die Hoffnung, ungestraft zu bleiben, wenig Einfluß auf die Beybehaltung dieser Gewohnheit, Messersti-
che zu geben, haben kann; weil solche allemal Folgen zu-
fälliger Zänkereyen und plötzlicher Ausbrüche der Leidenschaften wären, wobey man auf seine künftige Sicherheit keine Rücksicht nehme. Alles, was ich darauf antworten kann, ist, daß wenn die Beobachtungen, welche
ich über den menschlichen Charakter zu machen fähig gewesen, wohl gegründet sind, so giebt es gewisse Betrachtungen, welche nie ihren Einfluß auf die Gemüther der
Menschen, sogar dann nicht verlieren, wenn sie in der
größten Hitze der Leidenschaften sind. Ich leugne damit
nicht, daß es Fälle giebt, wo Menschen in eine Wut
gerathen, die sie aller Ueberlegung beraubt, so daß sie,
ohne Rücksicht auf die Folge, wie Rasende handeln; aber
außerordentliche Fälle, welche von Eigenheiten der kör-
perlichen Beschaffenheit und sehr besondern Umständen
abhängen, können der Stärke einer Beobachtung, die,

im

im Allgemeinen zu reden, richtig gefunden worden ist,
keinen Abbruch thun. Täglich sehen wir Leute, deren
Charakter so beschaffen ist, daß sie sich gar nicht lenken
lassen, die bey der unbedeutendsten Gelegenheit in die
größte Hitze gerathen, aber dennoch mitten in aller ihrer
Wut, wenn sie vom Zorn völlig geblendet zu seyn scheinen, noch im Stande sind, einen Unterschied zu machen.
Ein deutlicher Beweis, daß sie vom Zorn nicht so sehr
verblendet sind, als sie gern scheinen möchten. Wenn
Leute nur in Gesellschaft derer in heftige Hitze gerathen,
und sich in ihren Worten und Handlungen keinen Zwang
anthun, welche wegen der unglücklichen Umstände ihres
Lebens solche Beleidigungen zu ertragen genöthigt sind,
so ist solches ein deutlicher Beweis, daß Betrachtungen,
die ihre eigne persönliche Sicherheit betreffen, mitten in
ihrer Wut einigen Einfluß auf sie haben, und sie unterrichten certa ratione modoque rasend zu seyn. Dieses
ist gar oft solchen hitzigen Personen selbst unbekannt, aber
jedem, der sie beobachtet, fällt es deutlich in die Augen.
Wie ungemein jachzornig verfahren manche wider ihre
Sklaven und Bedienten, und schieben die Schuld davon
allemal auf ihr unbezwingbares Naturel, da sie doch dasselbe auf das vollkommenste in ihrer Gewalt haben, wenn
sie von ihren Obern, von Personen ihres Gleichen, oder
von andern, die nicht genöthigt sind, ihre üble Laune zu
ertragen, weit ärger gereizt werden! Wie oft sehen wir
Menschen, die im Umgange überhaupt artig, aufge-
weckt, höflich und gutgeartet sind, gegen ihre Weiber
und Kinder mürrisch, finster und heftig! Ist man von
ungefähr Zeuge eines Ausbruchs ihrer häuslichen Wut
ohne gegebnen Anlaß, so beklagen sie sich wohl, daß sie
so unglücklich sind, ein weit unbezwingbareres Temperament als andre Menschen zu haben. Wenn nun aber
ein solcher bey einer gleichen Veranlassung nicht mit gleicher Heftigkeit, nicht ohne zu überlegen, ob er von sei-

nen

nen Obern, seines Gleichen, oder von solchen, die von ihm abhängen, gereizt wird, redet und handelt, so zeigt er ja offenbar, daß er sein Temperament beherrschen kann, und daß er es aus den niederträchtigsten und verachtungswürdigsten Gründen nicht bey jeder Gelegenheit thut.

Ich erinnere mich, als ich bey der englischen Armee auf dem festen Lande war, daß ich einen Officier einen Soldaten auf das unbarmherzigste mit dem Stock schlagen sahe. Ich stand bey einigen Officiers, die alle völler Unwillen über diese niederträchtige Ausübung der Gewalt zu seyn schienen. Als derjenige, der die Heldenthat verrichtet hatte, zu dem Kreise sich verfügte, so bemerkte er deutliche Zeichen des Misfallens auf allen Gesichtern; er hielt es daher für nöthig, seine That zu entschuldigen. „Nichts bringt mich so sehr auf,“ sagte er, „als wenn ein Kerl trotzig aussieht, wenn ich mit ihm „rede. Ich habe das diesem Burschen funfzigmal ge- „sagt, und doch, wie ich ihm eben jetzt einen Verweis „gab, daß einer seiner Westenknöpfe zerbrochen war, so „sah er mir trotzig starr ins Gesicht; darüber gerieth „ich in solche Hitze, daß ich nicht umhin konnte, ihn zu „prügeln. — Inzwischen thut es mir leid, weil er „den Ruf hat, daß er ein ehrlicher Kerl ist, und als „ein Soldat hat er allemal seine Schuldigkeit sehr gut „beobachtet. Wie beneidenswürdig,“ setzte er hinzu, „sind solche Menschen, die ihr Temperament vollkommen „beherrschen können!“

„Niemand kann es vollkommener beherrschen als „Sie selbst,“ sagte ein Herr, welcher damals bey der Leibwache zu Fuß war, und seitdem ein Staabsofficier geworden ist.

„Ich gebe mir oft Mühe es zu thun,“ erwiederte der hitzige Mann, „aber ich finde es über meine Kräfte. „Ich bin nicht Philosoph genug, die Heftigkeit mei-

„nes

„nes Temperaments im Zaum zu halten, wenn ich ein-
„mal gereizt bin.“

„Sie laſſen ſich gewiß nicht Gerechtigkeit widerfah-
„ren, mein Herr,“ verſetzte der Officier. „Niemand
„kann ſeine Leidenſchaften beſſer unter ſeiner Gewalt ha-
„ben. Ich habe kein einziges Beyſpiel geſehen, da Sie
„gegen Ihre Mitofficiere die Regeln des Wohlſtandes
„überſchritten, oder Ihren Zorn über die Höflichkeit ge-
„gen ſie hätten ſiegen laſſen.“

„Sie haben mich nie gereizt,“ ſagte der hitzige
Mann.

„Nie gereizt?“ erwiederte der andre. „Ja, mein
„Herr! oft, und in einem weit größern Grade als der
„arme Soldat. Gebe ich ſelbſt Ihnen nicht in dieſem
„Augenblick zehntauſendmal mehr Anlaß zum Zorn,
„als dieſer, oder ſonſt jemand von den unglücklichen Leu-
„ten, die unter Ihrem Commando ſtehen, und die Sie ſo
„leicht ſchlagen oder ſchelten, Ihnen je gegeben haben? —
„und doch ſcheinen Sie völlig Herr über Ihr Tempera-
„ment zu ſeyn.“

Dem Hitzigen war kein Weg übrig, das Gegentheil
zu beweiſen, als den andern niederzuſtoßen; aber dieſe
Art, ſeinen Gegner zu überführen, hielt er nicht für
rathſam. Wahrſcheinlich würde ein beherzterer Mann
unter ähnlichen Umſtänden zu dieſem Mittel ſeine Zuflucht genommen haben: aber gemeiniglich wiſſen die
Menſchen ſelbſt in der Hitze der Leidenſchaft einigermaſ-
ſen die Gefahr, die ſie laufen, zu ſchätzen; und in allen
Ländern läßt ſich der Pöbel lieber zu jenem niedrigern
Grad der Wut anfeuern, kraft deſſen er den Abſcheu an
einem Mord verlieret, und das Leben eines Nebengeſchö-
pfes geringe achtet, als zu jener höhern Stufe, welche
ihn zu aller Ueberlegung ſeiner eignen perſönlichen Sicherheit unfähig macht.

In

In England, Deutschland und Frankreich weiß ein Mensch, daß ein jedweder, der um ihn ist, von dem Augenblick an, da er einen Mord begeht, sein Feind wird, und alle Mittel anwendet, ihn zu greifen, und der Gerechtigkeit zu überliefern. Er weiß, daß er sogleich ins Gefängniß gebracht, und unter den Verfluchungen seiner Landesleute zu einem schmählichen Tode verurtheilt werden wird. Der Eindruck, den diese Vorstellungen machen, und der natürliche Abscheu an dem Mord, den sie vermehren, verursacht, daß der Pöbel in diesen Ländern, wenn er auch noch so sehr von Zorn und Wut erhitzt ist, bey zufälligen Zänkereyen schwerlich jemals seinen Gegner niederstoßen wird. Der niedrigste Troßbube auf den Gassen in London wird nie ein Messer auf einen Gegner zucken, der ihm an Stärke noch so sehr überlegen ist. Er wird sich, so lange er kann, redlich mit den Fäusten wehren, und sich lieber derb abschmieren lassen, als ein Mittel zu seiner Vertheidigung ergreifen, welches von seinen Landesleuten verabscheuet wird, und ihn an den Galgen bringen würde.

Daher werden in Deutschland, Frankreich und England vergleichungsweise wenig Mordthaten begangen, und diese gemeiniglich nach einem vorhin überlegten Plan, nach welchem der Mörder schon Maasregeln zu seiner Flucht oder Verbergung genommen hat, überzeugt, daß sonst ein unvermeidlicher Tod auf ihn warte. In Italien verhält es sich ganz anders. Auf einen Italiäner hat der starke Eindruck, daß ein unausbleiblicher Tod die Folge eines Mordes sey, keinen Einfluß; er giebt sich weniger Mühe, den in seiner Brust aufwallenden Zorn zurückzuhalten; er läßt seiner Wut freyen Lauf; und wenn ihm die größere Stärke eines Feindes hart zusetzt, so macht er sich kein Bedenken, sich durch einen Stoß mit seinem Messer loszuwickeln; er weiß, daß, wenn keine Sbirren zugegen sind, sonst niemand

ihn

ihn festhalten wird: denn dieses Geschäfte wird von dem italiänischen Pöbel so verabscheuet, daß niemand etwas thun wird, was zu dem Amte der Sbirren gehört. Der Mörder kann also mit ziemlicher Gewißheit darauf rechnen, eine Kirche oder ein Kloster zu erreichen, wo er Schutz findet, bis er die Sache mit den Verwandten des Verstorbenen abmachen, oder nach einem andern italiänischen Gebiete entfliehen kann; und dieses ist nicht schwer, da kein Staat sehr groß ist.

Wenn aber auch ein Mörder nicht so glücklich ist, den Portico einer Kirche zu erreichen, ehe ihn die Sbirren erhaschen, und wenn er wirklich ins Gefängniß geführt wird, so fällt es dennoch seinen Freunden oder Verwandten nicht sehr schwer, durch ihre Bitten und Thränen bey einigen Cardinälen oder Prinzen auszuwirken, daß sie sich für ihn verwenden und seine Begnadigung zu erhalten suchen. Wenn dieses wahr ist, und mir ist es von sehr guter Hand versichert worden, daher ichs völlig glaube, so ist es kein Wunder, daß Mordthaten unter dem italiänischen Pöbel häufiger sind, als unter dem gemeinen Mann in andern Ländern. So bald die Freystätten für diese Missethäter abgeschafft werden, und der Gerechtigkeit erlaubt wird, ihren natürlichen Lauf zu nehmen, so wird dieser Schandfleck bald gänzlich von dem Nationalcharakter der Italiäner ausgelöscht werden. Die toscanischen Staaten geben schon einen Beweis davon. Die Verordnung, daß Kirchen und Klöster nicht länger Zufluchtsörter der Mörder seyn sollten, hat dem Gebrauch des Stilet sogleich Einhalt gethan, und nun kämpft der florentinische Pöbel mit eben den stumpfen Waffen, deren sich das gemeine Volk bey andern Nationen bedient.

Ich besorge, Sie werden urtheilen, daß ich ein wenig zu weitläuftig über diesen Punkt gewesen bin; aber ich hatte zwey Endzwecke dabey vor Augen, die mir beyde gleich

gleich nahe am Herzen lagen. Zuvörderst wollte ich zeigen, daß die den Italiänern beygemessene verrätherische
und treulose Gemüthsart, wie die meisten andern Natio-
nalbemerkungen, ungegründet ist, und die Thatsachen,
die als Beweise der Beschuldigungen angeführt werden,
aus andern Ursachen entstehen. Zweytens wollte ich gewisse hitzige Herren, welche vorgeben, daß ihr Naturel
nicht zu regieren ist, und dieses zur Entschuldigung brau-
chen, alle von ihnen abhängende Geschöpfe elend zu machen, überzeugen, daß sie sich durch ihre Wut nicht nur
lächerlich machen, sondern auch niederträchtig bezeigen.
Im bürgerlichen Leben in England können sie sich nur
verächtlich machen; aber bey der Armee, auf der Flotte,
oder in unsern Inseln können sie auch Gegenstände des
Abscheues werden.

XLIV. Brief.

Rom.

Diebstähle, und was keine Hauptverbrechen sind, werden in Rom und in einigen andern Städten in
Italien mit dem Gefängniß, oder mit der Corde, wie
es genennet wird, bestraft. Dieses letztere geschieht auf
der Straße. Dem Missethäter werden die Hände auf
den Rücken mit einem Strick gebunden, der über eine
Rolle läuft. Dann wird er zwanzig bis dreyßig Fuß in
die Höhe gezogen, und, wenn gelinde verfahren werden
soll, auf eben die Art, wie er aufgezogen wurde, langsam
wieder herabgelassen. Bey dieser Operation ruhet das
ganze Gewicht des Körpers eines Missethäters auf den
Händen, und ein starker Mensch kann diese Strafe ohne
weitere Beschwerden aushalten; denn die Stärke der
Muskeln seiner Arme machen, daß er seine Hände auf
der

der Mitte seines Rückens geschlossen halten kann, und
so hängt sein Körper wagerecht. Wenn aber die Strafe
schwer seyn soll, so läßt man den Missethäter auf einmal
von der größten Höhe herabfallen, und der Fall wird
plötzlich in der Mitte aufgehalten. Hierdurch werden
Hände und Arme über den Kopf in die Höhe gezogen,
und beyde Schultern verrenkt; und der Körper schwebt
kraftlos, senkrecht. Das ist eine grausame und unge-
rechte Strafe, wobey denen, welche die Aufsicht bey der
Execution haben, zu sehr die Macht gelassen wird, sie
nach ihrem Willen gelind oder streng zu machen.

Rädern ist in Rom nie für irgend ein Verbrechen
gebräuchlich; bisweilen aber haben sie eine andere Art,
einen Menschen hinzurichten, welche schreckhafter aussieht, als sie wirklich grausam ist. Der Missethäter
sitzt auf einem Gerüste; der hinter ihm stehende Nachrichter schlägt ihn mit einem Hammer von einer besondern Figur auf den Kopf, und benimmt ihm dadurch auf
einmal alle Empfindung. Wenn er von seinem völligen
Tode gewiß ist, so schneidet er ihm mit einem großen
Messer die Kehle von einem Ohr zum andern ab. Man
hält dafür, daß dieser letzte Theil der Ceremonie einen
stärkern Eindruck auf die Gemüther der Zuschauer mache, als der unblutige Schlag, der dem Missethäter das
Leben raubt. Ob die daraus entstehenden Vortheile den
abscheulichen Anblick, den man dem Auge des Volks
darstellt, hinreichend ersetzen, ist wohl noch nicht so ausgemacht.

Aus schon angeführten Ursachen sieht man wenig
Executionen zu Rom. Seit unserer Ankunft ist nur
eine einzige gewesen; und die von einer noch so verzeihen-
den Gemüthsart sind, werden gestehen, daß dieser Verbrecher nicht eher zum Tode verurtheilt wurde, als bis
das Maaß seiner Ungerechtigkeit vollkommen erfüllt war.
Er wurde wegen des fünften Mordes verurtheilt, gehan-

I. Theil.　　　　　R　　　　　gen

·gen zu werden. Ich will Ihnen von dieser Execution
und den dabey vorgefallenen Ceremonien Nachricht geben, weil sie einiges Licht über die Gesinnungen und den
Charakter dieses Volks verbreiten.'

Zuerst kam eine Procession von Priestern, deren einer ein schwarz behangnes Crucifix auf einer Stange
trug. Ihnen folgte eine Menge Volks in langen Röcken, mit denen sie vom Kopfe bis auf die Füße bedeckt
waren; unmittelbar vor dem Gesicht waren Löcher, durch
welche die also Verkleideten alles vollkommen sehen, aber
von den Zuschauern nicht erkannt werden konnten. Sie
sind von der Gesellschaft der Barmherzigkeit (della Mise-
ricordia), die es aus Frömmigkeit für ihre Pflicht halten, Missethäter, die ihr Todesurtheil empfangen haben,
zu besuchen, sich zu bemühen, sie zur wahren Erkenntniß ihrer Verschuldung zu bringen, ihnen beyzustehen, um
den besten Gebrauch von der kurzen Zeit, die sie noch zu
leben haben, zu machen, und sie nie eher als in dem Augenblicke ihrer Hinrichtung zu verlassen. Leute vom ersten Range gehören zu dieser Gesellschaft, und verrichten andächtig die beschwerlichsten Geschäfte derselben.
Sie hielten alle brennende Fackeln, und einige schüttel-
ten zinnerne Büchsen, in die das Volk Geld zu den
Kosten der Seelmessen für den Missethäter warf. Viele
sehen dieses als die verdienstlichste Art des Almosens an;
und einige, deren Umstände nicht erlauben, viel zu geben, schränken alles, was sie auf Liebeswerke verwenden
können, auf den einzigen Artikel der Seelmessen zum Besten derer ein, die gestorben sind, ohne einen Heller
zu Rettung ihrer Seele nachzulassen. Die Reichen,
sagen sie, welche viel überflüssiges Vermögen haben,
können einen Theil desselben zu Handlungen zeitlicher
Mildthätigkeit anlegen; aber weit eigentlicher sey es die
Pflicht derer, die wenig geben können, dafür zu sorgen,
daß dieses Wenige zu den wohlthätigsten Absichten angewendet

wendet werde. Was ist die Errettung einiger armen Familien von den geringen Leiden der Kälte und des Hungers in Vergleichung mit ihrer Befreyung aus einem vieljährigen Pech- und Schwefelfeuer? Zu diesen nöthigen Arten des Almosengebens wird das Volk nicht nur von den Predigern, sondern auch durch Inschriften an den Wänden besonderer Kirchen und Klöster ermahnt; und bisweilen ist der Pinsel mit zu Hülfe gerufen, die Empfindung des Fühllosen und Hartherzigen zu erwecken. An den äußern Mauern einiger Klöster, unmittelbar über der Büchse, in welche man das Geld zu stecken erinnert wird, sieht man Abbildungen des Fegefeuers in den fürchterlichsten Farben, erblickt brennende Menschen in Todesangst ihre unwillige Augen zu ihren unbesonnenen Freunden und Verwandten aufheben, welche sie lieber an diesem Orte der Quaal bleiben lassen, als ein wenig Geld ausgeben wollen. Es ist kaum begreiflich, wie ein Sterblicher ein solches Gemälde vorbeygehen kann, ohne seinen Beutel in die Büchse auszuleeren, wenn er glaubt, dadurch, ich will nicht einmal sagen einen Menschen, sondern nur einen armen unverbesserlichen Hund, oder ein fehlerhaftes Pferd aus einem so schrecklichen Zustande retten zu können. Da die Italiäner insgemein mehr Empfindsamkeit als irgend ein Volk, das ich kenne, zu haben scheinen, und da ich einige, von denen ich nicht vermuthen kann, daß sie gänzlich von Gelde entblößt wären, alle Tage vor diesen Gemälden vorübergehen sehe, ohne einen Heller in die Büchse zu stecken, so muß ich diese Kargheit mehr einem Mangel an Glauben als an Empfindsamkeit zuschreiben. Solche unachtsame Vorübergehende gehören wahrscheinlich zu der Zahl derer, welche anfangen zu glauben, daß das Geld der Lebendigen den Todten wenig nützen könne. Völlig überzeugt, daß es ihnen sehr schwer fällt, sich in dieser Welt von ihrem Gelde zu trennen, und zweifelhaft,

ob

ob es zu Verkürzung der Pein ihrer Brüder in der künftigen einige Wirkung haben werde, bedenken sie sich einige Zeit, ob sie Gefahr laufen wollen, ihr Geld zu verlieren, oder ihres Nächsten Seele in der Quaal bleiben zu
lassen; und gemeiniglich entscheiden diese Zweifler, dem
Anschein nach, den Streit zum Besten des Geldes.

Aber in dem vorhin beschriebenen Fall, da ein ar-
mer Unglücklicher eben mit Gewalt aus einer Welt hin-
ausgeschafft werden soll, und um ein wenig Geld bittet,
um in der andern desto besser aufgenommen zu werden,
sind die Leidenschaften der Zuschauer zu kalten Vernunft-
schlüssen zu sehr bewegt, und der kargste Zweifler wirft
seinen Scherf in die Büchsen der Gesellschaft der Barmherzigkeit. Gleich hinter diesen kam der Missethäter
selbst, auf einem Karren sitzend, mit einem Kapuziner-
mönch an jeder Seite. Der Büttel mit zween Gehülfen in Scharlachwämsern giengen neben dem Karren.
Nachdem diese Procession langsam rund um den auf dem
Platz del Populo aufgerichteten Galgen herum gegangen
war, stieg der arme Sünder von dem Karren herunter,
und wurde in Begleitung der beyden Kapuziner in ein
Haus in der Nähe geführt. Hier blieb er eine halbe
Stunde, beichtete, und empfieng die Absolution; nachher kam er wieder heraus, rief dem Pöbel zu, mit für
seine Seele zu beten, und gieng mit schnellen Schritten
zu dem Galgen. Der Büttel und seine Gehülfen faßten
ihn am Arm, und halfen ihm die Leiter hinauf; und der
Unglückliche betete, so laut er konnte, bis er abgestoßen
wurde. Er wurde nicht einen Augenblick ihm selbst
überlassen. Der Nachrichter stieg von der Leiter, stund
mit einem Fuß auf jeder seiner Schultern, und hielt sich
mit den Händen an den Obertheil des Galgens; unter-
dessen zogen seine Gehülfen den Missethäter bey den Beinen so, daß er in einem Augenblick sterben mußte. Nach
einer kleinen Weile rutschte der Nachrichter an dem tod-

ten

ten Körper zur Erde herab, wie der Matrose an einem
Seil. Dann nahmen sie das Tuch ab, das sein Gesicht
bedeckte, und dreheten den Körper mit großer Geschwindigkeit herum, als ob sie den Pöbel belustigen wollten,
der jedoch an diesem Zeitvertreib keinen Gefallen zu bezeigen schien. Das Volk sahe das Schauspiel mit stum-
mer Scheu und Mitleid an. Während der von den Gesetzen bestimmten Zeit, daß der Körper hangen bleiben
mußte, giengen alle Glieder der Procession mit ihrem
Aufzuge von Fackeln, Crucifixen und Kapuzinern in eine
benachbarte Kirche an der Ecke der Straße del Bab-
buino, und blieben daselbst, bis eine Seelenmesse gehalten
war; nach deren Endigung sie in Procession mit einem
mit schwarzem Tuch bezognen Sarg zu dem Galgen zu-
rückkehrten. Bey dieser Annäherung zog sich der Nachrichter mit seinen Gehülfen eiligst unter das Gedränge
des Volks zurück, und durfte sich dem Körper nicht weiter nähern. Der Gehenkte, der nun die Strafe seiner
Verbrechen erlitten hatte, wurde nicht länger als ein Gegenstand des Hasses angesehen; sein todter Körper wurde
daher der schimpflichen Berührung derer, für welche der
Pöbel den größten Abscheu hat, entzogen. Zwey ver-
larvte Personen mit schwarzen Röcken stiegen die Leiter
hinan, und schnitten den Strick ab, mittlerweile andre
von derselbigen Gesellschaft den Körper unten in Em-
pfang nahmen, und ihn sorgfältig in den Sarg legten.
Alsdann sagte ein altes Weib mit lauter Stimme:
Adesso spero che l' anima sua sia in paradiso. (jetzt,
hoffe ich, ist seine Seele im Paradiese), und der umher-
stehende Haufe schien dieselbe Hoffnung zu haben.

Aus der ernsthaften und mitleidigen Art, mit welcher der römische Pöbel diese Execution ansahe, läßt sich
eine Vermuthung von ihrer sanften Gemüthsart fällen.
Die Verbrechen, deren sich dieser Mann schuldig gemacht hatte, mußten natürlich ihren Unwillen erweckt

R 3   haben,

haben, und seine Profeſſion mußte ſolchen noch vermehren und unterhalten; denn er war einer von den Sbirren, welche alle von dem Pöbel auf das völligſte verab-
ſcheuet werden.   Aber in dem Augenblick, da ſie den Gegenſtand ihres Haſſes in dem Charakter eines armen verurtheilten Miſſethäters ſahen, der für ſeine Verbrechen
leiden ſollte,   hörte ihr ganzer Groll auf;   ſie zeigten
keinen Haß, nicht die geringſte Schmach, die ihn in
ſeinen letzten Augenblicken hätte beunruhigen können.
Sie ſchaueten ihn mit Augen des Mitleids und der
Verzeihung an, und beteten ernſtlich für ſeine künftige
Seligkeit.

Ohnſtreitig war die Todesart dieſes Verbrechers ungemein gelinde, wenn man ſie mit der Grauſamkeit ſeiner Thaten vergleicht; doch bin ich überzeugt, daß die
feyerlichen Umſtände, welche ſeine Hinrichtung begleiteten, einen größern Eindruck auf das Gemüth des Pöbels machten, und ſie weit kräftiger von den Verbrechen,
um deren willen er geſtraft wurde, abſchreckten, als wenn
er lebendig gerädert, und auf eine weniger feyerliche Art
zum Tode gebracht worden wäre.

Da ich überzeugt bin, daß alle ſchreckliche und ver-
feinerte Grauſamkeit bey der Hinrichtung der Miſſethä-
ter unnöthig iſt, ſo habe ich nie von dergleichen ohne Abſcheu und Unwillen reden hören können.   Andere Mittel,
die mit dem Leiden des Gefangnen in keinem Verhält-
niſſe ſtehen, halten eben ſo ſehr von dem Verbrechen ab,
und haben in allen übrigen Stücken einen beſſern Einfluß auf die Gemüther des großen Haufens.   Ich bemerkte deutlich, daß die eben beſchriebene Proceſſion einen ſehr tiefen Eindruck machte.   Mich dünkte, ich ſahe
mehr Leute davon gerührt, als ich ſonſt unter einer weit
größern Schaar bemerkt habe, die ſich verſammlet hatte, zwölf bis vierzehn ihrer Mitgeſchöpfe wegen Ein-
bruchs und Straßenraubs zu demſelbigen Tode ſchleppen

zu

zu sehen; welche Verbrechen in Vergleichung mit dem, was dieser Italiäner begangen hatte, sehr verzeihlich sind. Die Begleitung der Kapuziner, die Crucifixe, die Gesellschaft der Barmherzigkeit, die Ceremonie der Beichte, alles zielte dahin ab, das Gemüth mit Furcht zu erfüllen, und den Glauben eines künftigen Zustandes lebhaft zu erhalten; und wenn der große Haufe so viele Leute beschäftigt, und so viele Mühe angewendet sieht, die Seele eines der nichtswürdigsten Menschen zu retten, so muß er denken, daß die Rettung einer Seele sehr wichtig seyn muß, und daher natürlicherweise den Schluß machen, je geschwinder man anfange für seine eigne Seele zu sorgen, desto besser sey es. Wenn aber ein Misse-thäter mit wenigen oder gar keinen Feyerlichkeiten zum Tode gebracht wird, das Geschrey eines gedankenlosen Pöbels ausgenommen, der dem Elenden nach dem Maaß seiner Gleichgültigkeit und Unbußfertigkeit Reue zu-jauchzt, und den ganzen Auftritt als einen Zeitvertreib ansieht: wie können da Executionen einen nützlichen Ein-druck machen, oder den Unbesonnenen und Verzweifel-ten von dem Hange zum Bösen abhalten? Wenn es ein Land giebt, in welchem eine große Anzahl junger un-besonner Geschöpfe jährlich in sechs- bis achtmalen auf diese lermende, nicht rührende Art zum Tode gebracht werden, sollte da nicht ein Fremder den Schluß machen, die Absicht der Gesetzgebung gehe dahin, strafbare Men-schen auf die am wenigsten Eindruck machende Art weg-zuschaffen, damit andre nicht abgeschreckt werden, ihrem Beyspiel zu folgen?

R 4   XLV. Brief.

XLV. Brief.

Rom.

Diejenigen, welche ein wahres Vergnügen in Betrachtung der Ueberbleibsel der alten, und der edelsten Proben der neuen Baukunst finden, die von der unnachahmlichen Feinheit und Ausdruck der griechischen Bildhauerarbeit gerührt werden, und sie mit den besten Bemühungen der Neuern zu vergleichen wünschen, und die die Reize der Malerkunst unermüdet bewundern, können, wenn sie nicht anderwärts wichtigere Geschäfte haben, ein ganzes Jahr zufrieden in dieser Stadt zubringen.

Was der Antiquarier einen ordentlichen Cours nennet, nimmt gemeiniglich sechs Wochen hin, wenn man täglich drey Stunden anwendet. In dieser Zeit können Sie alle Kirchen, Paläste, Vorwerke und Ruinen, die in oder nahe bey Rom sehenswürdig sind, in Augenschein nehmen. Wenn Sie aber nach diesem Besuch, so deutlich auch alles von dem Antiquarier erläutert worden ist, die interessantesten Stücke nicht wieder besuchen, und mit mehrerer Muße betrachten, so hilft Ihnen alle Mühe wenig; denn die Gegenstände sind so mannichfaltig, und was Sie den einen Tag sehen, kann durch das, was Sie den zweyten beschauen, so leicht wieder vergessen, oder die Erinnerung daran so verwirrt werden, daß Sie nur eine sehr schwache und undeutliche Vorstellung von allem, was Sie gesehen haben, mitnehmen. Die Wahrheit dieser Beobachtung haben viele Reisende erfahren.

Ein junger Engländer, der in die Reize der Kenntniß der Künste nicht gar sehr verliebt ist, und es sich für einen Schimpf hält, etwas zu affectiren, was er

nicht

nicht empfindet, glaubte, daß vier bis sechs Wochen lang täglich drey Stunden auf eine Sache zu verwenden, die ihm wenig Vergnügen machte, und von der er wenig Nutzen einsahe, gar zu viele Zeitverschwendung sey. Der einzige Vortheil, den nach seiner Meinung der größte Theil der Unsrigen aus der sechswöchentlichen Reise zog, war, daß wir sagen könnten, wir hätten sehr viele schöne Sachen gesehen, die er nicht gesehen hätte. Dies war ein Vorzug, den er nicht ertragen konnte, und er nahm sich vor, daß wir desselben nicht lange genießen sollten. Völlig überzeugt, daß er dies Geschäfte mit einer geringen Anstrengung in gar kurzer Zeit abthun könnte, beredete er eine taugliche Person, ihn zu begleiten, bestellte an einem Morgen zeitig eine Kalesche mit vier Pferden, fuhr mit aller möglichen Geschwindigkeit nach Kirchen, Palästen, Vorwerken und Ruinen, und sah in zween Tagen alles, was wir in unserm kriechenden Gange von sechs Wochen gesehen hatten. Da er alles, was er sahe, aufzeichnete, so fand ich nachher, daß wir kein einziges Gemälde, keine einzige verstümmelte Statue vor ihm voraus hatten.

Ich schlage den Plan dieses jungen Herrn keineswegs als den bestmöglichsten vor; aber das weiß ich gewiß, daß er einen eben so hinlänglichen Bericht von den Merkwürdigkeiten Roms geben kann, als einige meiner Bekannten, welche sie mit gleicher Empfindsamkeit und mit weit mehrerer Muße besahen.

Reisende, welche nicht sehr lange in Rom verweilen können, würden wohl thun, wenn sie ein mit Beurtheilungskraft abgefaßtes Verzeichniß von den interessantesten Gegenständen der Bau-, Bildhauer- und Malerkunst zu erhalten suchten. Diese und nur diese allein müssen sie oft besuchen; dadurch werden sie einen starken und deutlichen Eindruck von allem, was sie sehen, erhalten, anstatt des flüchtigen und verwirrten Begriffs,

R 5   den

den eine Menge obenhin und in der Eil betrachteter Dinge in dem Gemüth zurücklassen. Sehr wenige finden nach einer mit gehöriger Aufmerksamkeit angestellten Betrachtung der prächtigsten und im besten Stande sich befindenden Ueberbleibsel der alten Baukunst ein Vergnügen an einer Parthey alter Backsteine, von denen ihnen gesagt wird, daß sie den Grund von den Bädern einiger Kaiser ausgemacht haben. Und es giebt nicht viele, die es bedauern werden, daß sie nicht eine große Anzahl Statuen und Gemälde von geringerm Werth gesehen, nachdem sie diejenigen, die durchgehends für die besten geschätzt werden, betrachtet haben. Würde es daher nicht von der größten Anzahl der Reisenden höchst vernünftig gehandelt seyn, wenn sie, ohne von der gewöhnlichen Zeit ihres Herumgehens etwas abzukürzen, weniger sähen?

Außer den Kirchen sind dreyßig Paläste in **Rom** so voll von Gemälden, als nur an den Wänden Platz haben. Der borghesische Palast allein soll über sechszehn hundert, lauter Originale, enthalten. Auch sind zehn bis zwölf Vorwerke in der Nachbarschaft der Stadt, die gemeiniglich von den Fremden besucht werden. Hieraus können Sie urtheilen, was die für eine Arbeit unternehmen, die alles durchgehen wollen, und was die für Vorstellungen mit zu Hause bringen, die diese Arbeit während eines Aufenthalts von einigen Monaten verrichten wollen. Von den Vorwerken ist keines merkwürdiger als das pinejanische, welches dem borghesischen Hause gehört. Ich will mich auf wenige flüchtige Anmerkungen über einige der am meisten geschätzten Seltenheiten in demselben einschränken. Der Zwitter, von dem Sie so viele Kupfer und Münzen gesehen haben, wird von vielen für eines der schönsten Stücke von der Welt in Ansehung der Bildhauerarbeit gehalten. Die Matratze, auf welche sich diese schöne Figur lehnet, ist ein

Werk

Werk des Ritters Bernini, und nichts kann schöner ausgeführt seyn. Einige Kritiker sagen, er habe seine Arbeit gar zu gut gemacht, weil die Bewunderung des Zuschauers zwischen der Statue und Matraße vertheilt wird. Dies muß aber diesem großen Künstler nicht als ein Fehler angerechnet werden; denn da er sich herabließ, alles zu machen, so war es auch seine Sache, es so vollkommen als möglich zu machen. Ich habe von einem Künstler zu Versailles von einer andern Art gehört, der auch einen Versuch machte, etwas vollkommenes zu liefern. Er hatte alle seine Kunst auf eine Perücke für einen berühmten Prediger verwendet, der bey einer besondern Gelegenheit vor dem Hofe predigen sollte, und er bildete sich ein, ein Wunder verrichtet zu haben. „Ich „will mich hängen lassen,“ sagte er zu einem seiner Gesellschafter, „wenn Seine Majestät, oder ein anderer „Mensch von Geschmack heute auf die Predigt sehr auf„merksam seyn wird.“

Unter den Antiken ist ein Centaur in Marmor, auf dessen Rücken ein Liebesgott sitzt. Dieser hat den Gürtel der Venus und des Bacchus Epheukranz: eine Anspielung auf Schönheit und Wein. Er schlägt den Centaur mit der Faust, und scheint ihn mit Gewalt zu stoßen, ihn fortzutreiben. Der Centaur wendet den Kopf und die Augen mit einer reuigen Mine um, als ob er nicht gern, ohngeachtet er gezwungen würde, weiter gehen wolle. Die Ausführung dieser Gruppe wird von denen bewundert, welche sie blos als ein Spiel des Witzes ansehen; aber noch größer wird ihr Verdienst, wenn sie als eine Allegorie solcher Menschen betrachtet wird, die sich von der Heftigkeit ihrer Leidenschaften hinreißen lassen, und ihre Schwäche beklagen, da sie sich zum Widerstande unfähig finden.

Eine andre Figur zieht unsre Aufmerksamkeit mehr wegen der Allegorie als der Bildhauerarbeit auf sich.

Es

Es ist eine kleine Statue einer **Venus Cloacina**, die auf einen schwangern Uterus mit Füßen tritt, und Cupidens Flügel zerreißt. Die Allegorie zeigt an, daß Unzucht der Fortpflanzung und der Liebe gleich schädlich ist. **Keysler** nennet es eine Statue der **Venus**, die die Uebereilung, mit welcher sie des **Cupido** Flügel beschnitten hatte, beweinet.

Die Statue **Zingara**, oder die Wahrsagerinn, ist ganz antik, außer dem Kopf, der von **Bernini** ist. Das Gesicht hat einen starken Ausdruck jener schlauen Verschlagenheit, die denen eigen ist, welche ein Handwerk daraus machen, die Leichtgläubigkeit des Pöbels zu hintergehen. Die Miene kommt einigen neuern Wahrsagerinnen, die ich gesehen, und die die Eigenliebe und Leichtgläubigkeit der Großen gar vortrefflich hintergangen haben, sehr gleich.

Der im Bade sterbende **Seneca** von Probirstein — Um den Unterleib ist ein Gürtel von gelbem Marmor; er steht in einem Becken von blaulichtem Marmor mit Porphyr überzogen. Seine Kniee scheinen für Schwäche unter ihm zu schwanken; seine Züge geben Mattigkeit, Entkräftung und Annäherung des Todes zu erkennen; die Augen sind emaillirt, welches dem Gesicht eine trotzige unangenehme Mine giebt. Die Augen zu färben thut in der Bildhauerkunst allemal eine schlechte Wirkung. Sie stechen zu stark gegen die andern Züge ab, welche die natürliche Farbe des Marmors behalten. Wenn den Augen eine Farbe gegeben wird, so ist es nöthig, das ganze Gesicht anzumalen, um die angenehme Harmonie des Lebens hervorzubringen.

Der Faun, der einen jungen Bacchus auf den Armen tanzen läßt, ist eine der lebhaftesten Figuren, die man sich gedenken kann.

Auf

Auf diesem Vorwerk sind ebenfalls einige hoch ge-
schätzte Stücke von Bernini: Aeneas, der seinen Vater trägt; David, der den Stein auf Goliath schleu-
dert; und Apoll, der die Daphne verfolgt. Das
letztere wird gemeiniglich für Bernini's Meisterstück gehalten; ich habe aber einen so schlechten Geschmack, daß
ich das zweyte vorziehe. Davids Figur ist nervicht,
die anatomische Richtigkeit sehr gut beobachtet, und die
Schärfe des Auges und Bemühung, sein Ziel nicht zu
verfehlen, und seinen Feind zu tödten, sehr stark ausgedrückt; nur Davids Gesichte fehlt es an Würde. Ein
alter Künstler würde ihm freylich nicht mehr Feuer haben
geben können; aber Davids Gesichtszügen würde er
mehr Adel gegeben haben. Man wird vielleicht sagen,
da er nur ein Schäfer gewesen sey, so müsse er ein bäu-
risches Ansehen haben; aber man erinnere sich, daß
David ein sehr außerordentlicher Mann war; und wenn
der Künstler, der den Apoll von Belvedere verfertigte, oder wenn Agasias von Ephesus diesen Gegenstand bearbeitet hätten, so glaube ich, sie würden die edle
Mine eines Helden mit dem einfältigen Ansehen eines
Schäfers verbunden, und dadurch ihr Werk interessan-
ter gemacht haben. Die Figuren von Apoll und Daphne haben verschiedne Fehler. Apollens Gesicht und
Gestalt mangelt es an Simplicität, an der edeln Simplicität der besten alten Statuen. Er läuft mit gekün-
stelter Anmuth, und sein Erstaunen bey der anfangenden
Verwandelung seiner Geliebten ist nach meiner Meinung
nicht natürlich ausgedrückt, sondern scheint vielmehr das
übertriebne Erstaunen eines Schauspielers zu seyn.
Daphnens Form und Wuchs sind sehr niedlich: aber in
ihrem Gesicht ist die Schönheit einigermaßen dem Ausdruck des Schreckens aufgeopfert; ihre Züge sind durch
die Furcht zu sehr verzerret. Ein alter Künstler würde
ihr weniger Furcht beygelegt haben, um sie schöner zu
machen.

machen. In dem Ausdruck des Schreckens, der Pein und andrer Eindrücke ist ein Punkt, wo die Schönheit des feinsten Gesichts aufhört und die Häßlichkeit anfängt. Diese Beobachtung habe ich Herrn Lock zu verdanken. In einigen Unterredungen, die ich zu Cöln über die Bildhauerkunst mit ihm hätte, machte er die Bemerkung, daß die alte Bildhauerkunst die neue in der geschickten und mäßigen Anwendung ihrer Kräfte auf den Ausdruck, diesen edelsten Theil ihrer Kunst, gar sehr überträfe. Sie kaunte die Gränzen desselben, und bestimmte sie genau. So weit der Ausdruck mit der Grazie und Schönheit in Gegenständen, welche Sympathie erregen sollten, gleiche Schritte hielt, ließ sie ihrem Meissel freye Hand; wo aber Todesangst Verzerrung in die Züge zu bringen und Schönheit auszulöschen drohete, setzte sie der Nachahmung weislich Schranken, und erinnerte sich, daß ob es gleich billig sey, die Häßlichkeit im Leiden zu bedauern, so sey es doch natürlicher mit der Schönheit in diesem Zustande Mitleid zu haben, und daß es nicht ihre Sache sey, die heftigste Abbildung der Natur, sondern die am meisten interessirende darzustellen. Ich erinnere mich, daß dieser scharfsinnige Mann zugleich anmerkte, die griechischen Künstler wären beschuldigt worden, sie hätten den Charakter dem technischen Verhältniß zu sehr aufgeopfert. Aber, fuhr er fort, das, was gemeiniglich Charakter in einem Gesicht genennet wird, ist wahrscheinlich Uebertreibung in einigen Theilen desselben, und besonders in denen, die unter dem Einfluß des Gemüths stehen, indem die herrschende Leidenschaft desselben sich gewisse Züge als eigen auszeichnet. Auf einem vollkommen symmetrischen Gesicht ist keine Spur des Einflusses der Leidenschaften oder des Verstandes zu sehen, und erinnert an Prometheus Thon, ohne sein Feuer. An der andern Seite haben die Neuern jene technischen Verhältnisse, deren genaue Be-

obachtung

obachtung Schönheit hervorbringt, dem Ausdruck zu freygebig aufgeopfert, und dadurch gemeiniglich den Punkt, um welchen sie stritten, verloren. Sie dachten dem Anschein nach, wenn eine Leidenschaft ausgedruckt werden sollte, so könnte sie nicht zu stark ausgedrückt werden, und Sympathie folge allemal im genauen Verhältnisse der Stärke der Leidenschaft und der Kraft des Ausdrucks. Aber anstatt daß die Leidenschaften in ihrem äußersten Grad Sympathie hervorbringen sollten, so erregen sie gemeiniglich ein gerade entgegenstehendes Gefühl. Ein heftiges und stürmisches Mitleidsbegehren wird mit Vernachläßigung und bisweilen mit Widerwillen angehört; da hingegen eine geduldige und stille Beruhigung unter dem Druck der Leiden des Geistes oder schwerer körperlicher Schmerzen jedes Herz mit seinem Leiden sympathisirend findet. Die Alten wußten, wie weit der Ausdruck mit guter Wirkung getrieben werden kann. Der Verfertiger des berühmten Laokoon im Vatican wußte, wo er aufhören sollte, und die Figur würde vollkommen seyn, wenn sie allein wäre. In dem Gesicht herrscht ungemeiner Schmerz, aber er wird stumm ohne Verzerrung der Züge ertragen. Puget glaubte, er könnte weiter gehen als Laokoon; er gab seinem Milo Sprache, er ließ ihn für Schmerz heulen, und verlor die Sympathie des Zuschauers. Zur Bestätigung dieser Lehre verlangte Herr Lock, daß ich, wenn ich nach Rom käme, die berühmte Statue der Niobe auf dem Vorwerk de Medici aufmerksam untersuchen möchte. Dieses habe ich mehr als einmal gethan, und finde seine Anmerkungen sehr treffend. Der Verfertiger der Niobe ist so klug gewesen, allen Kummer, den er in ihrem Gesicht hätte anbringen können, nicht auszudrücken. Dieser vollkommene Künstler besorgte, die Züge zu sehr zu verstellen, und wußte gar wohl, daß der Punkt, wo er die meiste Sympathie zu erwar-

ten

ten hätte, da sey, wo Leiden zugleich mit der Schönheit wirkte, und unser Mitleid unsrer Liebe begegnete. Hätte er ihn einen Schritt weiter im Ausdruck gesucht, so hätte er ihn verloren. Es ist ungerecht, werden Sie sagen, daß Männer mit dem Schmerz häßlicher Weiber nicht in eben dem Grade als mit dem Leiden der Schönen sympathisiren sollen. Es ist wahr, aber der Künstler muß seine Kunst auf die Menschen anwenden, wie er sie findet, nicht wie sie seyn sollen. Ueberdem hat dieser Grundsatz nur in der Bildhauer- und Malerkunst seine völlige Kraft, und ist genau richtig. Denn im wirklichen Leben kann ein Frauenzimmer eines Mannes Hochachtung und Zuneigung durch tausend schöne Eigenschaften und tausend anmuthige Bande fesseln, ob ihr gleich die Schönheit gänzlich fehlt.

Dieses Vorwerk ist ebenfalls mit einer dem Leben ähnlichsten Statuen bereichert, die nach der Meinung vieler Personen von Geschmack dem vaticanischen Apoll am nächsten, und nach dem Urtheil einiger gleich kommt. Ich meyne, die Statue des fechtenden Fechters. Es ist jedoch eine schwere Sache, zwey Stücke von so verschiedenem Verdienste zu vergleichen. Der Apoll ist voll Grazie, Majestät und sich bewußter Vorzüglichkeit. Er hat seinen Pfeil abgedruckt, und weiß die Wirkung desselben. Es ist in der That in seinem Gesicht ein starker Ausdruck des Unwillens, der seine Lippen öffnet, seine Naselöcher ausdehnt und seine Stirn zusammenzieht; aber es ist der Unwille eines höhern Wesen, welches strafet, indem es die Bemühungen seines Feindes verachtet. Der Fechter hingegen, voll Feuer und jugendlichem Muth, widersetzt sich einem Feinde, den er nicht fürchtet, den er aber, wie man augenscheinlich sieht, seiner äußersten Anstrengung würdig achtet. Jedes Glied, jede Sehne, jede Nerve ist in Bewegung; seine feurigen Züge zeigen das stärkste Verlangen, die höchste Erwartung aber keine
vollkom-

vollkommene Sicherheit des Sieges an. Sein Körper
ist so zierlich als nervicht, voll Ausdruck der Behendigkeit sowohl als der Stärke, und gleich weit von der flei-
schigten Stärke des farnesischen Herkules, und von der
weibischen Weichlichkeit des Antinous von Belvedere
entfernt. Die Bewegung ist vorübergehend (wenn ich
so reden darf), und nur eine Vorbereitung zu einer andern Stellung des Körpers und der Glieder, die ihn
fähig macht, einen Stoß zu versetzen, welches er in der
gegenwärtigen nicht kann; denn wenn sein rechter Arm
die senkrechte Linie seines rechten Schenkels durchschnitte,
so würde die ganze Figur aus ihrem Mittelpunkt seyn.
Seine Bewegung scheint eine Verbindung des Angrei-
fens und Vertheidigens zu seyn: vertheidigend in dem
gegenwärtigen Augenblick, weil der linke Arm vorge-
streckt ist, sich wider des Gegners Streich zu sichern;
vorbereitend zum Angriff, indem das linke Bein schon
einen Sprung macht vorzutreten, um der Figur einen
Mittelpunkt zu geben, der sie fähig macht einen Streich
zu versetzen, ohne Gefahr zu laufen, zu fallen, wenn er
nicht treffen sollte. Inzwischen bleibt die Handlung des
rechten Arms immer einigermaßen räthselhaft, weil der
alte verloren worden ist. Wer den neuen Arm wieder-
hergestellet hat, habe ich nie gehört.

Obschon diese schöne Figur gemeiniglich den Namen
des fechtenden Fechters führt, so wollen doch einige Al-
terthumskundige nicht zugeben, daß sie je eine solche Person habe vorstellen sollen, sondern einen Sieger in den
olympischen Spielen; sie berufen sich zu Bestätigung ihrer Meinung auf den an dem Fußgestelle stehenden Namen des Bildhauers Agasias von Ephesus, weil
die Griechen nie Fechter gebraucht haben. Ich befürch-
te aber, daß dieser Grund von wenigem Gewicht ist; denn
die griechischen Sklaven zu Rom setzten ihren Namen zu
ihren Arbeiten, und den in Griechenland an öffentli-

I. Theil.　　　　S　　　　　　　chen

chen Werken arbeitenden freyen griechischen Künstlern
ward es schwer, diese Nachsicht zu erhalten. Diejeni=
gen, welche diese Statue von dem schimpflichen Stande
eines gemeinen Fechters befreyen wollen, sagen ferner,
er sähe in die Höhe, als ob sein Gegner zu Pferde sey,
da doch die Fechter auf dem Kampsplatze nie zu Fuß
wider Reiter fochten. Ich fürchte, daß sie hier wieder=
um irren. Er sieht nicht höher, als auf das Auge ei=
nes Mannes zu Fuße. Der Kopf müßte weit empor=
gerichteter seyn, wenn er auf das Auge eines Reiters sä=
he; und das Auge ist allemal derjenige Theil des Wider=
sachers, auf welchen man aufmerksam seyn muß.

Einige Gelehrte, die nicht zufrieden waren, daß
diese Statue unter die Fechter und Sieger in den olym=
pischen Spielen ohne Unterschied geworfen werden soll=
te, haben ihr einen besondern und festen Charakter bey=
gelegt. Sie behaupten dreist, es sey die eigentliche Sta=
tue, welche, auf Befehl des atheniensischen Staates, ih=
rem Landsmann **Chabrias** zu Ehren verfertigt worden,
und daß es eben die Stellung sey, die dieser Held nach
dem **Cornelius Nepos** annahm, als er die Armee des
Agesilaus zurücktrieb. Dies ist ein Gedanke in dem
wahren Geschmack eines Antiquariers.

Wenn Sie, diesen Schriftsteller nachschlagend, noch
unüberzeugt bleiben, und an der Ehre der Statue Theil
nehmen, so weiß ich Ihnen keine Vermuthungsgründe
ihrer eigentlichen Würde anzugeben, außer daß der Cha=
rakter des Gesichts edel und trotzig ist, und einem Skla=
ven und besoldeten Fechter nicht gleicht. Um den Hals
ist auch kein Strick, wie bey dem sterbenden Fechter, an
welchem dieser Umstand hinlänglich anzeigt, daß er in
diesem unglücklichen Zustande gewesen ◆).

XLVI. Brief.

XLVI. Brief.

Rom.

Vor einigen Tagen besuchte ich einen Künstler von meinen Bekannten. Ich begegnete vor seiner Thür einem alten Weibe mit einem sehr hübschen ungemein wohlgewachsenen Mädchen, die von ihm weggiengen. Ich zog ihn ein wenig mit diesem Besuche und mit seinem guten Glück auf, daß ihm das artigste Mädchen, das ich, seitdem ich in Rom gewesen, gesehen, die Aufwartung gemacht hätte. „Ich schätze mich glücklich,“ sagte er, „daß ich ein so vollkommen wohlgebildetes Mäd-„chen gefunden habe, welches mir die Erlaubniß giebt, „ihre Reize ohne Zurückhaltung um einen billigen Preis „zu studiren: aber ich versichre Sie, keines andern Glücks „kann ich mich bey ihr rühmen.“ — „Ich bin über-„zeugt,“ erwiederte ich, „daß Sie sie mit sehr vielem „Vergnügen studiren, und ich zweifle nicht, daß Sie „einen wünschenswürdigen Fortgang darin gemacht ha-„ben.“ — „Davon sollen Sie urtheilen,“ antwortete er, und führte mich in ein andres Zimmer, wo ich ein Gemälde von diesem Mädchen in völliger Länge in dem Charakter der Venus und in der gewöhnlichen Kleidung dieser Göttinn sahe. „Das ist der einzige Nutzen, „sprach er, „den ich bisher von meinen Studien gehabt „habe; und ich besorge, daß Sie nie etwas hervorbrin-„gen werden, was in näherer Verbindung mit dem Ori-„ginal ist.“ Hierauf erzählte er mir, daß das alte Weib, das ich gesehen hätte, des Mädchens Mutter sey, welche nie unterließe, ihre Tochter zu begleiten, wenn sie als ein Muster zu ihm käme; daß der Vater ein Handwerker sey, der eine zahlreiche Familie habe, und von seiner Tochter Schönheit keinen unschuldigern Gebrauch machen zu können glaube, bis sie verheirathet würde;

und

und um es zu verhüten, daß sie nicht auf andre Art ge-
nutzt würde, so würde sie immer von der Mutter begleitet. „Ich habe sie als Venus gemalt," sagte er; „aber
„wie ich nicht anders weiß, so würde ich ihrem wahren
„Charakter ähnlicher gekommen seyn, wenn ich sie als
„Diana abgebildet hätte. Sie kommt nur aus Gehor-
„sam gegen ihre Aeltern, und verdient ihr Brod so un-
„schuldig, als wenn sie in einem Kloster vom Morgen bis
„Abend Geldbeutel strickte, ohne einen Mann zu sehen."

„So unschuldig das alles seyn mag," antwortete ich,
„so stößt sich doch der Verstand daran, daß eine Mutter
„gegenwärtig ist, wenn die Tochter eine Rolle spielt, wel-
„che, wo nicht sträflich, wenigstens höchst unanständig ist."

„Freylich," versetzte der Maler, „besitzt die Frau
„nicht völlig so viel Delicatesse, daß sie lieber erhun-
„gern, als ihre Tochter zum Muster darstellen lassen
„wollte. Inzwischen scheint sie doch für des Mädchens
„Keuschheit Sorge zu tragen."

„Keuschheit!" rief ich aus. „Wahrhaftig, man
„würde einem englischen Frauenzimmer nichts vorschla-
„gen können, was ihm anstößiger wäre. Man müßte
„sich schon vorher alle Freyheiten bey ihr herausgenom-
„men haben. Sie müßte schon eine vollkommen Ge-
„schändete (prostitute) in jedem Verstande des Wortes
„seyn, ehe sie würde bewogen werden können, sich auf
„diese Art sehen zu lassen."

„Ihre Beobachtung ist richtig," versetzte er; „aber
„sie beweiset nicht, daß nicht diejenigen, welche sich die-
„ser Darstellung unterziehen, um nicht geschändet zu
„werden, besser urtheilen, als diejenigen, die sich erst
„schänden lassen, und dann sich diesem unterwerfen. So
„verschieden die Länder sind," fuhr er fort, „so verschie-
„den ist die Denkungsart in diesem Stücke. Ich weiß,
„daß die Aeltern dieses Mädchens ansehnliche Anträge
„von begüterten Leuten, ihnen die Freyheit sie zu besu-
„chen

„chen zu erlauben, ausgeschlagen haben. . Sie sind so
„sorgfältig, alles von der Art zu verhüten, daß sie wirk-
„lich mit ihnen in einem Bette schläft, welches ebenfalls
„eine bey dem gemeinen Mann in Italien nicht unge-
„wöhnliche Unanständigkeit ist. Für die Aeltern ist die
„Ausschlagung dieser Anträge ein desto größeres Ver-
„dienst, da es niemand für außerordentlich halten wür-
„de, wenn sie anders handelten; es würde auch hier
„nicht so viele Verachtung als in einigen andern europäi-
„schen Ländern erwecken. Wenn Weibsbilder von nie-
„drigem Stande die Gesetze der Keuschheit übertreten,
„so wird das hier nicht in einem so abscheulichen Licht
„als in einigen Theilen von Deutschland und Groß-
„britannien betrachtet, wo man es für ein so großes
„Laster ansieht, daß es durch einen öffentlichen Verweis
„von dem Pfarrer mitten in der Kirche gebüßet werden
„muß. Mir ist von einem nordischen Geistlichen erzählt,
„der ein junges Mädchen bestrafen sollte, das vor der
„Ehe ein Kind gehabt hatte. Der Theilnehmer ihres
„Fehlers hatte sie gleich nach dem Wochenbette geheira-
„thet; aber das konnte den Unwillen des Predigers
„über die vorhin begangene Bosheit nicht schwächen.
„Magdalene!“ sprach er mit einer furchtbaren Stimme zu ihr, „Ihr stehet vor dieser Versammlung, um
„wegen des barbarischen und unnatürlichen Lasters
„der Hurerey zu büßen.“

„Der ehrwürdige Geistliche,“ sagte ich, „suchte
„aller Wahrscheinlichkeit nach seine Pfarrkinder von sol-
„chen Unordnungen abzuschrecken, und daher glaubte er,
„es würde nicht schaden, wenn er sie von der schwärze-
„sten Seite schilderte.“

„Inzwischen hat das eine traurige Folge,“ erwiederte der Künstler; „diese unglückliche Geschöpfe gerathen
„bisweilen, um einen Fehler, von dem man einen so er-
„schrecklichen Begriff macht, zu verbergen, und der

S 3   „Schande,

„Schande, öffentlich in der Kirche zur Schau gestellt zu
„werden, zu entgehen, in Versuchung, ein Laster zu be-
„gehen, das wirklich barbarisch und im höchsten Grade
„unnatürlich ist."

„Nichts ist geschickter," fuhr er fort, „jemanden zu
„einem schlechten Menschen zu machen, als die Vorstel-
„lung, daß man schon dafür gehalten wird. In ganz
„Großbritannien sind die Weiber, die in öffentlich
„bekannter Unkeuschheit leben, gemeiniglich ruchloser,
„und mehr ohne alle Grundsätze, als die italiänischen
„Weiber, die sich eben die Freyheiten herausnehmen."

„Wollten Sie denn," sagte ich, „daß solche Wei-
„ber in Großbritannien höher geachtet werden sollten,
„in Hoffnung, daß sie dadurch mit der Zeit achtungs-
„würdiger werden möchten."

„Das ist gar meine Meinung nicht," antwortete er;
„ich wollte nur die Anmerkung machen, daß man oft,
„um einer Schwierigkeit auszuweichen, in eine andre
„verfällt, und wir zu leicht Gebräuche und Meinungen
„tadeln und lächerlich machen, die von den in unserm
„Lande herrschenden verschieden sind, ohne daß wir alle
„ihre unmittelbare und entfernte Folgen hinlänglich in
„Erwägung gezogen haben. Ich war keineswegs geson-
„nen zu entscheiden, ob die Nachsicht, die man gegen
„gewisse Gattungen von Weibspersonen in Italien hat,
„oder die schmähliche Behandlung derselben in Groß-
„britannien auf die Gesellschaft die beste Wirkung äuf-
„sert. Das aber habe ich bemerkt, daß die öffentlichen
„Buhlerinnen in England oft ganz zügellos werden,
„und aller Empfindung der Dankbarkeit oder Zuneigung
„selbst gegen ihre Aeltern vergessen. In Italien hin-
„gegen zeigen Weibspersonen, die nie einigen Werth
„auf die Tugend der Keuschheit setzten, die ihre Gunst-
„bezeugun-

„bezeugungen für Geld verkaufen, in ándern Stücken
„einen guten Charakter, und beharren in ihrer Pflicht
„und Ergebenheit gegen ihre Aeltern, so lange sie leben.
„Ausländer, welche sich in diesem Lande mit einem
„Mädchen einlassen, sind oft genöthigt, Vater, Mutter
„und die ganze Familie zu unterhalten. Der Liebhaber
„betrachtet dieses gemeiniglich als einen sehr beschwerli-
„chen Umstand, und sucht seiner italiänischen Geliebten
„jene völlige Hintansetzung ihrer Familie einzuflößen,
„welche Weibspersonen von ihrem Schlage in andern
„Ländern eigen ist; aber selten gelingt es ihm. Eine
„Italiänerinn verläßt ihre Vaterstadt und Familie selbst
„nicht um einen Mann, den sie liebt, gerne, und sel-
„ten eher, als bis er ihre nächsten Verwandten ver-
„sorgt hat."

„Sie scheinen den Italiänerinnen sehr geneigt zu
„seyn," sagte ich, „und so viel ich bemerke, erstreckt
„sich Ihre Leidenschaft allgemein über die ganze Klasse;
„aber von dem wichtigen Artikel der Religion haben Sie
„noch nichts gesagt. Hoffentlich lassen sie sich durch
„die Pflichten ihrer Profession nicht abhalten, für ihre
„Seele zu sorgen."

„Ich sehe," erwiederte der Maler, „Sie haben
„Lust über álles, was ich zu ihrem Beßten geredet ha-
„be, zu lachen; aber um auf Ihre Frage zu antworten,
„muß ich aufrichtig gestehen, daß ihr Wandel auf ih-
„re religiöse (oder, wollen wir lieber sagen, abergläubige)
„Meinungen gar keinen Einfluß zu haben scheint, und
„eben so wenig wirken diese Meinungen auf ihren Wan-
„del. Sie hören Messe, und warten die Andachtsü-
„bungen mit eben der Pünktlichkeit ab, als wenn sie in
„allen Stücken das regelmäßigste Leben führten, und le-
„ben übrigens, als ob sie nie von einem andern Reli-
„gionssystem als des Epicur etwas gehört hätten. In
S 4   „einigen

„einigen europäischen Ländern verachten Weibspersonen
„von solchem Schlage oft allen Schein des Wohlstan-
„des, nehmen die ekelhafte Wildheit ausschweifender
„Mannspersonen mit allen Minen affectirter Untreue
„und wirklicher Liederlichkeit an: hier aber erinnern sie
„sich allemal, daß sie Weiber sind; und wenn sie die
„schätzbarste und glänzendste Zierde ihres Geschlechts
„verloren haben, so suchen sie doch einige von den andern
„Schönheiten desselben zu behalten."

„So viel Sie mir auch zu ihrem Vortheil sagen,"
antwortete ich, „so ist doch ihr Zustand gewiß nicht zu
„beneiden. Wenn Sie also für Ihre junge Venus Ach-
„tung haben, so thun Sie wohl, sie unter ihrer Mut-
„ter Aufsicht zu lassen, und sie nie in die Gesellschaft
„einzuführen, der Sie eine Lobrede gehalten haben."

Wie ich von diesem Künstler zu Hause kam, fand
ich Herrn — auf mich warten. Er hat seit einiger
Zeit einer Dame von hohem Stande in dieser Stadt
sehr fleißig die Aufwartung gemacht. Sie hat den
Ruhm, daß sie alle von der Kirche vorgeschriebne Gebräuche genau beobachtet, und ohne Gewissensscrupel
an keinem Fasttage Fleisch ißt, auch andere eben so wichtige Punkte der Kirchenordnung nicht übertritt; aber in
Ansehung der Galanterie steht sie im Ruf, daß sie sowohl in der Theorie als Praxis von weit freyern Gesinnungen ist. Sie war seit einiger Zeit mit einem sehr
geschickten und achtungswürdigen Liebhaber aus ihrem
Vaterlande versehen. Dies machte sie jedoch gegen die
guten Eigenschaften des Herrn — nicht blind, und sie
stiftete mit demselben eine genaue Bekanntschaft, bald
nach seiner Ankunft allhier; nicht als ob sie ihn ihrem
andern Liebhaber vorzöge, sondern lediglich aus einer
richtigen Erkenntniß der Wahrheit und Schönheit des
arithmetischen Satzes. — daß eins und eins zwey sind.

Das

Das der Dame angenehme neue Verſtändniß mit unſerm Landesmanne war ihrem Beichtvater misfällig.
Der gewiſſenhafte Geiſtliche glaubte, daß eine ſolche
Verbindung ſtrafbarer mit einem Ketzer, als mit einem
Manne von ihrer Religion ſey. Herr — kam eben
von der Dame, als er uns beſuchte. Er hatte ſie übler
aufgeräumt gefunden, als er je bemerkt hatte, ob ſie
gleich nie von dem ſanfteſten Naturell iſt. Herr —
trat hinein, als der Beichtvater heraus gieng; ſie ſchlug
die Thür mit einer Heftigkeit hinter ihm zu, daß das
ganze Haus bebte, und murmelte, indem ſie ſich wieder
niederſetzte: Che ti poſſono caſcar le braccie, Vecchio
Dondolone (daß du Arme und Beine brächſt, alter Ehe-
krüppel)! Herr — bezeigte ſein Befremden, ſie ſo aufgebracht zu ſehen. „Iſt das Wunder?“ ſagte ſie;
„das dumme Vieh, das da eben weggeht, iſt ſo unver-
„ſchämt geweſen, mir die Abſolution zu verſagen. Da
„ich Sie dieſen Morgen erwartete, ſo ließ ich ihn bey
„Zeiten holen, damit die Sache vor Ihrer Ankunft ab-
„gethan ſeyn möchte: aber da habe ich über eine Stun-
„de zugebracht ihn zu überreden, und es hat nichts ge-
„holfen. Nichts war fähig, den hartnäckigen aiten
„ſchmuzigen Schurken zu erweichen.“ Herr — ſchmä-
hete mit ihr auf den Eigenſinn des Beichtvaters, und
gab ihr zugleich zu verſtehen, ſie müſſe ſolches als eine
Sache von geringer Wichtigkeit nicht achten; ſie würde
die Abſolution gewiß früher oder ſpäter erhalten, und
dann würde auf einmal alles, was ſie mittlerweile noch
thäte, darin begriffen werden. Nach dieſer gründli-
chen Vorſtellung wollte Herr — fortfahren, zu dem
Zweck ſeines Beſuchs mit eben der Hurtigkeit zu ſchrei-
ten, als ob ſie die völlige Vergebung aller ihrer Handlungen erhalten hätte. Pian piano, Idol mio! rief die
Dame; biſogna rimetterſi alla volontà di Dio (langſam, langſam, mein Abgott! man muß ſich dem Wil-

len

len Gottes unterwerfen). Sie sagte hierauf zu ihrem Liebhaber, daß ob sie gleich den Beichtvater so
sehr, als er nur immer thun könnte, verachtete, so müsse sie doch für ihre Seele sorgen; und da sie ihre Rechnung mit dem Himmel lange nicht abgeschlossen hätte,
so wollte sie keine neue anfangen, ehe die alte berich-
tigt wäre, und setzte zur Hauptursache hinzu: Patto
chiaro, amico caro (Richtige Zahlung erhält die beste Freundschaft).

Ende des ersten Bandes.

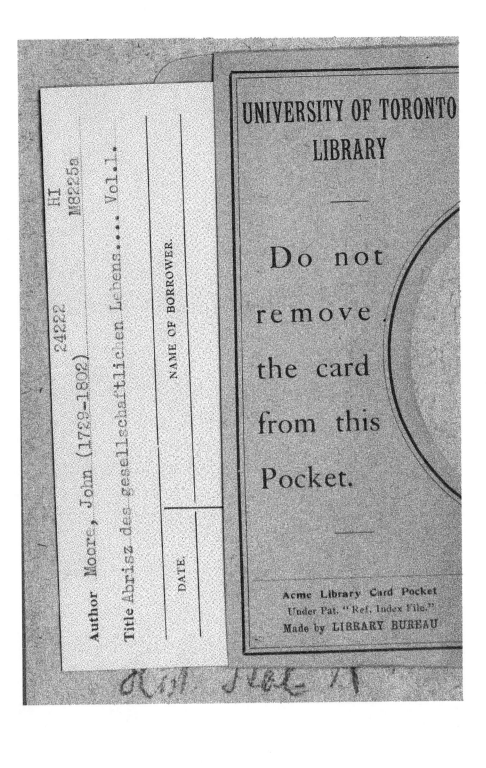

CPSIA information can be obtained
at www.ICGtesting.com
Printed in the USA
BVHW071656061118
532319BV00011B/970/P

9 780483 030107